Et Angélil créa Céline

DU MÊME AUTEUR

FLEUR D'ALYS, Leméac, Montréal, 1994.

CÉLINE DION, UNE FEMME AU DESTIN EXCEPTIONNEL, Québec Amérique, Montréal, 1997.

LE MYSTÈRE VILLENEUVE, Québec Amérique, Montréal, 2000.

Jean Beaunoyer
avec la collaboration de
Jean Beaulne

Et Angélil créa Céline

biographie

ÉDITIONS TRAIT D'UNION
284, square Saint-Louis
Montréal (Québec)
H2X 1A4
Tél. : (514) 985-0136
Téléc. : (514) 985-0344
Courriel : editionstraitdunion@qc.aira.com

Mise en pages : Édiscript enr.
Photo de la couverture : *La Presse*
Maquette de la couverture : Yvan Meunier
Photo de Jean Beaunoyer : © Suzette Paradis
Photo de René Angélil, Céline Dion et Jean Beaulne : Pierre Yvon Pelletier

Données de catalogage avant publication (Canada)

Beaunoyer, Jean

    Et Angélil créa Céline

    ISBN 2-89588-019-0

    I. Angélil, René. 2. Dion, Céline. 3. Imprésarios – Québec (Province) – Biographies.
4. Chanteurs – Conjoints – Québec (Province). – Biographies. I. Beaulne, Jean. I. Titre.

ML429.A582B42 2002   782.42164'092   C2002-941796-1

DISTRIBUTEURS EXCLUSIFS

POUR LE QUÉBEC ET LE CANADA
Édipresse inc.
945, avenue Beaumont
Montréal (Québec)
H3N 1W3
Tél. : (514) 273-6141
Téléc. : (514) 273-7021

POUR LA FRANCE ET LA BELGIQUE
D.E.Q.
30, rue Gay-Lussac
75005 Paris
Tél. : 01 43 54 49 02
Téléc. : 01 43 54 39 15

Nous remercions le Conseil des Arts du
Canada de l'aide accordée à notre
programme de publication.

Nous bénéficions d'une subvention
d'aide à l'édition de la SODEC.

Pour en savoir davantage sur nos publications,
visitez notre site www.traitdunion.net

Préambule

Je crois bien que Jean Beaulne n'a jamais cessé d'être un Baronet. Trois décennies ont passé depuis qu'il a quitté le groupe en 1969, mais il n'a jamais oublié les années de folie, de gloire, mêlées aux années de misère et au dur apprentissage du métier d'artiste. En compagnie de René Angélil et de Pierre Labelle, il a traversé la fin des années cinquante et les années soixante avec l'insouciance et la fragilité de la jeunesse. Pendant une douzaine d'années, Jean Beaulne a partagé son quotidien avec René. Les deux hommes se connaissent comme s'ils étaient des frères. Le temps et la carrière de Céline Dion les ont séparés pendant un certain temps, mais inévitablement les grands événements de leur vie respective les rapprochaient. Comme si ces vieux complices ne pouvaient plus échapper à leur passé.

J'ai rencontré Jean Beaulne dans le cadre de mes fonctions de journaliste. J'assistais aux funérailles de Pierre Labelle, le troisième Baronet, et j'ai remarqué le soin que Jean Beaulne avait mis à organiser cette cérémonie touchante à laquelle Céline Dion assistait en compagnie de son époux, René Angélil. Ce jour-là, Jean Beaulne avait réussi à faire revivre les Baronets. Ils étaient réunis tous les trois pour la dernière fois. René et Jean accompagnaient Pierre dans son dernier voyage et, en regardant ce vieil ami les quitter, c'est une partie de leur jeunesse qu'ils enterraient.

J'ai revu par la suite Jean Beaulne, qui animait une foule de projets, dont la production d'un documentaire sur l'histoire des Baronets avec la collaboration de son vieil ami, René Angélil. Il avait également entrepris la rédaction d'un livre racontant, sans flagornerie, sa relation avec René depuis leurs jeunes années à l'école secondaire Saint-Viateur jusqu'à aujourd'hui.

7

J'avais également songé à raconter l'histoire de René Angélil, pensant qu'il s'agissait de la suite logique de la biographie de Céline Dion que j'avais écrite à la fin des années quatre-vingt-dix. Je m'étais déjà mis au travail lorsque Jean Beaulne et moi avons découvert que nous travaillions dans le même sens, sans le savoir.

Il nous a fallu très peu de temps pour réaliser que nous avions tout avantage à conjuguer nos forces et nos connaissances pour produire une œuvre plus étoffée. De plus, Jean Beaulne a une connaissance intime du milieu artistique, une expérience de vie avec René, tandis que moi j'ai une vue d'ensemble du monde artistique, de la vie de Céline et de René, en plus d'une longue expérience de l'écriture.

D'abord, nous nous sommes rencontrés, Jean et moi, et nous avons appris à nous connaître et à nous faire confiance. Jean a même eu la délicatesse de m'inviter à quelques reprises dans un hôtel des Laurentides afin que nous puissions discuter du projet. Le rêve de tout écrivain. Et c'est dans un décor enchanteur, près d'un lac, pendant une partie de l'été 2002, que Jean Beaulne a repassé sa vie avec les Baronets et ses contacts avec René Angélil. J'ai tout noté dans un grand cahier, même au bord d'une rafraîchissante piscine. Jean m'a fait confiance et s'est livré abondamment. Puis nous nous sommes revus à Montréal et avons poursuivi nos échanges dans les restaurants les plus tranquilles de la ville. Homme franc, direct, honnête, Jean Beaulne n'a jamais cherché à cacher ou à enjoliver la vérité. Il a vécu de nombreuses disputes avec René Angélil. Ces deux leaders n'ont jamais cédé lorsqu'il s'agissait de leurs convictions profondes. Ils n'ont jamais cherché à se plaire mutuellement, mais ils se sont toujours respectés.

Jean Beaulne, après avoir quitté les Baronets, a suivi avec beaucoup d'attention l'évolution de la carrière et de la vie de René Angélil. J'ai même remarqué qu'il a manifesté un certain paternalisme à l'endroit de René. Sa santé l'inquiétait, son rythme infernal de vie également. Il lui en a fait part, mais, comme dans le bon vieux temps, René l'envoyait paître. C'était de bonne guerre. Les deux complices ont toujours été ainsi. En opposition constante, mais avec un souci caché du bien-être de l'autre. Une amitié virile ou une amitié de compétiteurs, comment pourrait-il en être autrement avec René qui ne sait pas perdre ?

Jean Beaulne m'a remis des documents. Plus de trois cents pages d'un manuscrit qu'il avait écrit à la main. J'en ai été aussi amusé qu'impressionné. Personne n'écrit autant avec le stylo aujourd'hui. Mais Jean a écrit avec son cœur, ses sentiments et sa vérité, qui s'exprimaient mieux de cette manière. Il m'a remis aussi une pleine boîte d'articles anciens, de témoignages et de courtes biographies qu'il avait colligés durant les dernières années. Un travail impressionnant.

Par la suite, il m'a inspiré pour rédiger l'essentiel de ce livre. Il m'a fait comprendre mieux que quiconque le cheminement de René Angélil et sa relation avec la chanteuse. Jean Beaulne est un homme libre qui n'a aucune attache professionnelle avec Angélil ou son entourage. Souvent, il a guidé ma main et m'a fourni les outils nécessaires à la rédaction de ce livre. Nous avons réussi à mêler harmonieusement nos connaissances et nos talents dans cet ouvrage. J'ajouterais cependant que sans son concours ce livre n'aurait pas toutes ses couleurs, toute son authenticité. J'ai ajouté, et qu'on me pardonne ce parti pris, l'importance et la place de choix qu'a eues Jean Beaulne dans l'histoire des Baronets. Cette place lui revenait de droit. Il l'a largement méritée. Et la place qu'il occupe dans l'histoire du show-business québécois, après une trentaine d'années de production. Cela aussi, il l'a mérité. Je m'en porte garant.

JEAN BEAUNOYER

Introduction

Dans l'ombre de la chanteuse la plus adulée de la planète, les traits d'un homme se dessinent peu à peu et nous permettent de découvrir un personnage fascinant. Les années ont passé depuis que René Angélil a découvert Céline Dion en 1981 et qu'il en a fait la plus grande star de la chanson. Mais l'homme qui est à l'origine du succès de la mégastar a sans cesse dérouté, confondu, étourdi les représentants des médias et les gens de son entourage, sans se livrer complètement. En prenant le contrôle de la vie et de la carrière de Céline Dion alors qu'elle n'était âgée que de onze ans, il a moulé sa vie dans la sienne, devenant le cerveau, l'image, l'énergie, l'espoir et finalement le succès de l'entreprise Céline Dion.

En célébrant le talent et la gloire croissante de sa protégée, René Angélil a laissé dans les coulisses du spectacle et derrière les feux de la rampe la véritable nature de sa personnalité. Longtemps, il n'a semblé être que le figurant dans la fabuleuse histoire de Céline ; mais, en réalité, il a été l'artisan de ce conte de fées qu'a vécu Céline Dion qui, à ses débuts, n'avait que sa voix et sa foi à offrir au monde entier. René Angélil allait s'occuper du reste avec une ferveur quasi religieuse. Il s'y est tant et si bien employé qu'il a fait oublier sa propre ascension et ses véritables motivations dans cette course effrénée vers la gloire et la fortune.

Bien sûr, on a tenté de cerner, et parfois même de piéger, le personnage lors des nombreuses entrevues qu'il a accordées, toujours dans le sillage de la promotion d'un disque ou d'un spectacle de « sa » chanteuse. Mais René Angélil, sans cesse obsédé par l'image de Céline, a joué le jeu. Il n'a laissé paraître que ce que voulaient voir l'Amérique et le monde entier.

De plus, son histoire ne se raconte pas en vrac. C'est en furetant dans les coulisses du showbiz naissant au Québec qu'on découvrira René Angélil. C'est en approchant sa famille et en déterminant l'influence des groupes ethniques dans le tissu social montréalais qu'on apprendra à connaître la véritable nature de l'homme. Finalement, c'est en suivant l'évolution du Québec, et tout particulièrement l'esprit d'entrepreneurship qui anime les années quatre-vingt, qu'on pourra comprendre la percée internationale de Céline Dion.

C'est donc un voyage dans l'univers de René Angélil que vous propose ce livre, en traversant les décennies et en repassant les différentes étapes de sa vie bien souvent cachées aux médias. Le but de cet ouvrage est de faire connaître René Angélil détaché de Céline. Cela relève de l'exploit, il faut bien en convenir, puisque l'homme s'est entièrement consacré à la carrière de la chanteuse depuis leur première rencontre, alors qu'il était âgé de trente-huit ans. Même s'il a consacré depuis plus de vingt ans de sa vie à Céline Dion, René Angélil avait déjà vécu quatre décennies avant cette rencontre, à chercher la formule magique, la carte maîtresse qui allait lui permettre de remporter le gros lot. Le joueur qu'a toujours été Angélil voyait la vie comme une gigantesque loterie et, pendant quarante ans, il a appris à jouer dans le monde du show-business avant de disposer du plus formidable atout : Céline Dion. Son triomphe ne fut pas facile et on découvrira un homme souvent triste, écorché par le destin, boudé par la gloire et la fortune alors qu'il se croyait tout près du but. L'homme est intrigant, attachant, même si l'on supporte mal son besoin obsessionnel de tout contrôler, non seulement dans son entourage mais dans tout le réseau du monde des communications. Un contrôle qui déjoue bien souvent l'esprit critique de la population et qui justifie amplement la publication de biographies de préférence non autorisées, sur lui et Céline.

S'il a été dans l'ombre de l'une des grandes stars de la planète, la lumière l'a fatalement rejoint et, aujourd'hui, le personnage, bien connu localement, intéresse la presse internationale. Dans l'histoire du show-business, toutes nations confondues, jamais un imprésario, fût-ce le légendaire colonel Parker, manager d'Elvis, n'a été autant médiatisé, n'a suscité autant d'intérêt. On reconnaît son talent, voire son génie, dans cet art si précieux de conduire un artiste jusqu'aux sommets de la profession. On s'intéresse à ses passions, à ses humeurs, à ses stratégies, à sa relation avec Céline, à sa fortune, à ses succès, et on se demande pourquoi tout lui a été possible. René Angélil, c'est peut-être lui, la véritable incarnation du rêve américain. Le rêve qui hante une bonne partie de la population de notre planète.

Depuis ses modestes débuts jusqu'à la gloire internationale, l'homme a vaincu la pauvreté matérielle, le snobisme des intellectuels, la maladie et les préjugés racistes. Il a subi des vagues de rumeurs rarement vérifiables concernant sa vie privée et a dû se défendre contre d'étranges et mystérieuses accusations d'agression sexuelle formulées par une Californienne d'origine sud-coréenne, Yun Kyeong Sung Kwon.

Cette sombre histoire a été relatée et commentée par d'importants médias, surtout en Amérique et en Europe. L'intérêt suscité par cette nouvelle donnait la réelle dimension de l'image de René Angélil. Un traitement équivalent à celui qu'on accorde aux grandes stars de la planète. Évidemment, sa gloire est intimement liée à celle de Céline Dion. Mais, même sans elle, il demeure incontestablement l'un des grands managers de son époque.

«Tu es tellement paresseux que tu ne réussiras jamais dans la vie.»

Aujourd'hui, cette phrase me fait sourire, puisque René est devenu le manager le plus prestigieux de la planète.

JEAN BEAULNE

1

La deuxième chance d'Angélil

Jean Beaulne n'avait pas vu son ancien compagnon René depuis un certain temps. Les deux hommes s'étaient retrouvés dans l'édifice qu'occupe la compagnie Feeling, à Laval, en banlieue de Montréal. Beaulne voulait discuter d'un documentaire qu'il comptait produire sur l'histoire des Baronets, un groupe dont les deux hommes avaient fait partie durant les années soixante.

Le groupe avait connu beaucoup de succès au Québec et s'était séparé après une douzaine d'années d'existence. Beaulne et Angélil avaient vécu de belles années à cette époque. Ils avaient partagé le succès, les voyages, la gloire et même quelques filles, toujours des adulatrices du groupe le plus populaire du Québec. Ils s'étaient également opposés à plusieurs reprises. «Nous étions deux leaders», raconte Beaulne. Celui-ci avait provoqué la séparation du groupe en décembre 1969, et, depuis, les deux hommes étaient demeurés amis et se voyaient régulièrement. Après des années difficiles, René Angélil, devenu imprésario, avait découvert Céline Dion et l'avait propulsée au sommet. Jean Beaulne s'était lancé dans diverses entreprises. Manager d'artistes à succès dans un premier temps, promoteur immobilier dans l'État de Floride et en Californie, puis producteur et scénariste, il n'a jamais découvert l'équivalent d'une Céline Dion. Il a cependant continué à réaliser de nombreux projets.

Ce jour-là, les deux anciens compagnons renouaient avec une certaine complicité. Et pourtant tout avait toujours opposé ces deux hommes. Autant Beaulne était agité et expansif, autant René, de nature pourtant nerveuse, semblait imperturbable, réfléchi, secret. Autant René aimait se gaver de mets gastronomiques comme de fast-food, autant Beaulne surveillait son alimentation, adepte qu'il a toujours été d'une nourriture saine excluant le café et les matières grasses. René l'avait d'ailleurs surnommé, non sans malice, «tasse d'eau chaude». Autant René était passionné par le jeu, autant Beaulne l'évitait comme le pire des démons. René reprochait à Jean d'être trop maigre; Jean reprochait à René d'être trop gros. L'un est très riche, l'autre pas. Beaulne avait perdu, lors de la récession économique qui avait accompagné la guerre du Golfe, plus de trois millions de dollars dans ce milieu instable et précaire que demeure celui de l'immobilier.

Mais si la situation avait changé entre les deux hommes, ils se retrouvaient ce jour-là comme autrefois, quand ils faisaient partie des Baronets. Sur un pied d'égalité.

«Chaque fois que je revois René, j'oublie sa fortune et sa célébrité et je retrouve le gars de Saint-Viateur, le Baronet que j'ai côtoyé quotidiennement pendant plusieurs années. D'autres sont impressionnés en sa présence, pas moi. Je le connais depuis quarante-cinq ans. À vrai dire, je connais mieux René que mon propre frère, et je suis certain que lui me connaît mieux que le sien. Quand je raconte ce que nous avons vécu, c'est comme si McCartney racontait John Lennon. Notre rapport est unique et il le sait. Jamais il n'a réussi à me manipuler. Je suis le seul qui lui a toujours tenu tête, et nous nous respectons mutuellement.»

C'est peut-être pour cette raison qu'Angélil éprouvait le besoin de s'expliquer, de se justifier face à Jean Beaulne. Dans des moments cruciaux de sa vie, il pouvait regarder la vérité en face même si elle pouvait lui être désagréable.

Ce jour-là, Jean Beaulne sentit que René traînait en lui un poids qu'il ne pouvait plus supporter. Il éprouvait un pressant besoin de se confier. René et Jean se donnèrent rendez-vous au bureau des Productions Feeling, dans un building situé au beau milieu du quartier des affaires de la ville de Laval, en banlieue de Montréal.

Ce n'était plus l'hiver ni tout à fait le printemps, en ce mois de mars 2002 qui n'en finissait plus. Jean Beaulne gara sa Mercedes portant encore l'immatriculation de l'État de la Californie et se rendit au septième étage pour rencontrer René Angélil qui l'attendait dans son bureau.

En pénétrant dans le local de la compagnie Feeling, il longea les murs en bois de teck de couleur brun foncé qui donnaient une certaine noblesse, mais aussi une lourdeur inévitable, au siège social qu'occupe le célèbre couple Dion-Angélil.

Vêtu d'un complet gris et tenant à la main une bouteille d'eau, René semblait chercher quelque chose. Il faut dire qu'il est un étranger dans sa propre maison, tant il l'occupe rarement. Depuis toujours, il préfère régler ses affaires par téléphone ou bien en utilisant le télécopieur, et tout récemment le courrier électronique. Il a horreur de la vie sédentaire, des paperasses et du travail de bureau. Il préfère voyager, bouger, établir des contacts dans les coulisses ou dans les restaurants, et se retrouver au cœur de l'action. On le voit donc peu au siège social de la compagnie qu'il a fondée avec Céline. À chaque fois qu'il s'y rend, cependant, ses employés l'accueillent joyeusement comme s'il s'agissait de retrouvailles.

À peine six pièces dans ce local. Le bureau du comptable, celui du conseiller et avocat, celui de Mario Lefebvre, qui s'occupe de la carrière du chanteur Garou, le bureau du secrétariat, une petite cuisine attenante à la salle de conférences, et le grand bureau de René au fond du couloir.

Jean Beaulne s'était installé dans ce bureau, porte close. Contre le mur, quelques trophées remportés par Céline au cours des dernières années.

D'entrée de jeu, Jean Beaulne, directeur de sa compagnie de production, John Baun Productions, qui produit des documentaires pour la télévision et gère la carrière de plusieurs artistes, expliqua avec enthousiasme son projet de documentaire sur la carrière des Baronets. Dans un premier temps, René ne fut pas particulièrement emballé. Il doutait de la quantité de matériel que l'on pouvait glaner sur cette époque de leur vie. Mais Jean Beaulne rétorqua qu'il disposait déjà de plus d'informations qu'il n'en était nécessaire et que ce documentaire pouvait s'étendre jusqu'à trois heures si on le désirait.

René demeurait réticent, comme il l'était à l'époque des Baronets quand Beaulne lui soumettait quelque autre de ses fameuses idées. Finalement, il accepta quand Jean lui dit qu'il souhaitait réaliser ce documentaire pour laisser une belle image des Baronets au public québécois qui les a toujours soutenus. Ce reportage, avant toute chose, constituerait un souvenir des plus chers pour leurs admirateurs, leurs familles, leurs amis, et, bien sûr, pour eux-mêmes.

Beaulne lui parla également de son projet d'écrire une biographie sur sa relation avec lui à l'époque des Baronets et sur son cheminement à titre d'imprésario de Céline Dion. Angélil accepta également cette idée, car, après tout, qui mieux que son compagnon de longue date pourrait en parler?

C'est la nostalgie qui l'emporta finalement. Avec le temps, elle s'empare plus souvent de René. Jean et René ne se rencontrent pas très fréquemment, à cause de leurs occupations respectives, mais, à chaque occasion, René évoque le bon vieux temps et les souvenirs qu'ils ont en commun.

Ce jour-là, il semblait plus triste qu'à l'ordinaire, et Jean Beaulne sentit que son vieil ami avait été secoué par des accusations qui avaient déjoué tous ses plans de marketing et de vie. Son image était maintenant éclaboussée. Beaulne le sentait anxieux et étourdi par toute la publicité entourant la poursuite pour agression sexuelle qu'une mystérieuse Américaine d'origine sud-coréenne intentait contre lui.

René lui confia alors ce qu'il avait vécu en cette nuit de mars 2000. Il se trouvait avec un ami et son garde du corps au *Caesar's Palace*, un casino de Las Vegas, lorsqu'une femme d'origine asiatique lui fit signe et demanda à lui parler. Quelques minutes plus tard, elle le suppliait de se rendre auprès d'une personne qui souffrait de fibrose cystique et qui désirait plus que tout au monde le rencontrer avant de mourir. Céline défendait déjà depuis plusieurs années cette cause avec beaucoup d'ardeur et René ne s'étonna donc pas outre mesure de cette requête. N'écoutant que son bon cœur, il se dirigea avec elle vers la sortie du casino et traversa la rue pour se rendre à l'Imperial Hôtel, où la malade était censée se reposer. C'est une fois qu'ils furent arrivés dans l'ascenseur de l'établissement que la femme commença à changer d'attitude. Elle tint, pendant toute la durée de leur transfert aux étages supérieurs, des propos incompréhensibles de viol et de menaces de mort. René ne comprenait rien, mais, pour savoir véritablement ce qui se passait, il se dirigea néanmoins vers la chambre de ladite souffrante… pour se trouver nez à nez avec le mari de la femme qui l'accompagnait! Ses soupçons étaient bien fondés: ce couple l'avait piégé dans un guet-apens. Il assistait maintenant, impuissant, à la crise d'hystérie d'une femme qui l'accusait d'avoir abusé d'elle et de l'avoir menacée de mort. Il sortit de la pièce en furie. Peu de temps après, la femme fit parvenir à son bureau un document de poursuite dans lequel René Angélil était clairement accusé de viol et de menaces de mort sur sa personne. Le moment était mal choisi. En effet, Céline allait fêter prochainement son anniversaire, et attendait leur enfant. Sur les conseils de son épouse, à laquelle il s'était confié dès son retour de voyage, et de son avocat, René prit la décision que tout bon imprésario aurait prise dans pareille situation. Régler cette sombre affaire hors cour et éviter qu'elle ne s'ébruite aux oreilles des nombreux paparazzi en quête de scandale. Il versa donc à la soi-disant victime une somme d'argent et s'engagea par écrit à aller passer un test de VIH. Mais, pensant cette histoire réglée, il négligea de passer le test. Si bien que, deux ans plus tard, cette femme, dont on connaissait maintenant le passé de joueuse compulsive et les manques de fonds chroniques liés à sa dépendance, lança une seconde poursuite contre René en demandant une nouvelle somme d'argent. Il n'avait pas respecté les termes du contrat et il était donc, de ce fait, encore attaquable. Cette fois-ci, il refusa de transiger. Il ne s'imaginait pas que cette femme serait à l'origine d'un scandale qui allait porter atteinte à sa réputation.

René Angélil finissait de raconter cette terrible histoire lorsque Céline se présenta au bureau, entourée de ses gardes du corps. Les deux vieux compagnons ne se rendirent donc jamais au restaurant où ils avaient prévu de partager un repas cet après-midi-là, mais Jean Beaulne garde depuis en mémoire chaque mot que René lui a révélé…

«René était manifestement troublé. Il avait beaucoup maigri et, pour la première fois, je découvrais un gars fatigué, qui avait pris un coup de vieux. Intérieurement, j'étais peiné de le voir ruiner sa santé au nom de la gloire et de la richesse… Je ne l'avais jamais vu aussi abattu. J'ai failli lui dire qu'il avait pris un coup de vieux, mais je n'ai pas osé. Il vivait le drame de sa vie. Devant les médias, il semblait détaché, très sûr de lui, confiant; mais j'ai vu un homme catastrophé, totalement assommé par cette accusation d'agression sexuelle lancée contre lui par l'Américaine d'origine sud-coréenne (Yun Kyeong Sung Kwon).

«Pendant une heure et demie, il m'a raconté les événements et a tenté de me convaincre. Je ne sais pas combien de fois il m'a répété qu'il s'était rendu dans la chambre de cette femme parce qu'il croyait qu'une femme était en train de mourir de la fibrose cystique dans cette chambre. Pourtant, ce n'était pas la version qu'il donnait devant les médias. Il voulait tellement me convaincre...

« Ce qui l'ennuyait dans toute cette histoire, ce n'était pas tant la poursuite elle-même que de voir son image entachée aux yeux des gens, et surtout à ceux de Céline. Jusque-là son image était parfaite devant elle et, subitement, elle ne l'était plus. Se retrouver dans une chambre avec une autre femme que la sienne, à deux heures du matin, ça peut jeter un doute. Un doute dans l'esprit de Céline ; et ça, René ne pouvait le supporter. »

Jean Beaulne connaît René Angélil pour avoir vécu quotidiennement avec lui pendant les douze ans de l'existence des Baronets. Il a connu ses parents, ses amis, son entourage. Il a connu aussi l'intimité et les valeurs de l'homme, qui n'ont pas changé.

« René a été victime d'une véritable arnaque, et il faut connaître la vie des gens de Las Vegas pour comprendre comment on piège les gens riches et célèbres là-bas. J'ai vu des filles dures, sans pitié, qui se rendent à Las Vegas dans l'unique but de détrousser des hommes riches. Elles prennent tous les moyens pour arriver à leurs fins. Ce n'est pas sans raison qu'Elvis portait un gilet pare-balles pendant ses spectacles. Ce n'est pas sans raison que le boxeur Mike Tyson et même le célèbre hockeyeur Mario Lemieux ont été mêlés à des histoires de mœurs. On piège des gens célèbres en utilisant des femmes aguichantes ; on fouille aussi dans les poubelles des vedettes pour trouver des documents compromettants, pour vendre des informations à des magazines à sensation. C'est ainsi qu'on exerce un chantage auprès de gens célèbres qui doivent sans cesse défendre leur image. René est un habitué du *Caesar's Palace* et il devient ainsi une cible pour les arnaqueurs. Ce n'est pas pour rien que les artistes se cachent, et cachent surtout leurs enfants. Ils vivent une paranoïa constante.

« En passant, je comprends que René soit fier de montrer René-Charles comme un trophée. Mais dans une grande ville américaine comme Los Angeles ou New York, son fils devient un appât. Il pourrait être une cible identifiable pour des kidnappeurs. Madonna et bien d'autres vedettes refusent de laisser photographier leurs enfants, et ce n'est pas par caprice. »

L'affaire Kwon-Angélil est nébuleuse : elle le restera probablement puisqu'elle sera réglée hors cour, comme il est d'usage dans 80 % de ces cas. Yun Kyeong Sung Kwon avait accusé René Angélil d'agression sexuelle et elle avait présenté un récit de l'événement le 15 mars 2002 à la cour civile de Las Vegas. Il lui avait fallu près de deux ans avant de se décider à porter une accusation contre Angélil, puisque cette agression aurait eu lieu, selon les dires de Mme Kwon, dans la nuit du 19 au 20 mars 2000. En fouillant cette affaire, on découvre que les contradictions s'accumulent. Il y aurait eu entente entre les deux parties pour garder l'affaire secrète, moyennant une somme non divulguée remise par une compagnie d'Angélil. Ce dernier devait présenter ses excuses et faire la preuve qu'il n'était pas atteint du sida. Par la suite, on apprend que Mme Kwon est une joueuse compulsive, endettée, et qu'elle a signé des chèques sans provision à l'ordre d'un grand casino. On l'emprisonne. Le public s'est désintéressé de cette histoire parce qu'elle semblait loufoque.

René ne s'est jamais inquiété des conséquences judiciaires de l'affaire. Mais il s'inquiétait pour son image d'époux parfait. C'est son image, tant publique que privée, qui l'a toujours obsédé. Comme s'il était toujours en représentation, même parmi les gens de son entourage. Et c'est là que Yun Kyeong Sung Kwon l'avait atteint. C'est pourquoi il avait accepté de payer une certaine somme à son accusatrice. Indépendamment du bien-fondé de l'accusation, René voulait éviter les méfaits d'une mauvaise publicité.

Peu de temps avant que Yun Kyeong Sung Kwon le menace au lendemain du 19 mars 2000, Angélil avait subi de nombreux traitements pour un cancer. Subitement, on lui avait manifesté de la sympathie un peu partout dans le monde. On craignait pour sa vie et on suivait de près les étapes de sa rémission. René faisait les manchettes des journaux et il était enfin aimé et admiré par la population. L'image qu'il projetait lui semblait héroïque et Céline était enceinte. Une autre image, celle du couple, était parfaite. Et voilà qu'une arnaqueuse de quarante-six ans vient tout gâcher. René ne lui pardonnera jamais.

« Il a engagé des détectives pour fouiller dans le passé de la Sud-Coréenne », m'apprend Jean Beaulne.

Bien sûr que René allait se défendre comme un animal blessé. Entre les deux hommes, il n'y a plus d'image, de renommée, de fortune ou d'infortune qui puissent les séparer. Dans l'épreuve, Angélil éprouve le besoin de retrouver ses racines. À soixante ans, il règne comme un patriarche, sur un clan composé de ses enfants, de ses cousins et d'amis. Mais sa mère a quitté ce monde il y a quelques années à peine ; son père est décédé, ainsi que l'un des membres du groupe des Baronets. En effet, Pierre Labelle a succombé à une longue maladie le 18 janvier 2000. Une partie de sa jeunesse avait disparu ce jour-là. Jean Beaulne avait organisé les funérailles. Comme dans le temps, quand Beaulne s'occupait de l'organisation du groupe. En retrouvant celui avec qui il avait tout partagé pendant les années soixante, René retrouvait un peu de son passé.

2

L'enfance

René Angélil est né à Montréal, dans le modeste quartier Villeray, le 16 janvier 1942. Ce n'est donc pas un baby-boomer puisque la Deuxième Guerre mondiale se poursuit. Au Québec, Alys Robi chante *Tico Tico*; aux États-Unis, Glen Miller reçoit le premier disque d'or de l'histoire après avoir vendu 1 200 000 copies de *Chattanooga Choo Choo*, et 513 soldats des Fusiliers Mont-Royal meurent pendant le raid sur Dieppe.

Il fait froid dans le modeste logement du 7760, Saint-Denis, où Joseph Angélil s'est installé avec Alice Sara, la femme qu'on lui a choisie trois ans plus tôt lorsqu'il est arrivé à Montréal. Né à Damas, en Syrie, en 1903, Joseph s'était rendu à Beyrouth, au Liban, le pays voisin, avant de poursuivre son chemin en compagnie de l'un de ses frères jusqu'à Paris où il apprit le métier de tailleur. Il aurait sûrement préféré demeurer à Paris, et aurait certainement bien gagné sa vie dans la ville de la haute couture. Mais, en 1939, la guerre et tout particulièrement la menace hitlérienne l'ont amené à quitter subitement la Ville lumière et à s'installer à Montréal. Métropole du Canada à l'époque, Montréal l'attirait pour plusieurs raisons. On y parlait français, comme à Paris, et il maîtrisait de mieux en mieux cette langue. L'industrie du vêtement progressait, et il comptait trouver facilement un emploi dans sa spécialité. Et finalement, les familles Sara et Angélil, qui étaient déjà très liées à Damas, avaient organisé un mariage entre Joseph et la jeune Alice Sara, déjà installée à Montréal. On peut discuter longuement des arrangements matrimoniaux d'une autre époque, mais quand Joseph vit cette jeune beauté de vingt et un ans, dans le salon de la famille Sara, il n'eut aucune envie de discuter de l'entente des deux familles. Alice, née à Montréal le 4 mai 1915, lui plut dès leur première rencontre. Il ne pouvait en être autrement ; cette femme d'une grande beauté, aux cheveux noirs et au regard mystérieux, savait plaire et envoûter, en plus de faire preuve d'intelligence et de générosité. Cette mère admirable marquera tout particulièrement la vie de René. Même s'il y avait un écart de seize ans entre eux, Joseph jura qu'il lui serait fidèle et qu'il l'aimerait jusqu'à la fin de sa vie. Ce qu'il fit jusqu'à sa mort survenue en 1967.

Le couple Angélil déménage au 7680, Casgrain, où il s'établit définitivement après la naissance d'un deuxième fils, André, de trois ans le cadet de René.

Joseph était un artiste dans l'âme. S'il semblait froid, sévère et peu communicatif, il n'en demeurait pas moins un homme sensible, nostalgique, déchiré entre le monde de son enfance et celui qu'il affrontait chaque jour dans sa boutique de la rue de Maisonneuve.

« Un jour, je vous emmènerai à Beyrouth et je vous ferai voir les plus belles plages du monde, les plus belles salles de spectacle pour y entendre de la belle musique », disait-il à ses enfants.

Et Joseph ne fabulait pas. On a déjà considéré Beyrouth comme le Paris du Moyen-Orient. C'était la ville de la beauté, de l'art, de la paix et du divertissement avant que la guerre civile ne vienne dévaster ce havre de joie baigné par la Méditerranée. Il est normal que Joseph, toujours à la recherche de beauté et d'harmonie, ait choisi Paris ensuite.

Installé à Montréal, l'artiste qu'il est à ses heures gratte un instrument qui lui rappelle son pays, un oud qui ressemble à une guitare mais sans frettes et avec doubles cordes. Son talent se manifeste également dans la chorale de l'église Saint-Sauveur, par sa puissante voix de ténor. C'est dans cette église que les catholiques melkites de Montréal, d'origine syrienne, comme la famille Angélil, mais aussi libanaise, palestinienne, jordanienne ou irakienne, se retrouvaient pour participer à l'office religieux du dimanche. Mais ce lieu de recueillement situé à l'angle des rues Saint-Denis et Viger sera vendu en décembre 2000, à défaut de moyens pour assumer les frais de rénovation, pour devenir un complexe de divertissement.

Mais durant les années qui ont suivi la guerre, la paroisse Saint-Sauveur accueillait ces chrétiens d'Orient qui formaient une communauté serrée autour de leur pasteur. On en comptait près d'un millier au Québec et près de 36 000 dispersés dans le Canada en 1996.

Joseph Angélil est un homme de principes et de traditions. Très religieux, discret, bien que d'un tempérament agité, nerveux et colérique, il impose la culture arabe à sa famille. René est entouré de gens qui parlent arabe, anglais et français à la maison, et sa mère Alice insiste pour inscrire son fils dans une école primaire francophone. On sert régulièrement des plats syriens à la maison, on écoute les chants arabes sur le tourne-disque de Joseph et on évite soigneusement de servir de l'alcool, interdit dans la demeure de Joseph Angélil.

L'enfance de René se déroule dans une atmosphère sécurisante et traditionnelle. La famille Angélil n'était pas riche mais Joseph était un homme responsable, fiable, qui subvenait sans faillir aux besoins des siens. De quoi permettre au jeune René de grandir avec une certaine insouciance et de ne penser qu'à s'amuser, à jouer plutôt qu'à se consacrer uniquement au travail, comme son père et sa mère, qui était d'ailleurs souvent contrainte d'effectuer des travaux de couture à la maison pour boucler les fins de mois.

En grandissant, René subira surtout l'influence des femmes. D'abord, la femme de sa vie, Alice, sa mère, avec qui il établira une grande complicité qui sera sans faille. Elle est brillante, généreuse et garde le contact avec tous les membres de sa famille. Autant avec les enfants qu'avec les frères, les sœurs, les cousins et cousines qui gravitent autour de la maison.

René est également influencé par sa grand-mère Sara, qui est animée par la passion du jeu. Tous les membres des familles Angélil et Sara jouent aux cartes lorsqu'ils se rencontrent, mais c'est la grand-mère qui se démarque par son analyse et par sa stratégie du jeu. Il n'y a ni casino ni loterie provinciale à l'époque, alors que les maisons de jeu sont contrôlées par le monde interlope. Chez les Angélil, on se contente de miser quelques cents ou des friandises en jouant au canasta, au « 500 » ou au poker. Mais la fièvre du jeu est manifeste chez les joueurs pendant les longues soirées d'hiver. On s'acharne à défier le hasard, on discute, alors que tous les membres de la famille s'expriment et cherchent à s'imposer. Le sang qui circule dans leurs veines est chaud. On s'emporte facilement, chez les Angélil. On s'obstine, on argumente, on se fait la gueule puis on s'embrasse après avoir tout oublié. Une attitude qui fait partie d'une culture différente de celle des Québécois, plus distants. Le jeune René grandit entre ces deux cultures. Son imaginaire d'enfant est surtout fasciné par les jeux des adultes et il apprend comment composer avec la chance ou la malchance, le ciel et l'enfer du jeu.

Il n'a pas encore atteint l'adolescence qu'il a déjà beaucoup appris du monde adulte. Du moins, le monde adulte qui occupe la maison de ses parents. Il connaît tous les jeux de cartes bien avant d'apprendre l'algèbre et la géométrie, et il connaît son monde, celui qui l'entoure depuis sa naissance, grâce à la perspicacité propre à tous les enfants. Et, de plus, il est un enfant brillant qui s'ennuie souvent à l'école. Bien d'autres choses l'intéressent : la vraie vie, le vrai monde et les véritables enjeux. Il a déjà remarqué de quel côté était le pouvoir dans sa famille. Indubitablement du côté des femmes, qu'il admire et respecte. C'est à sa mère qu'il se confie lorsqu'il subit un coup dur ou lorsqu'il s'égare. Sa mère le comprendra toujours. Son père maintient une distance avec les êtres qui l'entourent et, de plus, René veut franchir les limites que Joseph lui a imposées. « Mon fils sera comptable ou avocat », disait-il, et René rêvait. Il voulait changer le monde à sa manière, défier le sort, gagner et séduire, mais il ne savait pas encore comment.

C'est fou tout ce qu'on peut connaître de sa vie lorsqu'on est enfant. On sait déjà les paramètres de son existence sans oser le dire. Les destins ont souvent été préparés par les visions de l'enfance. L'enfant René voyait déjà grand et il savait qu'un jour son monde ne lui suffirait plus. Il n'était ni ingrat ni malheureux ; il était tout simplement avide de tout, brûlant d'impatience d'être aux commandes de sa vie, sans obéir et sans se conformer aux volontés de qui que ce soit.

Il s'est allié aux femmes de son enfance et s'est comporté comme elles sans pour autant perdre de sa masculinité. Certains l'imaginent macho, peu respectueux de la volonté des femmes, dominateur, exploiteur des talents féminins, alors que le cheminement de sa vie prouve tout à fait le contraire. Pis encore, d'autres avancent qu'il méprise les femmes à cause de sa religion et de ses coutumes ancestrales.

En fait, il y a erreur sur la personne et sur la culture de la famille. René n'est pas musulman, mais catholique melkite, et aucun homme de sa famille n'a imposé le voile, ou le silence, aux femmes. De plus, les Syriens et les Libanais adorent vivre en communauté, partager les repas, discuter, se chamailler parfois, s'amuser avec les membres de leur famille proche ou lointaine. Ces liens sont d'autant plus étroits dans un pays d'adoption.

René grandit donc sous l'influence de sa mère et apprend à contrôler le jeu de la vie. Parce que René sait déjà que la vie n'est qu'un jeu. Il ne lui reste plus qu'à gagner. À l'école, il s'intéresse aux sports, mais on ne l'a jamais vu s'impliquer sérieusement en tant qu'athlète, ni se livrer à des exercices dangereux. Il ne joue pas au hockey et pourtant son idole a été Maurice Richard. Il se signale cependant au ping-pong et on aime à croire qu'il a parié son argent de poche sur ses éventuelles victoires. Et il n'a pas perdu souvent, puisqu'il excellait à contrôler la balle. C'était son truc.

Il dira un jour qu'il a du sang arabe bouillant dans les veines et qu'il se fâche souvent pour un rien.

« Je comprends pourquoi il y a tant de conflits là-bas, dans les pays de mes ancêtres. J'ai la combativité dans le sang et c'est peut-être pour ça que j'ai réussi. Je suis arabe au-dedans et québécois à l'extérieur. C'est moi, ça ! »

Mais René découvre le Québec et surtout l'Amérique pendant son adolescence. La télévision apparaît dans les foyers du Canada en 1952, la radio propose le hit-parade américain et c'est la prospérité clinquante de l'Amérique qui se manifeste dans les rues de Montréal. Dans les années cinquante plus particulièrement, elle qui est pourtant la deuxième ville francophone du monde ressemble à bien des villes des États-Unis. Elle est souvent considérée comme telle par les Américains eux-mêmes. C'est pourquoi on reçoit les revues, les magazines, les disques, les produits alimentaires ainsi que les artistes de la trempe de Sammy Davis, Jackie Gleason, Jerry Lewis et Dean Martin, qui considèrent Montréal comme l'une des villes faisant partie du circuit nord-américain. Les grands magasins affichent uniquement en anglais dans la majorité des cas ; les cabarets ne proposent que de la musique américaine, sauf quelques exceptions ; la télévision canadienne est bilingue ; les automobiles sont américaines ; le cinéma est plus que jamais américain et le style de vie des Canadiens français de l'époque est calqué sur celui des États-Unis. Les plus nantis rêvent même d'un bungalow dont l'architecture serait la copie conforme de ces maisons que l'on trouve dans les banlieues de New York ou de Chicago. Ce nouveau monde ne peut qu'éblouir un adolescent qui veut changer le monde et vivre sa vie au maximum.

3

Le troisième Baronet : Pierre Labelle

À l'âge de neuf ans, René, sûrement inspiré par son père, fait partie de la chorale de l'école Saint-Vincent-Ferrier. La voix est encore enfantine et n'a rien de remarquable, mais le jeune René possède une bonne oreille musicale et démontre un grand intérêt pour la musique. C'est au sein de cette chorale qu'il fait la rencontre de Pierre Labelle, dix ans à peine, qui, lui, est doué pour la musique et qui fait entendre une jolie voix. René a beaucoup d'amis à l'école Saint-Vincent-Ferrier, mais cette amitié avec Pierre, ce petit bonhomme joufflu sans malice, bon et naïf, changera pourtant sa vie. Comme si le destin les avait soudés pour les vingt prochaines années et même plus.

Pierre Labelle était né à Windsor, en Ontario, et son père était musicien professionnel. Il avait été violoncelliste pour l'orchestre symphonique de Detroit pendant plusieurs années. Sa carrière était florissante, mais l'homme eut le mal du pays et il voulut que ses enfants vivent dans un milieu francophone. C'est ainsi qu'il déménagea dans le quartier Villeray, habitant un logement situé juste en face de celui des Angélil. L'enfance de Pierre Labelle a évidemment baigné dans la musique. Tous les genres de musique. Très jeune, il apprend le piano, la flûte et le saxophone. Avec sa formation classique, le père de Pierre Labelle ne peut trouver du travail à Montréal. Il accepte finalement le poste de directeur de l'orchestre du Théâtre Mercier, qui accompagne les artistes invités à donner des spectacles dans cette grande salle de l'est de Montréal. Le Théâtre Mercier accueille également les artistes étrangers de passage à Montréal. Nous sommes à l'époque du règne des cabarets à Montréal, où on ne compte que très peu de grandes salles de spectacle. On peut bien rêver d'une Place des Arts, d'une Comédie-Canadienne, d'un Théâtre Saint-Denis rénové, mais ce n'est toujours qu'un rêve dans les années cinquante.

Les années passent et l'amitié grandit entre les deux écoliers, qui se retrouvent, sans même l'avoir planifié, dans les mêmes écoles. D'abord à Saint-Vincent-Ferrier, puis au collège classique André-Grasset, puis à l'école Saint-Viateur. Élève particulièrement doué, René a « sauté », comme on disait à l'époque, sa septième année et a eu droit à l'insigne privilège de se retrouver parmi l'élite des étudiants en éléments latins, la première année du cours classique. Brillant mais pas nécessairement studieux, il quittera deux ans plus tard le collège André-Grasset pour retrouver Pierre Labelle à l'école Saint-Viateur.

René obtient de bonnes notes à cette école sans pour autant se donner la peine d'étudier. Il a une excellente mémoire et estime n'avoir aucun besoin de réviser ses notes. Évidemment qu'il s'en vante à tous ses camarades. Il préfère s'amuser, écouter de la musique et sortir avec des amis. Il montre cependant un vif intérêt pour un concours d'art oratoire organisé par la direction de l'école. Autant il peut être négligent, passif et paresseux lorsqu'on aborde des matières qui ne l'intéressent pas, autant il s'enflamme dans une compétition.

Avec l'aide de sa mère, il prépare soigneusement un long exposé après s'être inscrit au concours. Alice l'écoute, l'encourage et le fait répéter pendant des jours et des jours. Jamais René n'a autant travaillé sur un projet. Et, le moment venu, il prend la parole devant ses camarades et remporte le fameux concours. Il en éprouve une satisfaction particulière et racontera cet exploit durant des années. Comme s'il s'agissait du véritable diplôme dont il avait besoin dans la vie qu'il allait mener. Et il avait peut-être raison.

Mais, normalement, il est dissipé, pas assez sérieux aux yeux de la direction de l'école, et on refuse sa candidature au poste de président de son école, alors qu'il achève ses études en douzième année. Ce n'est pas grave, pense René, qui deviendra organisateur électoral d'un candidat de son choix, Gilles Petit, qui sera naturellement élu. René écrit tout ce que Petit doit dire pour influencer ses électeurs et il lui fait répéter un discours qu'il a soigneusement préparé. Il est hors de question de laisser Petit improviser et compromettre ses chances de remporter l'élection. Il doit s'en tenir au texte d'Angélil. On notera une étrange similitude entre la méthode utilisée par René alors qu'il n'est âgé que de dix-sept ans et celle qu'il emploiera plus tard en préparant les déclarations et les conférences de presse de Céline Dion. Adolescent, il fait élire son candidat, et, trente ans plus tard, il fait consacrer sa chanteuse. Le événements changent, la vie nous bouscule, mais l'homme demeure fondamentalement le même toute sa vie.

Le contrôle, déjà le contrôle qui l'habite… Non seulement Petit deviendra président, mais il sera le quatrième membre des Baronets. Le contrôle et la suite dans les idées.

Pendant ce temps, Pierre et René se voient régulièrement et partagent leurs loisirs. Pierre Labelle n'est pas particulièrement entiché de la vieille musique arabe qu'il entend dans la maison de la famille Angélil. Il préfère le jazz moderne et surtout le rock and roll qui explose littéralement à la fin des années cinquante, une musique qui n'a évidemment pas sa place chez les Angélil. Pierre Labelle décide donc de la faire entendre à son ami, en l'invitant chez lui où l'ambiance est plus propice.

Mieux encore, Pierre emmène René au Théâtre Mercier et lui fait découvrir les coulisses du monde du spectacle. Dans les années cinquante, Montréal est un des hauts lieux nord-américains des boîtes de nuit et le *night life* à Montréal est éblouissant. Une véritable révélation pour René Angélil, qui n'a pas assez d'yeux pour voir Olivier Guimond, Jacques Desrosiers, La Poune, Gaston Campeau, Yvan Daniel, Claude Blanchard et tous ces artistes québécois qui gagnaient leur vie exclusivement au cabaret. La jeune télévision les ignorait totalement. À cette époque, Pierre Labelle avait décidé qu'il serait dessinateur. Il avait un talent naturel pour le dessin et il était aussi doué pour la musique. Son père, cependant, ne voulait absolument pas entendre parler d'une carrière de musicien pour son fils. Pierre avait donc opté pour une carrière de dessinateur d'affiches, un métier qu'exerçait l'un de ses oncles avec beaucoup de succès. C'est lui qui peignait les affiches, des portraits d'artistes généralement, qu'on accrochait sur les murs des cabarets de Montréal. Les deux adolescents de quinze et seize ans n'ont pas l'âge légal pour entrer dans les cabarets. Mais, depuis les coulisses, ils peuvent se laisser éblouir par des spectacles qu'ils voient pour la première fois de leur vie. René n'a aucune idée, aucun plan d'avenir, mais ce qu'il observe l'interpelle. Grand pour son âge, mince comme les enfants qui ont profité trop vite, il reste appuyé sur un mur derrière les rideaux de la scène. Il y découvre un monde qui le fascine. Ses amis diront plus tard que c'est à ce moment-là qu'il attrapa le virus du show-business.

4

Les concours d'amateurs

Une nouvelle musique était entrée dans les oreilles et le cœur de René Angélil. Quand les adolescents de la fin des années cinquante écoutaient le hit-parade à CKVL, au retour de l'école, la plupart n'espéraient entendre qu'une voix : celle d'Elvis Presley. Les autres, plus sages, préféraient Pat Boone. Léon Lachance, un animateur déjà vieillissant, cachait mal son dégoût pour la musique d'Elvis, mais toute une nouvelle génération vibrait avec le jeune rocker. René et Pierre écoutaient religieusement cette musique qui allait révolutionner le monde. À une époque où le vidéoclip n'existait pas et où la télévision en noir et blanc ignorait, sauf exception, les artistes pop, la radio était le seul média qui diffusait parfois de la musique rock.

Il est difficile aujourd'hui de concevoir le remous provoqué par la naissance du rock and roll aux États-Unis et au Canada. Des manifestations étaient organisées par les parents afin d'éliminer cette musique « sauvage et décadente qui va pervertir notre jeunesse », clamait-on dans des villes de l'Amérique profonde. Montréal n'était pas en reste. Elvis Presley devait s'y produire, au stade Delorimier, en 1956. Tout avait été prévu : il allait descendre en hélicoptère au-dessus du stade et allait chanter ses grands succès vêtu d'un costume doré flamboyant. Le cardinal Léger et le maire de Montréal de l'époque, Jean Drapeau, ont exercé des pressions pour faire annuler le spectacle, qui fut finalement présenté à Ottawa. Des milliers d'adolescents du Québec ont pris le train pour assister au spectacle d'Elvis dans la capitale. On rapporte qu'Elvis n'a jamais pardonné à Montréal cet affront.

Le père de Pierre Labelle, pourtant ouvert à toutes les musiques, ne pouvait supporter la « sauvagerie » d'Elvis. Quant au père de

René, on se demande même s'il avait eu connaissance du phénomène Presley.

Mais son style allait inspirer une nouvelle génération de chanteurs qui proposeraient une musique ressemblant beaucoup à celle de leur idole. De plus, ils allaient même jusqu'à imiter l'allure physique du King, sa coiffure et sa désinvolture. Ricky Nelson, Buddy Holly, Ritchie Valens, Bobby Darin, Conway Twitty et à peu près tous les jeunes chanteurs à succès s'inspiraient d'une manière ou d'une autre d'Elvis Presley.

Pierre et René avaient changé leur coiffure, gommaient leur toupet avec du Brylcreem et chantonnaient du rock and roll en marchant dans les rues du quartier Villeray. Pierre pensait à la musique et René pensait aux filles qui hurlaient de plaisir en voyant les chanteurs populaires. Pour son plus grand malheur, René n'avait pas la voix de ténor de son père. Il avait hérité du mince filet de sa mère. Mais en chantant avec Pierre Labelle, peut-être que le résultat serait intéressant.

« Et pourquoi ne pas se présenter au concours d'amateurs de Billy Monroe ? » se demandèrent-ils alors. C'est finalement ce qu'ils firent un peu plus tard.

Il faudrait raconter l'histoire de Billy Monroe, un musicien et compositeur montréalais anglophone, qui a déjà vendu à un producteur américain de passage l'une de ses chansons. Il s'agissait de *When My Baby Smiles at Me*. Le producteur lui a remis 25 $ et cette chanson a été l'un des grands succès du palmarès américain pendant les années qui ont suivi la Deuxième Guerre mondiale. Monroe n'a jamais touché plus que les 25 $ que lui avait donnés le producteur, qu'il n'a d'ailleurs jamais revu. Monroe ne s'était jamais remis de cette déveine. Il aurait pu être un compositeur riche et célèbre, mais il se contentait d'accompagner inlassablement les jeunes chanteurs durant les concours d'amateurs pour un salaire minable. Il aura eu au moins la satisfaction d'assister aux premiers pas de grandes vedettes du Québec dont les Baronets. Pour l'instant, ceux-ci ne sont qu'embryonnaires.

En 1958, la popularité des concours d'amateurs pouvait se comparer aux nombreuses ligues d'improvisation d'aujourd'hui ou aux spectacles des humoristes. À Montréal, Québec ou ailleurs en province, toutes les stations radiophoniques se devaient d'inscrire dans leur programme une émission qui présentait de nouveaux talents rivalisant pour obtenir le premier prix.

On peut bien parler ici d'exploitation dans le pire sens du terme, puisque aucun de ces nouveaux talents n'était payé alors que l'émission grassement commanditée ne remettait au gagnant qu'une montre de 20 $. Mais qu'importe, tous les candidats rêvaient de gloire ; Pierre et René vont tenter le grand coup. Parce que en 1958, et bien longtemps après, les concours d'amateurs étaient le tremplin tout indiqué pour amorcer une carrière. Il s'agissait simplement de se présenter à l'audition, d'apporter une feuille de musique qu'on déposait sur le lutrin du pianiste et de chanter. À l'époque, la plupart des concurrents interprétaient des chansons en anglais, alors que d'autres reprenaient les grands succès français.

À l'école, René et Pierre étaient déjà des humoristes qui amusaient leurs camarades en imitant leurs professeurs et surtout Jerry Lewis et Dean Martin. (Photo : Jean Beaulne.)

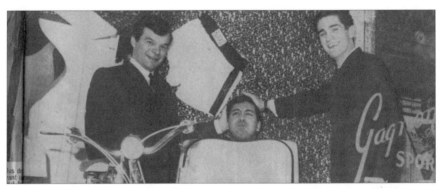

Très jeune, René Angélil souffrait d'embonpoint et les deux autres Baronets, Jean et Pierre, décident de le faire « fondre » pour le plus grand plaisir des photographes. (Photo : *Échos-Vedette*.)

5

Les Baronets

La vie a repris son cours normal à l'école Saint-Viateur, où René poursuit sa dernière année secondaire avec toute l'insouciance de ses dix-sept ans. C'est à ce moment-là qu'il rencontre Jean Beaulne.

«C'était en 1957 et je me retrouvais parmi les élèves qui pratiquaient le basket-ball au gymnase de l'école. J'étais nouveau à cette école et René, qui était mon aîné d'un an, voulait me montrer sa supériorité. Il se vantait d'être le meilleur joueur et il me défiait de marquer plus de paniers que lui, une pièce de vingt-cinq sous dans la main. Notre relation a commencé comme ça.»

Et elle demeurera sous le sceau du défi pendant de nombreuses années. Mais René s'intéresse subitement au jeune blanc-bec lorsqu'il apprend que celui-ci partage les mêmes goûts musicaux que lui et Pierre. De plus, il chante dans l'orchestre de son frère. Il en discute avec Beaulne et Gilles Petit, qui fait partie de la même équipe de basket-ball que René.

Mais il n'y a pas que la musique qui réunit les quatre adolescents. Il y a aussi l'humour.

«Pierre et René étaient drôles à voir ensemble, raconte Jean Beaulne. Ils se comportaient comme Dean Martin et Jerry Lewis. Sans le savoir, ils étaient des humoristes de talent et ils se complétaient. René préparait les gags de Pierre, qui était déjà un bouffon naturel. Ils ne pensaient qu'à faire rire et à s'amuser, et moi j'étais un bon public. C'est facile de me faire rire. Et puis René était un gars qui semblait aimer relever des défis et ça me plaisait.»

Les quatre nouveaux amis sortent ensemble, se rencontrent régulièrement au restaurant *Chez Marcel*, dans le quartier Villeray, et décident, un beau soir, d'aller voir un chansonnier en vogue au café *La Catastrophe*, Tex Lecor. Dans le taxi qui les ramène à la maison, ils chantent spontanément *Bye Bye Love*, le succès de l'heure interprété par les Everly Brothers, et enchaînent avec d'autres chansons du duo américain. Finalement, c'est un tour de chant qu'entend le chauffeur de taxi.

«Ouais! c'est très bon! On va former un groupe et participer à des concours d'amateurs, suggère Beaulne. Et pourquoi pas un groupe de quatre comme les Four Aces, les Four Lads, les Four Preps ou les Four Seasons?»

Sans plus tarder, ils préparent sérieusement un numéro pour un spectacle présenté à l'école Saint-Viateur. À cette époque également, les élèves du secondaire se retrouvaient souvent à leur école de quartier pour y célébrer des fêtes sous la surveillance des professeurs. C'est lors de l'une d'elles que René, Pierre, Jean et Gilles interprètent l'un des classiques de la musique doo-whop, *In The Still of The Night*, du quatuor américain The Satans. Cette fois, c'est dans la poche: le groupe fait sensation.

Mais ce n'était pas suffisant. René avait une idée fixe. Les quatre jeunes hommes décident alors de participer à l'émission radiophonique *Les Découvertes de Billy Monroe*. Beaulne propose aux trois autres membres du groupe une chanson qu'il a composée et qui s'intitule *Johanne*.

L'audition est réussie, mais, avant de commencer l'émission, Billy Monroe, installé au piano, demande le nom du groupe. Pas question de présenter les membres du quatuor individuellement, il faut un nom de groupe. Dans la précipitation, le nom «The Flyers» fut employé cette journée-là. C'est seulement un peu plus tard que Gilles Petit, feuilletant justement le *Montréal-Matin*, un quotidien de l'époque, remarquera le nom d'une équipe de hockey qui sonne bien: les Baronets.

Aucune objection, car le nom se prononce aussi bien en anglais qu'en français, et ce sont les Baronets qui interprètent *Johanne*. Leur prestation est remarquée et le groupe remporte le premier prix. Le dimanche suivant, les Baronets se rendent au cabaret *Casa Loma* pour participer aux *Découvertes de Jean Simon* et remportent encore une fois le premier prix. Toujours avec Jean Simon, ils se rendent au cabaret *El Dorado* et gagnent pour la troisième fois.

«Quand je les ai vus sur scène, je savais qu'ils allaient gagner. Ils avaient de bonnes voix, mais surtout une grande présence sur scène et une grande confiance en leurs moyens», raconte Jean Simon qui, en trente-sept ans de carrière, a présenté près de 100 000 numéros et 35 000 chanteurs et chanteuses dans ses légendaires concours d'amateurs. Il a été une véritable institution dans le monde du spectacle.

Jean Simon avait vu juste. Les Baronets plaisaient à tous les publics et ces premiers succès sur scène enivrent René, Pierre, Jean et Gilles.

Au lendemain de ce «triomphe», René ne se lasse pas de raconter et de répéter dans tous les détails cette journée mémorable aux amis de l'école Saint-Viateur. Il en met plein la vue aux étudiants.

* * *

L'année scolaire s'achève et les finissants de l'école Saint-Viateur se retrouvent à la croisée des chemins. Une douzième année en 1959, c'est suffisant pour entreprendre une carrière. Pierre Labelle, Jean Beaulne et Gilles Petit abandonnent leurs études. Pierre oriente sa carrière vers le dessin, Gilles s'engage dans le domaine de l'assurance et Jean s'inscrit à l'Institut Teccart, tout en étant associé à son père, qui possède un commerce de location de téléviseurs pour les hôpitaux.

René est déchiré par les choix qu'il aura à faire. Il brûle d'envie de se consacrer au monde du spectacle et de mener une vie flamboyante, mais il ne veut pas décevoir son père et décide finalement de s'inscrire à l'école des Hautes Études commerciales. À dix-sept ans, il est l'un des plus jeunes étudiants de l'école et sûrement l'un des plus talentueux, mais, après quelques semaines, le cœur n'y est plus. Le groupe participe à des concours et remporte régulièrement les premiers prix.

Au tout début de leur carrière, les Baronets formaient un quatuor.
À l'extrémité gauche, on peut voir Gilles Petit,
qui a rapidement abandonné le groupe pour faire carrière dans l'assurance.
Le premier engagement des Baronets eut lieu dans le cadre d'un concours
d'amateurs, *Les Découvertes de Billy Monroe*, en 1957.
(Photo : collection privée Jean Beaulne.)

6

La carrière des Baronets

En 1960, le groupe des Baronets se produit les soirs et les week-ends. Ainsi, chacun des membres y trouve son compte. René est aux études; Jean, Pierre et Gilles travaillent le jour et gagnent un peu d'argent. Mais ce qui leur importe davantage, c'est leur popularité croissante auprès des filles. Aussi songent-ils à bâtir rapidement un répertoire et à donner une personnalité à leur groupe.

Conscients qu'aucun d'eux n'est musicien, les membres du quatuor font appel au réputé pianiste Georges Tremblay, qui leur enseignera la pose de la voix, l'utilisation de différentes tonalités et l'harmonisation du chant. Tremblay sera un professeur compétent, exigeant, qui les fera travailler sérieusement. Un investissement qui rapportera beaucoup plus que les jeunes hommes n'avaient imaginé.

Jean Beaulne multiplie les contacts. René n'est pas particulière-ment réceptif aux nombreuses initiatives de Jean, et il est rarement d'accord avec lui; pas plus que Pierre d'ailleurs. Il n'est pas toujours très sérieux et développe son goût pour les jeux de hasard aux Hautes Études commerciales. À peine soixante jours après son entrée, il aban-donne. Pas question de perdre son temps à faire ses travaux, à étudier les théories des autres et à s'ennuyer dans le monde des notions abstraites. Il a besoin de choses concrètes, palpables, comme le jeu, l'argent, les filles et les voitures. Il trouve rapidement un emploi de banquier à la Banque de Montréal sans en informer ses parents. Pen-dant ses loisirs, il reprend la route avec les Baronets qui rêvent d'un premier quarante-cinq tours, la grande consécration à l'époque.

Incapable d'annoncer sa décision à ses parents, il cache son jeu et se comporte comme un étudiant alors qu'il s'initie au monde des affaires en apprenant le métier de caissier à la Banque de Montréal. Ses parents ignoreront tout de ses activités pendant des mois.

Mais la carrière des Baronets prend un tournant majeur lorsque le groupe négocie son premier engagement professionnel. René s'en souvient encore très bien, puisqu'il s'agit de la véritable naissance des Baronets, et que l'événement a lieu à *La Feuille d'érable*, un cabaret fort couru de la région montréalaise.

Il profite de l'événement pour annoncer à ses parents qu'il avait renoncé définitivement à ses études à l'école des Hautes Études commerciales et qu'il entend entreprendre une carrière dans le monde du spectacle. Joseph regarde son fils et sait fort bien que rien ne l'empêchera de suivre son surprenant destin. Il avait rêvé d'une carrière d'avocat ou de comptable agréé pour René et il est déçu. Terriblement déçu. Ce n'est pas sérieux, le show-business en 1961, surtout au Québec, pense Joseph. René l'a invité à *La Feuille d'érable* et Joseph assiste à un bon spectacle des Baronets. Malgré son sourire et ses applaudissements, le cœur n'y est plus, son rêve s'est écroulé. Entre les deux hommes, la communication sera difficile par la suite et René souffrira pendant des années le silence accablant de son père sans oser s'en ouvrir à ses amis. Heureusement, sa mère comprendra.

« Chaque fois qu'on allait chercher René pour travailler, c'était la discussion entre Pierre et moi à savoir qui allait sonner à la porte. On avait toujours peur de se faire engueuler par son père, se souvient Jean Beaulne. On l'entendait maugréer. Le père et le fils se disputaient. Peut-être que c'était dans leurs habitudes, mais finalement Pierre et moi avons décidé d'attendre René au coin de la rue et de ne plus aller chez lui. »

Gilles Petit s'investit dans l'assurance et termine son aventure de six mois avec les Baronets. « Je préfère travailler dans l'assurance. Je ne suis pas fait pour ce métier trop incertain », dit-il à ses amis.

Il sait fort bien que la popularité des Baronets est sans cesse croissante et qu'il lui faut faire un choix. Il a renoncé à la gloire et à beaucoup d'argent, mais ne l'a jamais regretté. Il a suivi son destin avec toute la confiance du monde. À dix-huit ans, René, pour sa part, ne connaît pas le doute non plus ; il déborde de confiance, en lui d'abord, et dans le groupe ensuite.

Après le succès remporté à *La Feuille d'érable*, les Baronets reçoivent de nombreuses demandes pour présenter leur spectacle.

Avec toute la fougue de leur jeunesse, les quatre amis n'hésitent pas à mettre les bouchées doubles en conservant leur emploi de jour tout en remplissant leurs engagements artistiques les soirs et les week-ends.

À leurs débuts, les Baronets se produisaient
au Québec et aux États-Unis dans les superclubs.
(Photo : collection privée Jean Beaulne.)

7

Les parents et la misère

Les débuts des Baronets se font dans des conditions difficiles. Trois adolescents de cultures différentes doivent apprendre à vivre ensemble. René est de culture arabe, Pierre est de culture anglophone, ayant vécu son enfance en Ontario, et Jean est de souche typiquement québécoise avec de fervents nationalistes dans la famille. Un de ses cousins, Yvon, est ambassadeur. Jean-Pierre, quant à lui, est juge à la Cour suprême d'Ottawa. Et Guy est réalisateur à Radio-Canada.

Tous les trois parlent couramment anglais. Ils devront apprendre à composer les uns avec les autres et à se respecter. Ce qui n'était pas évident au départ.

« J'ai vite découvert que René aimait être le chef, se souvient Beaulne. Il aimait dominer. Dès le début et durant toutes les années que nous avons vécues en tant que Baronets, nous fûmes en conflit. Je n'accepte pas d'être dominé et lui non plus, mais nous nous respections mutuellement. Ce qui ne nous a pas empêchés de vivre d'agréables moments ensemble. Je fus la seule opposition réelle dans sa vie. Personne ne réussissait à le dominer. Pierre avait un caractère docile et agréait à tout ce que René disait. Quand René avait une idée en tête, il pouvait la défendre pendant des heures et c'est comme ça qu'il a développé l'art oratoire. Il voulait toujours gagner. La peur de perdre le hantait constamment. Il n'arrêtait pas de nous dire qu'il allait gagner, comme si ç'avait été la fin du monde s'il avait perdu. »

Les Baronets doivent apprendre également à composer avec le monde assez tordu du show-business et plus particulièrement du cabaret dans les années soixante. De plus, ils vivent, comme tous les adolescents de cette époque, un conflit de générations qui n'a pas son équivalent aujourd'hui. De nos jours, parents et enfants sont plus proches, partagent parfois le même ordinateur, les mêmes goût musicaux, portent les mêmes jeans, voient les mêmes films. Évidemment, l'âge sépare toujours les générations, mais une certaine complicité que l'on remarque aujourd'hui entre parents et enfants était impensable à cette époque. Il ne s'agissait pas d'un simple écart entre les générations mais d'un véritable abîme.

Les parents des trois Baronets avaient vécu la période de la crise de 1929 et surtout la guerre. Ils avaient tous été pauvres. Joseph, le père de René, avait été plus proche des conflits, ayant résidé au Moyen-Orient et en France, et il avait souffert davantage. Il peinait dans son entreprise de couture, qui n'allait pas très bien, et il devait travailler à la maison, de même qu'Alice, son épouse. Le père de Jean Beaulne peinait également dans son commerce de location. Le père de Pierre Labelle ne faisait pas fortune et avait durement gagné sa vie à titre de musicien. Dans les années cinquante et soixante, les musiciens étaient mal payés et moins bien protégés qu'aujourd'hui.

Les parents des trois jeunes artistes étaient, par conséquent, dans l'incertitude et n'espéraient qu'une meilleure vie pour leurs enfants. Ils les avaient choyés, même avec peu de moyens financiers. Ils s'étaient sacrifiés pour leur assurer une vie agréable et ils étaient prêts à leur payer des études pour en faire de véritables professionnels. Surtout Joseph, qui avait de grandes aspirations pour René. Et voilà que les trois jeunes se lancent dans une carrière aléatoire et vivent même, pendant un certain temps, une vie de misère qu'ils voulaient justement leur épargner. Mais ils ignoraient que cette génération de *baby boomers* rêvait et qu'elle croyait à ses rêves. C'est cette capacité qui soudait les trois jeunes Baronets. Leurs parents faisaient partie d'une génération qui avait tant souffert qu'elle avait perdu ses rêves. Elle ne pouvait penser qu'à survivre.

Les trois jeunes chanteurs n'en font qu'à leur tête, décidant de rompre avec le passé, les traditions, et croyant que le bonheur, dans la vie, c'est le show-business. Ils ont même décidé de payer le prix de leur entreprise, envers et contre tous. Ce qui signifiait surtout contre leurs parents. Mais ce prix sera encore plus lourd qu'ils ne l'imaginaient.

Jean Beaulne raconte comment ils ont vécu les premières années dans les bars où l'on présentait des concours d'amateurs.

«Cela se passait souvent dans des bars de troisième ordre, dans le bruit et la fumée, face à un public la plupart du temps ivre. On nous demandait d'arriver à 22 h pour passer à 23 h, mais malheureusement, trop souvent, on devait présenter notre numéro à 1 h 30 ou à 2 h, et le lendemain nous allions à l'école très tôt. Nos parents nous disputaient : nous n'avions dormi que trois heures.

«En sortant de scène à trois heures du matin, il n'y avait plus d'autobus pour nous ramener et il fallait prendre un taxi. En gagnant le concours, qui nous rapportait 10 $, nous pouvions prendre le taxi, mais quand on ne gagnait pas, il fallait fouiller dans notre argent de poche.

«Quand nous étions sur scène, je fixais constamment la porte d'entrée parce que j'avais peur que mon père vienne me chercher. Il m'avait dit un jour que si je ne cessais pas d'aller dans ces bars infects remplis de drogués et de mafieux, il allait venir me chercher sur la scène. Mes craintes faisaient rire René et Pierre, mais pour moi ça n'avait rien de bien drôle. Heureusement que mon père a compris par la suite que j'étais trop têtu pour changer de métier. »

À l'été 1961, René Angélil ne peut plus tenir le coup ; il souffre d'une mononucléose et doit cesser toutes ses activités. À l'âge de dix-neuf ans seulement, il se voit confiné dans la chambre qu'il occupe toujours dans la maison de ses parents et doit se contenter de lire et d'écouter de la musique.

Pierre Labelle le visite régulièrement, lui apporte des disques, cause boulot, mais René a d'autres idées en tête. Il profite de son oisiveté forcée pour ébaucher le plus sérieusement du monde le plan de sa vie : faire fortune en faisant sauter la banque d'un casino. Et pourtant il n'a pas encore visité un seul casino et n'a pas encore risqué d'énormes sommes d'argent. Avant de s'investir sérieusement dans le monde des jeux de hasard, il prépare sa stratégie parce qu'il n'a aucune intention d'improviser. Il se documente, consulte des joueurs, observe, réfléchit et calcule. À la maison, il rejoint les membres de la famille, qui jouent inlassablement aux cartes, mais il a d'autres projets, de plus grandes ambitions qui feront de lui un homme riche, espère-t-il. Et cette perspective l'anime autant que la carrière des Baronets. Le jeu, c'est sérieux et important dans la vie de René. En fait, cela le mènera plus loin qu'il n'avait jamais pensé à dix-neuf ans. Les arts et le hasard seront omniprésents dans sa vie.

À VOIX BASSE

Le grand plaisir de René était d'imiter une personne aphone. Parfois, lorsqu'un fan trop insistant nous approchait pour nous féliciter, René lui parlait à voix basse et en baissant progressivement la tête. La personne se penchait en même temps que lui pour bien entendre ce qu'il disait et elle finissait quasiment à genoux sur le plancher pour se retrouver dans une drôle de posture...

JEAN BEAULNE

UN VRAI CHARABIA

À l'époque où les Baronets étaient en tournée, nous fréquentions souvent les restaurants. Bien qu'on le reconnût, René ne se gênait nullement pour faire des blagues aux serveuses lorsqu'elles prenaient sa commande. Il baragouinait quelques mots incompréhensibles et finissait par un mot en français, comme : « Groninigna, bovoro ta du, O.K. gâteau. » La serveuse disait : « Ah ! vous voulez du gâteau ? » René répondait encore dans un charabia et finissait par dire le mot « cendrier ». La serveuse disait : « O.K., je vais chercher un cendrier. » Il disait alors : « Non. Houda bout donna friture. » La serveuse décidait alors d'aller chercher le gérant, qui, après avoir écouté René, trouvait son accent étrange. « C'est bizarre, je ne comprends rien de ce que me vous dites. Pourtant, je vous comprends très bien lorsque vous passez en entrevue à la télévision... », concluait le gérant.

JEAN BEAULNE

8

La mémoire

Très jeune, René développe sa mémoire. Il sait d'instinct qu'en la développant il pourra réussir dans les jeux et dominer son entourage. Il a déjà réussi à compléter son cours secondaire avec succès en misant uniquement sur sa mémoire. Il a remporté un concours d'art oratoire grâce à elle. Il a fait gagner Gilles Petit aux élections scolaires grâce aux textes qu'il lui a fait mémoriser. Mais ça ne lui suffit pas. Il veut encore parfaire cette faculté pour gagner au jeu.

Pendant ses loisirs, il s'applique à retenir dans l'ordre les numéros et couleurs des cinquante-deux cartes du jeu qu'il a devant lui. Il se livre à cet exercice des dizaines de fois en brassant les cartes et en recommençant. Il est parfois seul, parfois avec des partenaires, et sait exactement, sans les voir, toutes les cartes que son rival a dans son jeu.

Il apprend également les numéros de téléphone de tous les gens qu'il connaît. Il mémorise les chiffres et les dates. Il est fasciné par les statistiques, la moyenne des joueurs de base-ball, le nombre de buts des joueurs de hockey et les scores. Il lit des biographies, mémorise les dates importantes de la vie des artistes, surtout, mais aussi des hommes d'État. Encore aujourd'hui, il raconte les détails de sa vie passée et de celle de Céline Dion avec une précision exemplaire. À dix-neuf ans, la mémoire était déjà pour lui une source de pouvoir dans sa vie professionnelle, de même que dans les jeux de hasard.

René n'a jamais eu honte d'affirmer qu'il était un joueur et cela s'explique. Alors que les jeux de hasard sont condamnés par une bonne partie de l'Amérique bien-pensante, il en va tout autrement dans la culture de la famille Angélil. Ce n'est pas dans la rue et dans les tripots qu'il a appris à jouer, mais chez lui, au sein d'une honnête famille qui respecte le jeu et qui en a fait son principal loisir.

LA JOURNALISTE

Nous nous trouvions à Boston, dans l'un des cabarets les plus chic des États-Unis. Cet endroit pouvait contenir jusqu'à 1 800 personnes, et tous les grands noms de la scène musicale, dont Frank Sinatra, s'y étaient produits. Nous passions en première partie du spectacle de Connie Francis, une chanteuse très populaire de l'époque, et étions heureux de constater que notre nom commençait à intéresser les médias. En effet, une journaliste s'était déplacée de Montréal à Boston afin de faire un article sur nous. René était cependant un peu agacé par l'attitude familière de cette dame dont il devinait les désirs envers sa personne. Il décida donc de lui raconter une histoire. Dans celle-ci, une femme se fait opérer au cerveau. Le médecin lui ouvre la tête, prend le cerveau et le met au bord de la fenêtre. Mais un chat mange le cerveau. L'assistante demande alors au docteur ce qu'il faut faire. Et celui-ci lui répond : « Mettez-lui de la ouate ! C'est une journaliste, elle n'a donc pas besoin d'un cerveau ! » Sur ces derniers mots, notre journaliste quitta immédiatement les lieux, folle de colère. Nous étions inquiets de lire l'article qu'elle allait réaliser sur nous après cette histoire, mais, à notre grande surprise, il était des plus élogieux ! La journaliste a cependant cessé définitivement de courir après René !

JEAN BEAULNE

9

Un manager demandé

Après trois mois de convalescence, René est complètement guéri et se dit en grande forme. Pendant tout l'été, il a eu le temps de penser à son avenir, et le moment des grandes décisions est venu. Devant l'afflux de contrats qui s'abat sur le groupe, René doit bientôt se résigner à quitter son emploi de caissier à la Banque de Montréal.

Les Baronets sont devenus de véritables professionnels. L'industrie du disque québécois se développe rapidement et de nouvelles vedettes occupent les premières places du palmarès francophone.

Les Baronets, s'inspirant des Four Lads et des Four Aces, interprètent également des ballades sentimentales. En 1961, le rock and roll s'était essoufflé. Elvis se soumet au service militaire, la mort tragique de Buddy Holly et de nombreux scandales ont terni le rock and roll. On revenait à la chanson sentimentale avec les Bobby Rydell, Boby Vee, Connie Francis et compagnie.

Les Baronets sont soulagés lorsqu'ils entreprennent leur carrière artistique à temps plein. Plus d'études, plus de travail le jour. Ils vivent pleinement leur nouvelle vie d'artistes dans la plus grande liberté.

« Nous n'avions plus le choix, estime Jean Beaulne. René dormait sur le comptoir de la banque et commettait des erreurs. Pierre n'était plus très créatif devant sa planche à dessin et mon père, avec lequel j'étais associé, ne cessait de me dire que je n'étais pas aussi efficace qu'auparavant. D'un commun accord, nous avons décidé d'abandonner notre travail respectif et ce fut l'enfer pendant un certain temps, surtout avec nos parents, qui étaient de plus en plus mécontents de notre décision. »

Et les parents avaient sûrement raison de s'inquiéter. Les Baronets présentent un bon spectacle en alliant humour et chansons, mais ils ne sont pas encore des vedettes reconnues. C'est le dur apprentissage du métier dans les cabarets. Certains sont prestigieux ; d'autres moins. En début de carrière, il faut faire ses classes dans des endroits peu recommandables et accepter de coucher dans des hôtels qui ne le sont pas davantage.

« Ce ne fut pas facile de s'adapter, au début de notre carrière, et nous n'étions pas gâtés par les propriétaires de cabarets et d'hôtels, précise Jean Beaulne. Nous n'étions pas connus à cette époque et nous devions prendre les chambres que l'on nous offrait. Nous avions de bons parents qui voyaient à ce que nous ne manquions de rien jusque-là et voilà que subitement on nous offrait des chambres sales, des matelas tellement creusés qu'on avait mal au dos pendant trois jours. Nous étions habitués à vivre dans des maisons propres et c'était difficile de vivre dans une telle saleté. Je me souviens d'un endroit tellement répugnant que j'ai dormi avec mon manteau de fourrure pour ne pas attraper des maladies. À Wildwood, au New Jersey, le propriétaire de l'hôtel où nous présentions notre spectacle nous a offert des chambres avec des lits sans couvertures ni draps. Le matelas avait sûrement accueilli un régiment de soldats qui avaient baisé dans ce lit nauséabond. J'étais tellement fatigué et écœuré à trois heures du matin que j'ai dormi sur le plancher.

« Mais nous avions la passion du métier et nous étions prêts à faire tous les sacrifices. Dans un bar, la propriétaire qui nous avait engagés pour 16 spectacles était tellement avaricieuse qu'elle nous avait chronométrés et avait calculé que nous avions occupé la scène 37 minutes de moins que prévu au contrat, une moyenne de 2 minutes et quelque par spectacle. Elle les a soustraites de notre cachet. Le *doorman* nous a confié qu'elle était devenue propriétaire du cabaret en pigeant dans la caisse de son mari pendant des années. Une fois le pauvre homme ruiné, elle a racheté son bar. Ce qu'elle pouvait être dégueulasse ! »

Les Baronets ont beaucoup de mal à joindre les deux bouts. Jean doit d'ailleurs plus de six mois de loyer à sa grand-mère, chez qui il habite à l'époque. Le montant n'est pourtant que de quinze dollars mensuellement, pension comprise. Dans ce contexte difficile, un plan de carrière ne peut décemment être réalisé.

Les Baronets acceptent parfois des engagements à l'aveuglette et se consultent rarement avant. C'est un problème lorsqu'ils s'aperçoivent qu'ils ont signé des contrats qui empiètent les uns sur les autres. Ils se rencontrent finalement à leur restaurant préféré, *Chez Marcel*, et décident de mettre de l'ordre dans leur organisation. Jean propose de trouver un manager pour le groupe : «Un homme qui nous trouverait des contrats, ainsi qu'une maison de disques, afin de nous faire connaître. Quelqu'un d'important qui nous emmènerait aux États-Unis.» Il se met donc à la recherche d'un manager et la tâche n'est pas facile.

LES CLOWNERIES DE RENÉ

Dans un bar où nous travaillions régulièrement à l'époque des Baronets, un jeune homme très, voire trop naïf, était affecté comme garçon de table et éclairagiste. Mais il nous harcelait tellement que René décida un jour de lui jouer un bon tour, de connivence avec les spectateurs. Il le convoqua donc dans la loge en lui disant qu'il voulait faire des modifications pour l'éclairage. « Quand je me touche la tête, tu mets la lumière rose, le nez, la bleue, et lorsque je me gratte la jambe, tu éteins tout. » Le jeune homme suivit cette consigne. Mais lorsque les lumières étaient complètement éteintes, le public se mettait à hurler et à se plaindre. Le pauvre garçon ne savait plus quoi faire. Pour le mettre encore plus mal à l'aise, René multipliait les gestes à une vitesse incroyable. Si bien que la salle rayonnait de rose, de bleu, comme si l'on s'était trouvé dans une boîte de nuit. Nous en avons ri jusqu'à avoir mal au ventre.

JEAN BEAULNE

10

Ben Kaye

En cette année 1960, les trois jeunes artistes constatent que le marché québécois ne leur est pas particulièrement favorable. Les politiciens parlent de la Révolution tranquille et d'un renouveau politique depuis la mort de Maurice Duplessis. Mais, dans l'univers ou plutôt la bulle de René, Pierre et Jean, il n'y a rien ici pour les motiver. Ils ne savent pas qu'un grand courant nationaliste va bientôt emporter le Québec. Tout ce qu'ils observent autour d'eux, c'est Radio-Canada, qui leur semble un univers inaccessible, inconnu ou trop culturel; des journaux et des magazines qui sont exclusivement américains, comme les compagnies de disques et les vedettes de la chanson. La musique québécoise, le showbiz local et toute l'industrie du spectacle du Québec leur semblent fragiles, marginaux, et ils songent sérieusement à faire carrière aux États-Unis. La seule issue pour survivre, selon eux.

Ils sont d'autant plus intéressés à se produire aux États-Unis qu'ils sont stimulés par l'extraordinaire succès remporté par le Canadien Paul Anka. Natif d'Ottawa, il a touché le gros lot à l'âge de quatorze ans, en enregistrant sa propre composition, *Diana*, un succès phénoménal. Plus de dix millions de copies vendues dans le monde et, en 1960, il s'agit du plus grand succès de tous les temps après *White Christmas* de Bing Crosby avec vingt-cinq millions de ventes (chiffres des années soixante).

Jean, accompagné de Pierre, un peu plus réticent à cette aventure, décide de se rendre au Palais du Commerce, alors considéré comme le temple de la musique américaine à Montréal. Les grands noms s'y produisent régulièrement. Bobby Rydell, Chubby Checker, Dell

Shannon et, justement, Paul Anka, qui s'est ajouté au groupe de vedettes. Jean veut connaître les promoteurs de ces spectacles. En toute logique, il pense que c'est le meilleur endroit pour établir des contacts avec des producteurs et des imprésarios qui leur ouvriront les portes du marché des États-Unis.

Pierre est tellement gêné qu'il n'ose même pas grimper les quelques marches qui les conduiront au deuxième étage, où se trouvent les bureaux de Ziggy Wiseman, le producteur des *All Stars Dance Party,* qui se produisent alors dans l'édifice. Jean lui mentionne qu'ils sont à la recherche d'un manager. Celui-ci n'étant pas intéressé à prendre d'autres artistes, il leur suggère de rencontrer son agent de promotion, Ben Kaye, de son vrai nom Benjamin Kushnir.

Kaye demande avant tout un *demo* avant de rencontrer le groupe. Sachant qu'il est juif, le groupe décide d'enregistrer la chanson *Havah Nagilah* et une composition de Jean Beaulne, *Johanne.* Kaye se montre intéressé et Beaulne l'invite à assister au spectacle des Baronets à l'hôtel Central, en banlieue de Montréal. Après le spectacle, Kaye propose sur-le-champ un contrat de cinq ans et demande une commission de 25 %. Et c'est le début d'une longue association.

Le groupe rêve déjà d'une carrière internationale. Kaye y croit également, mais il faudra y mettre le temps.

Ben Kaye est fasciné par le manager d'Elvis Presley, le colonel Tom Parker, et s'inspire de ses méthodes. Tout comme Parker, il mise sur la publicité, le marketing pour vendre les Baronets. Il exagère, il bluffe et il obtient de gros cachets pour ses protégés. Après un certain temps, les Baronets se rendent compte que Ben Kay, tout bon vendeur qu'il est, n'est pas un fantastique stratège. Les décisions se prennent donc très rapidement à quatre.

« Adresse-toi aux femmes qui sont dans la salle. Tu dois les charmer », dit-il à René.

Celui-ci en est conscient. Les filles le suivent à sa sortie de scène et lui font de belles invitations auxquelles il ne résiste pas toujours. René a du charme et ne s'attache à aucune fille en particulier. Pour l'instant, il est libre et il profite pleinement de la vie.

« Je connais René autant que mon propre frère, précise Jean Beaulne. Nous avons vécu de bons moments ensemble et des périodes difficiles. Nous avons eu des joies ensemble et des engueulades à n'en plus finir. J'avais mes anxiétés et il avait les siennes. Moi, j'avais besoin de planifier et de savoir ce qui allait se produire cinq ans d'avance. René ne pensait qu'à l'immédiat et il se foutait de l'avenir. Il voulait tout, tout de suite. Et quand il vivait ses crises d'anxiété, c'est à moi qu'il s'en prenait, parce que Pierre ne réagissait pas. Ça se passait généralement dans les loges ou dans les chambres d'hôtel. Ses cheveux tombaient et il était encore très jeune.

« – Je vais être chauve comme mon père à quarante ans, me disait-il. Je n'aurai plus de cheveux… mais c'est mieux que toi. Tu es maigre, tu as déjà des plis dans la figure et tu es loin d'être aussi beau que moi.

« – Je suis ce que je suis et je suis fier de ce que je suis, répondais-je. Je regarde les résultats sur scène et ils sont aussi bons que les tiens et même meilleurs. Je pense que tu as un gros complexe de supériorité, qui est au fond un complexe d'infériorité. Si tu n'es pas fier de ce que tu es, c'est ton problème. Ce n'est pas avec tes cheveux que tu vas réussir mais avec ta cervelle. Alors, oublie donc tes cheveux pendant que tu les as encore.

« René est tellement perfectionniste que tout ce qui le concerne doit être parfait, y compris son apparence. »

René adore rire et, à l'âge de vingt ans, c'était un véritable farceur qui sortait blague après blague. Son meilleur gag était d'appeler une pizzeria, qui, dans les années soixante, était généralement tenue par un Italien. Son épouse s'occupait des commandes téléphoniques avec un accent latin très fort.

Le grand plaisir de René était alors de commander huit pizzas, soit trois grandes, trois moyennes et deux petites, mais avec des ingrédients différents pour chacune. « Sur la première, mettez des anchois et du fromage. Sur la deuxième, des olives et des champignons. Sur la troisième, des tomates et des piments. » Et ainsi de suite. Pour confondre davantage la dame, qui avait bien du mal à le suivre, il changeait soudainement d'idée et recommençait avec des changements d'ingrédients pour toutes les pizzas ! Nous étions dans la même pièce que lui à ce moment-là et écoutions la conversation au moyen d'autres récepteurs téléphoniques. Inutile de dire que nous étions tous morts de rire. René poussait parfois l'audace jusqu'à téléphoner de nouveau pour demander de rajouter des ingrédients sur chacune des pizzas, tout en s'excusant. La comédie pouvait durer trente minutes ! De nature plutôt patiente, la dame s'exécutait sans jamais se fâcher. Mais le clou de la blague, c'était quand René la rappelait pour lui dire d'annuler la commande...

JEAN BEAULNE

11

Johanne

Ben Kaye convoque finalement les membres du groupe pour leur annoncer une bonne nouvelle : ils enregistreront leur premier quarante-cinq tours. À l'époque, on pensait d'abord à un simple single composé de deux chansons. Aucun nouvel artiste ne pouvait prétendre à l'enregistrement d'un album. Il fallait avoir obtenu beaucoup de succès au palmarès pour songer à se payer un trente-trois tours.

Jean propose de reprendre la chanson qu'il a composée, *Johanne*, que les Baronets ont interprétée à l'émission *Les Découvertes de Billy Monroe*. Pour la face B du disque, Ben Kaye choisit *Arrêtez ce mariage*. Pierre Nolès, qui est un producteur prestigieux au début des années soixante, dirige l'enregistrement. Le disque se retrouvera rapidement au numéro un des palmarès et se vendra très bien.

Il faudra attendre des années avant que les Baronets admettent que le premier disque de leur carrière a été enregistré dans des... toilettes. À leur grande surprise, le producteur du studio Stereo Sound, Pierre Nolès, leur avait en effet demandé de se rendre avec leur micro dans les toilettes. Ils avaient même pensé, sur le coup, qu'on leur faisait une blague. Mais il s'agissait pourtant du seul procédé dont beaucoup de studios d'enregistrement de Montréal disposaient alors, faute de moyens, pour obtenir de l'écho.

On trouve alors des toilettes à proximité dont le plancher de pierre produit une belle résonance et le résultat s'avère excellent. Aux États-Unis, on a enregistré de nombreux disques rock sous la douche. Mais les Baronets ont longtemps caché leur technique, de peur de se faire baptiser « les chanteurs de toilettes ».

Ben Kaye déniche par la suite un contrat qui va enflammer ses protégés. Un contrat de deux semaines à Porto Rico.

«J'étais content, mais je me suis acheté une carte pour savoir où était situé Porto Rico», raconte Jean Beaulne.

René l'ignorait peut-être aussi, mais il savait fort bien ce qu'on pouvait y trouver. Des machines à sous, des tables de black-jack, des roulettes, des croupiers vêtus élégamment et des tas de gens animés par la même passion que lui: le jeu.

Aussi fous, aussi populaires que les Beatles au Québec.
René, Pierre et Jean chantent *C'est fou mais c'est tout*.
(Photo: *Échos-Vedettes*.)

12

Porto Rico

Ben Kaye avait obtenu un engagement de deux semaines à l'hôtel Caribbe Hilton de Porto Rico. Selon l'entente conclue avec le propriétaire de l'endroit, les Baronets devaient être nourris et logés, et ils devaient toucher environ 400 $ chacun par semaine. Les trois jeunes artistes qui rêvent toujours d'une carrière internationale sont euphoriques et ne tiennent plus en place. Ils voient les portes du showbiz américain s'ouvrir devant eux, la belle vie qui s'annonce avec les suites dans les hôtels, les grands cabarets et la gloire. Ils ont oublié que le cachet n'est pas particulièrement impressionnant et qu'ils n'ont pas encore une grande expérience de la scène. Peu importe, tout ça viendra. Déjà, Pierre Labelle et Jean Beaulne pensent aux plages, aux filles en bikini, aux restaurants somptueux et à leur premier voyage en avion. Pour les membres de leurs familles, ce voyage représente un tel exploit qu'ils se font un honneur de les accompagner jusqu'à l'aéroport. Cousins et lointains parents compris, ce sont finalement une cinquantaine de personnes qui les salueront avant leur départ.

René a visité quelques villes américaines en traversant la frontière en auto avec la famille, les dimanches après-midi, mais il s'agit pour lui aussi de son premier vol. Ce qui ne semble pas l'inquiéter outre mesure puisqu'il a des intentions bien arrêtées en se rendant à Porto Rico. Non seulement ce sera son premier vol, mais ce sera aussi son premier casino. Le rêve devenu réalité à dix-neuf ans. Dans sa chambre, après les spectacles, il peaufine déjà sa stratégie et se jure de faire sauter la banque. Le système sur lequel il a travaillé pendant des mois est prêt à être mis à l'épreuve.

Arrivé à Porto Rico, il ne tient plus en place. Pendant qu'on transporte les bagages jusqu'aux chambres, il disparaît subitement et se rend au casino de l'hôtel. Pour la première fois de sa vie, il pénètre dans un temple du jeu. Il marche longuement le long des allées et frissonne en entendant les machines à sous et les cris de joie qui retentissent parfois. Il s'arrête à une table de black-jack et mise quelques dollars; il se jure d'être raisonnable. En peu de temps, il gagne 100$ et s'arrête. Il est grisé. Il a eu la chance, ou la malchance, de gagner à sa première tentative. Les parieurs d'expérience diront qu'on n'oublie jamais l'étrange euphorie d'un premier gain. C'est lui qui vous accroche, qui vous fait croire subitement que vous gagnerez encore et toujours parce que la chance vous habite, quoi qu'en disent les statistiques. Une victoire, si modeste soit-elle, qui donne un étrange pouvoir. Une sensation indescriptible, semblable à celle procurée par les paradis artificiels.

René a oublié la prudence, les recommandations de Ben Kaye et les dangers du jeu; il retrouve ses compagnons dans la chambre pour leur annoncer qu'il a déjà gagné 100$ avec son système et que ceux-ci devaient en profiter.

Comme un grand maître ne doutant pas de ses connaissances, il leur explique avec une ferveur irrésistible qu'en doublant sa mise à chaque coup, on doit fatalement gagner. Basant sa théorie sur le fait qu'il est impossible de perdre plus de huit fois, René incite ses amis, moins Jean Beaulne, à le suivre à la table de black-jack. Il entraîne même Ben Kaye dans sa folle aventure. Enthousiasmés, convaincus, les nouveaux joueurs se rendent au casino avec la certitude de faire fortune.

Mais le hasard en a décidé autrement. En très peu de temps, ils perdent tout l'argent qu'ils ont en poche, et René admet qu'il lui faudra revoir son système. Il avait négligé les séquences de chance et de malchance. Ses amis ont eu leur leçon et sortent du casino guéris. René cherche encore la faille de son système.

Il devra la trouver avec un estomac creux, puisque les Baronets n'ont plus d'argent pour se payer les repas des restaurants luxueux. Il faudra se contenter des sandwiches et des repas gratuits de l'hôtel. Heureusement, Ben Kaye demande une avance sur le cachet de ses protégés. René jouera sa part, ainsi que l'argent des autres Baronets, qu'il leur a emprunté. Et il perdra encore…

13

Dallas

Si la chance n'était pas au rendez-vous dans les casinos de Porto Rico, les Baronets avaient tout de même remporté un certain succès sur scène. Assez pour poursuivre ce qu'ils croyaient être leur ascension vers la renommée internationale, avec toute la naïveté de leurs vingt ans. Après cette île des Antilles, ils reprennent la route en direction de Dallas, où ils doivent présenter leur spectacle au cours duquel ils interprètent des chansons américaines et quelques chansons françaises dont *C'est si bon*, *Les Feuilles mortes* et *C'est magnifique*. Rendus sur place, ils donnent, pendant deux semaines, des représentations dans l'un des cabarets les plus cotés de la ville. L'assistance est composée majoritairement de millionnaires qui leur tendent les bras et les applaudissent, tandis que des jeunes filles bien nanties invitent les *Frenchs guys* à les accompagner dans leur limousine pour leur présenter leur richissime papa.

Après un de leurs spectacles, les Baronets, qui ne ratent aucune occasion de s'amuser, demandent au gérant de l'établissement de leur indiquer où ils pourraient trouver un bon club de spectacle. La ville avait la réputation de présenter les meilleurs spectacles aux États-Unis. Les Baronets s'installent bientôt à l'une des meilleures tables et un homme engage la conversation et s'assoit avec eux pendant quelques minutes. Il est sympathique mais quelqu'un vient souffler à l'oreille de René que cet individu est un mafioso et qu'il est probablement dangereux.

« Voyons ! Les gars de la Mafia ne sont pas si dangereux. Nous, au Québec, on en voit tous les jours », répond René, imperturbable.

L'homme paie un verre aux trois Baronets et retourne à ses affaires.

Six mois plus tard, René et ses compagnons sont sous le choc lorsqu'ils apprennent l'assassinat du président Kennedy, le 22 novembre 1963. Comme toute la population de l'Amérique et du monde entier, ils sont rivés au téléviseur noir et blanc et suivent les événements de près. Subitement, en direct, un homme sort un pistolet et fait feu en direction de Lee Harvey Oswald, l'assassin de John F. Kennedy.

Les Baronets se regardent : « Mais c'est lui ! C'est lui ! Vous vous en souvenez, les gars ? » demande Jean Beaulne.

Bien sûr qu'ils s'en souvenaient. C'était le visage de l'homme qu'ils avaient rencontré à Dallas : Jack Ruby, mort d'un cancer en prison, quelques années plus tard.

Les Baronets découvraient ainsi la face cachée de l'Amérique. Celle que l'on ne voit jamais sur scène. Mais à vingt ans, on ne cherche pas à comprendre ou à s'insurger contre les complots et les vilenies. Ils avaient une vie à vivre et cette vie allait être glamour, loin des tripots et de la déchéance.

14

Les Beatles

Toujours insouciants, blagueurs sur scène et dans la vie, les Baronets présentent des spectacles dans les grands cabarets du Québec, sur les plages de Wildwood, d'Atlantic City et même sur les scènes de Boston. Lentement mais sûrement, ils délaissent le répertoire des Four Lads pour s'orienter vers la musique des Four Seasons et des Beach Boys.

En décembre 1963, Tony Roman, qui travaille avec le producteur Pierre Nolès, reçoit par la poste un disque des Beatles, un nouveau groupe qui fait déjà fureur en Angleterre. Personne ne connaît encore les Beatles au Canada ni en Amérique. Les trois Baronets entendent pour la première fois ce qui deviendra leur musique. Ils sont fous de joie de découvrir un répertoire aussi dynamique, explosif et innovateur.

Finalement, on arrive à une entente, et les Baronets choisissent non pas de traduire *I Want to Hold Your Hand*, ou *She Loves You*, les premiers grands succès des «Fab Four», mais *Hold Me Tight* (*C'est fou mais c'est tout*), *It Won't Be Long* (*Ça recommence*), *Twist and Shout* (*Twist et chante*), *Do You Love Me* (*Est-ce que tu m'aimes?*). On enregistre le quarante-cinq tours en quelques heures et c'est une opération de marketing comme le Québec en a rarement connu. Les médias assistent à une transformation radicale du groupe chez un coiffeur. Les Baronets auront maintenant la coupe Beatles avec les cheveux ramenés sur le front. Ils porteront des vestons Mao, des chemises de couleur et ils se feront photographier en courant et en sautant dans les rues de Montréal. Ils visitent tous les postes de radio, organisent des séances de signature d'autographes dans les grands magasins, sollicitent les médias et, en très peu de temps, deviennent le groupe le plus populaire du Québec. Très vite, des jeunes filles hystériques s'entassent dans les salles où les Baronets donnent leur spectacle. Elles crient, se bousculent, et certaines s'évanouissent en voyant leurs idoles.

René Angélil observe l'imprésario et apprend un métier qui sera le sien quelques années plus tard. Les chansons grimpent au sommet du palmarès. René Angélil et Jean Beaulne sont adulés comme jamais ils ne l'ont été dans leur carrière. Les jeunes filles les suivent jusqu'à leurs résidences, se groupent autour de leurs véhicules, qu'elles marquent de « Je t'aime » à coups de rouge à lèvres. En cette année 1963, les Baronets, qui touchaient à peine 60 $ par semaine à leurs débuts, gagnent maintenant plus de 2 000 $ chacun – ce qui représente une somme énorme à l'époque — et changent de voiture presque tous les mois. Enivrés par leur gloire naissante, les trois jeunes hommes dépensent follement leur argent sans penser au lendemain. Que leur importe la fortune, puisqu'ils sont aimés, adulés et célébrés partout où ils passent, réussissant même à provoquer des émeutes. Ils enregistrent aussi, grâce au procédé Scopitone, l'ancêtre des vidéoclips, un bout de film qu'on verra dans des cabarets et certaines salles d'amusement. Des filles s'évanouissent en les écoutant chanter *C'est fou mais c'est tout*.

La famille Epstein s'est établie à Liverpool au début du siècle, après avoir fui sa patrie, la Pologne. Elle ouvre un magasin de meubles qui marche bien dès le départ. L'affaire a été reprise par Harry Epstein, le père de Brian.

Brian est né en 1934 dans une famille prospère, et ce malgré les graves difficultés économiques que connaissait la société d'avant-guerre. Sa famille vivait dans un quartier périphérique de la ville, possédait deux voitures et ne manquait de rien. La première école fréquentée par Brian, Southport College, ne constitue qu'une des nombreuses expériences scolaires qui lui ont valu des échecs. Il n'a jamais pu s'entendre avec ses maîtresses d'école, et il fut toujours la cible préférée de ses professeurs. Plus tard, il suit les cours du Liverpool College et finit par se faire mettre à la porte, notamment en raison de ses piètres résultats. D'autres écoles suivent, sans plus de succès. Finalement, à seize ans, et sans certificat, il commence à travailler dans le magasin de son père, pour la somme de cinq livres par semaine.

Au moment où les affaires commencent à bien aller pour Brian, il est contraint de joindre les rangs de l'armée britannique. Si quelqu'un n'est vraiment pas fait pour le service militaire, c'est bien ce garçon sensible, encore imberbe, qui avait eu tant de problèmes pendant ses années d'école. Une série d'insubordinations mineures lui valent notamment d'être accusé de prendre la place d'un officier pour le tourner en dérision. Il était rentré à la base vêtu d'un uniforme d'officier, avec un chapeau melon sur la tête et un parapluie sous le bras ! L'administration militaire rompt toute relation avec lui, pour raisons médicales, tout en reconnaissant que c'est un garçon sensé et auquel on peut faire confiance. À son retour de l'armée, Brian commence à se désintéresser du commerce de meubles.

Il s'engage alors dans une troupe de théâtre amateur.

Le jeune homme fait plutôt bonne impression sur ses professeurs, qui reconnaissent en lui des talents innés. Mais il commence alors à détester le style de vie des acteurs, ce petit monde fermé qu'il trouve replié sur lui-même. Il se rend compte qu'après tout il est un homme d'affaires.

Brian rejoint donc sa famille et profite de l'extension de la chaîne des magasins. Pourtant, quelque chose en lui le pousse à croire qu'il n'est pas fait pour rester un homme d'affaires ou un vendeur de province. Il veut faire autre chose, mais il ne sait pas encore quoi.

Un beau matin, un type entre dans le magasin et demande une version rock de *My Bonny*. Dans les deux jours qui suivent, ils deviennent de plus en plus nombreux à la demander. Ces visites incitent Brian à s'informer. Il déteste le fait de ne pouvoir satisfaire ses clients et il entreprend des recherches. C'est ainsi qu'il découvre que le disque a été enregistré par un groupe anglais en Allemagne. En fait, il s'agit de musiciens de Liverpool qu'il avait déjà vus dans son magasin peu de temps auparavant !

Par curiosité, il se rend au *Cavern Club* pour écouter ce groupe local et voir pour quelle raison on demande ce fameux disque. Brian est étonné par la quantité de gens qui se sont déplacés pour les écouter et par le bruit qui règne dans la salle. Il est immédiatement attiré par les Beatles, pressentant leur fantastique présence sur scène. Pendant un mois, Brian se renseigne alors sur les tâches exactes que doit accomplir un imprésario.

Lors de la première rencontre, les parties se contentent d'échanger des impressions afin de savoir quelles sont les intentions de chacun. À la deuxième rencontre, les engagements sont pris : Brian recevra 25 % des bénéfices, plus que la part habituelle des imprésarios. Mais, en échange, il se dépensera sans compter pour mener les Beatles au faîte de la gloire. Le contrat est signé au *Casbah*, ou John, Paul, George et Pete Best apposent leur signature au bas du document – mais pas Brian. Il estime que sa parole est suffisante. C'est une décision assez téméraire mais qui reflète bien cette espèce de flair que Brian a toujours eu dans ses transactions avec les Beatles

Grâce à ses nombreux contacts dans le monde du disque, il obtient une audition chez Decca. Le groupe se rend à Londres avec ses vieilles guitares et ses amplificateurs. Malheureusement, les Beatles reçoivent, quelque temps après, une réponse négative de Decca.

Après cette audition, ils partent pour leur troisième tournée à Hambourg. Ils sont censés recevoir davantage d'argent que lors de leurs précédents voyages et doivent jouer dans un club plus chic. Sur place, il reçoivent un télégramme de Brian Epstein : « Félicitations, les gars. EMI est d'accord pour une séance d'enregistrement. Répétez avec du nouveau matériel. »

Le 6 juin 1962, ils se rendent tous dans les studios d'enregistrement d'EMI à Londres, à St. John's Wood. Ils sont accueillis par George Martin, un pimpant gentleman qui travaille chez EMI comme responsable du service « artistes et répertoire ». À la fin du mois de juillet, Brian reçoit des nouvelles de Georges Martin : les Disques Parlophone sont d'accord pour enregistrer les Beatles !

Lorsque les destinées de Brian Epstein et des Beatles se croisent, Brian est considéré comme le patron de quatre jeunes musiciens sarcastiques, portant des blousons de cuir, mangeant des sandwiches et buvant de la bière sur scène! Brian pose des conditions à leur collaboration: les Beatles doivent se soumettre à certaines règles. Les sandwiches et la bière doivent disparaître. Les blousons de cuir et *She'll Be Coming 'Round the Mountain* également. La coupe de cheveux des Beatles et leurs chansons, voilà tout ce qui peut subsister, ainsi que leurs manières désinvoltes.

Brian réussit un tour de force: il est capable de transformer quatre gaillards de la classe ouvrière en gentlemen bien habillés et en membres effrontés de la haute société. Plus tard, John Lennon ne manquera pas de critiquer Brian pour les changements qu'il les avait contraints à faire, mais c'était de sa part un manque de compréhension. Lorsque les Beatles font irruption sur l'avant-scène de la musique pop, c'est grâce à Brian: il réussit avec les Beatles à faire accepter des changements considérables pour cette époque.

Si, par la suite, Brian ne partage pas leur enthousiasme pour la philosophie orientale ou le phénomène rock, les jeunes qui se sont intéressés à ce mouvement le doivent en grande partie à Brian, qui en a assuré les bases. Mais la tâche est de plus en plus difficile car les Beatles sont en demande partout dans le monde. Les offres affluent et Brian doit même annoncer dans les journaux qu'il ne prend aucun engagement d'avance. Il refuse des sommes astronomiques offertes pour leur spectacle. Et il commence à avoir trop de responsabilités sur les épaules... Une lente descente aux enfers s'amorce.

Brian Epstein possède à cette époque tout pour être un homme heureux : il est âgé d'une trentaine d'années, est beau garçon, mène une vie très saine. Il n'a donc rien à envier à personne. Pourtant, il ne connaît pas le bonheur.

D'un caractère instable, il a un peu trop tendance à être dépressif et mal dans sa peau. De plus, son penchant homosexuel n'est un secret pour personne. Cette homosexualité est tellement notoire que bon nombre de ses amis sont distants à son égard. John Lennon avouera d'ailleurs avoir eu une relation sexuelle avec son manager...

Brian sombre de plus en plus dans une dépression sans retour. En 1967, Epstein s'apprête à partir pour un week-end à la campagne, mais finalement il décide de demeurer à Londres. Il téléphone à des amis et leur déclare qu'il les rappellera plus tard durant le week-end. Il leur dit être fatigué, pas du tout en forme. Aucun d'eux ne se doute qu'il s'agit des derniers jours du manager et ne s'inquiète de ce coup de téléphone. Le dimanche, sans nouvelles de lui, ils décident d'appeler Peter Brown, un ami intime de Brian. Peter leur suggère de demander à une secrétaire d'appeler un médecin. Deux heures plus tard, la secrétaire et le médecin entrent dans la chambre et découvrent Brian mort.

Officiellement, la thèse de l'overdose accidentelle de barbituriques sera avancée. Cependant, dix ans plus tard, Peter Brown, dans un journal à scandale britannique, confiera qu'il s'était rendu sur les lieux avant le médecin. Il révèle qu'il avait fait disparaître les preuves selon lesquelles Brian aurait été assassiné lors d'ébats amoureux... Quelques semaines plus tard, le 27 août 1967, l'enquête de police sera publiée par le bureau du procureur londonien avec des conclusions faisant penser à un suicide.

Les conclusions réelles ne seront probablement pas dévoilées. S'agissait-il d'un suicide, d'un accident dans le dosage des médicaments, ou bien d'un meurtre ? Le grand public ne saura jamais ce qui est réellement arrivé à Brian, celui qui était officiellement désigné comme le cinquième Beatle.

Décrit comme doux et généreux par certains, colérique, agressif et instable par d'autres, il n'en reste pas moins que Brian Epstein a été un vrai père pour les quatre garçons dans le vent. Ces derniers lui doivent beaucoup... S'il n'avait pas disparu si tôt, peut-être aurait-il pu sauver le groupe de la séparation...

La tombe de Brian Epstein est située dans le cimetière judaïque de Londres.

Jean Beaunoyer

Jean Beaulne rencontre le manager des Beatles, Brian Epstein,
lors de la visite du célèbre groupe à Montréal en 1963.
(Photo : Pierre Yvon Pelletier.)

Les Beatles ont changé la carrière des Baronets.
En traduisant les premiers succès des Fab Four,
les Baronets atteignent presque instantanément la célébrité.
(Photo : *Échos-Vedettes*.)

15

Les femmes, le sexe,
la drogue et les Baronets

Dès que les Baronets ont entrepris leur carrière, ils sont devenus rapidement les trois garçons les plus courus du quartier Villeray. Par la suite, ils rivalisent dans le cœur des filles avec les chanteurs les plus populaires du Québec. En 1963, la « pilule » a déjà fait son apparition ; les femmes cherchent à s'affranchir et l'amour prend ses libertés. Les chanteurs vedettes de la musique pop ne font pas seulement fortune. Ils profitent également de certains avantages rattachés à leur métier, qui se présentent habituellement sous les traits de ravissantes jeunes groupies venant solliciter leurs faveurs à l'entrée des artistes.

Les Baronets sont attendus par ces demoiselles à la fin des spectacles. En fait, ils n'ont que l'embarras du choix. Parfois ils en profitent, mais rarement ils entreprennent une relation durable avec l'une de ces filles qui ne cherchent qu'à réaliser un fantasme. Avec le temps, les vedettes pop se lassent de ces amours d'un soir.

Les Baronets ne correspondent pas à l'image des groupes rock des années soixante et soixante-dix qu'ont véhiculée les journaux et les magazines. Dans ce monde particulier de la musique populaire, combien d'artistes ont succombé à l'alcoolisme, à la dépendance aux drogues, aux scandales à caractère sexuel et aux autres excès. Les Baronets eux-mêmes ne sont pas des petits saints, mais ils vont encore à la messe tous les dimanches. On les voit souvent ensemble à l'église Saint-Vincent-Ferrier, conformément à leur éducation marquée par la religion. À ce moment, l'Église est encore influente au Québec et la pratique religieuse est fortement ancrée dans les mœurs. Il est très mal vu de ne pas assister aux offices religieux. René, Pierre et Jean, qui habitent toujours chez leurs parents, ne font pas exception à la règle. Ils ne cesseront d'assister à la messe que lorsque leurs engagements professionnels les en empêcheront.

Malgré les succès, l'argent et le tourbillon du show-business, ce sont de jeunes hommes étonnamment disciplinés, qui refusent de boire même lorsqu'ils sont en tournée dans les cabarets. Lorsqu'on leur offre la tournée du patron, ils commandent un jus d'orange. Aucun d'entre eux n'a touché à l'alcool pendant leurs années de gloire, ni après. C'est Jean Beaulne qui me le confirme tandis que je le regarde siroter une tisane à la camomille à neuf heures du matin ; d'ailleurs on le surnommait « tasse d'eau chaude », car c'est ce qu'il buvait partout où le groupe se produisait. Beaulne était considéré comme une personne austère par les musiciens que les Baronets avaient engagés. En effet, fatigués de devoir constamment s'adapter à de nouveaux instrumentistes, plus ou moins talentueux selon les endroits, ils décident de s'entourer d'une équipe aguerrie qui se conforme rapidement à leur style. La proximité de ces musiciens leur a fait découvrir une nouvelle réalité : la drogue.

« On me traitait de *straight* parce que je ne fumais pas de marijuana. J'avais déjà essayé d'en fumer avec René et Pierre dans un *party* et je n'ai pas aimé ça.

« En fait, un gars à l'allure suspecte, qui venait voir souvent nos spectacles, m'approche un jour en me proposant de vendre du haschich. Il me dit qu'il faisait beaucoup d'argent en le mélangeant avec de l'herbe de maïs et de la merde de cheval. C'était ça, son truc. Il m'a rendu un grand service, ce jour-là, parce que je n'ai plus eu envie de toucher à quelque drogue que ce soit par la suite. Quand la cocaïne est arrivée sur le marché, les pushers y incorporaient du verre concassé, du bicarbonate, de la poudre abrasive et même, une fois, du ciment. Le pauvre gars qui a sniffé ce mélange a souffert le martyre quand la poudre de ciment s'est durcie au contact des muqueuses du nez. Une histoire qui s'est terminée aux urgences de l'hôpital. »

Mais la drogue n'a pas épargné tous les Baronets.

« Pierre Labelle était un gars sensible et très influençable. De 1957 à 1965, tout allait bien jusqu'au jour où un des musiciens a suggéré à Pierre d'essayer un petit "joint" avec l'argument classique : "Fais-en l'expérience, c'est magique et ça ne crée pas de dépendance." Mon œil ! je n'y ai jamais cru et je ne le crois toujours pas ! Pierre, malgré mes conseils, est malheureusement tombé dans l'enfer de la drogue à cette époque. Il m'énervait quand il montait sur scène avec les yeux vitreux. Il prétendait qu'il était meilleur dans cet état, mais ce n'était pas le cas. »

Et si René n'avait pas de problème avec la drogue ou la boisson, on ne peut que constater qu'il abuse de la bonne chère depuis fort longtemps.

« René a toujours été obsédé par sa ligne. Avec Pierre, il rivalisait constamment quant à leur poids respectif. C'était à qui en perdrait le plus, le plus rapidement.

« Je conseillais à Pierre et à René de manger sainement, et ça les agaçait de m'entendre parler ainsi. Je leur disais que le corps devait être traité comme un temple, qu'il ne fallait pas ingurgiter autant de poisons. On devrait même analyser la nourriture que nous consommons.

« René prend une énorme bouchée de gâteau, me regarde en riant et échappe un retentissant rot en me disant ensuite : "C'est la coutume chez les Arabes de roter après les repas. Ça prouve que tu as bien mangé. C'est bon d'avoir un point au cœur. C'est bon pour le système de manger de la *scrap*."

« J'étais insulté et je me disais qu'un jour il recevrait la facture pour tout ça. Et c'est ce qui est arrivé… »

Les groupies de l'époque faisaient partie des fameux *fan clubs* des années soixante. Tous les artistes populaires, préférablement de sexe masculin, pouvaient compter sur les milliers de membres de leur club de *fans* pour maintenir leur popularité. Elvis Presley avait parti le bal et les chanteurs des années soixante prenaient grand soin de leur meilleur auditoire, les fans clubs. Les Baronets avaient le leur mais aussi des admiratrices passionnées qui ne demandaient qu'à se laisser séduire.

Et, contrairement à ce qu'on peut penser, les Baronets ne sautaient pas toutes les filles du village. Du moins, s'il faut le croire, à leurs débuts.

« Il faut se souvenir du contexte, explique Jean Beaulne. La pilule contraceptive est arrivée en 1963. Ça a été une méchante révolution dans les mœurs. Avant ça, ce n'était pas si simple avec les filles: il fallait réfléchir avant de s'envoyer en l'air. Nous avons eu des rapports assez réservés avec les filles de 1958 à 1963. Nous avons connu nos premières aventures justement en 1963, à Trois-Rivières. Nous n'étions pas des anges, mais à cette époque, la liberté sexuelle, ce n'était pas comme aujourd'hui... »

Et Jean Beaulne de poursuivre: « Avant de présenter notre spectacle, on tirait discrètement le rideau et on regardait dans la salle pour trouver des filles. René et moi en choisissions une au premier rang. René me disait: "Je te gage 10 $ que je vais partir avec la blonde assise dans la première rangée." Et quand je partais avec elle, je lui disais: "N'oublie pas, à dix demain matin!" Ce qui voulait dire qu'il devait me remettre l'argent le lendemain. Pas besoin de dire que pendant tout le spectacle on concentrait tous nos efforts sur la fille qui faisait l'objet de notre gageure. Les autres ne comprenaient pas pourquoi nous ne nous intéressions pas à elles. Nous, on ne pensait qu'à nos 10 $.

« René se croyait le plus beau, me disait que j'étais trop maigre. Et finalement, la rivalité était égale. »

En somme, ce n'était ni de l'amour ni du désir, c'était de la compétition. Mais Beaulne va beaucoup plus loin lorsqu'il parle des femmes. Celles-ci constituaient la majorité de leur auditoire. Plus leur popularité augmentait et plus elles étaient nombreuses et... chaleureuses. Les hommes d'affaires, les ouvriers, les policiers, les menuisiers ne rencontrent qu'occasionnellement les femmes.

« Dans notre cas, c'est notre métier qui nous force à les connaître. Soir après soir, il faut les séduire en spectacle. Alors, on développait des techniques avec des regards, des chansons douces, des gestes étudiés, et on s'approchait de certaines pendant le spectacle. Et ça, chaque soir pendant des années. À cette époque, on pouvait avoir les plus belles femmes. René préférait les femmes glamour, pulpeuses dans le genre Marilyn Monroe. »

Et qu'est-ce qu'on pense des femmes après toutes ces années?

« La femme a besoin d'un héros. Il y a toutes sortes de femmes. Il y a des femmes à un seul homme. Il y a des femmes à médecin, des femmes à marin, des femmes à bandit, des femmes à policier... Nous avons vu tout ça. »

On pourrait en discuter longuement, mais il y a tout de même un phénomène qu'on remarque chez les fans des Baronets et évidemment chez les fans des Beatles et d'Elvis aussi : l'hystérie collective. Des jeunes filles s'évanouissaient réellement au plus fort de la vague Baronets au Québec. Des jeunes filles qui pleurent, des jeunes filles en transe. Comment expliquer ce phénomène ? Les jeunes femmes que les Baronets excitaient à l'époque étaient-elles dans leur état normal ? Peut-on évaluer la femme d'après ce type de réaction ?

LES ESPRITS

Lors d'une autre tournée, René a vraiment mis en colère le regretté Jean Grimaldi, un producteur de spectacles des années soixante. Ce dernier, un adepte de spiritisme, nous avait conviés, avec d'autres artistes qui effectuaient la tournée, à une séance autour d'une table ronde sous un éclairage tamisé. Grimaldi se présenta crayon et feuille en main et, solennellement, nous annonça que les esprits allaient se manifester à travers un médium qui se trouvait parmi nous. Celui-ci devrait tomber endormi et laisser guider sa main sur une feuille de papier pour capter ce que les esprits lui dicteraient. Grimaldi commença la séance en baragouinant quelques phrases destinées aux puissances invisibles. Peu impressionné, René fit semblant de s'endormir, prit le crayon que Grimaldi lui poussa sous la main, et écrivit quelques mots. Fou de joie, Jean Grimaldi s'écria : « On a un médium ! On a un médium ! » Puis il saisit la feuille et lut à haute voix : « Tu m'emmerdes ! » Il sortit immédiatement de la pièce en hurlant. Inutile d'ajouter qu'il n'a pas adressé la parole à René pendant au moins trois jours...

JEAN BEAULNE

Les souliers de Pierre

Lors d'une de nos prestations dans une salle où la scène était plus élevée qu'à l'habitude, nos pieds arrivaient à la hauteur du visage des spectateurs. Dès la première chanson, les gens se mirent à rire et à se chuchoter des mots à l'oreille en montrant Pierre du doigt. En voyant cela, René pouffa de rire, tomba à genoux et arrêta de chanter. Il me regarda en désignant les souliers de Pierre Labelle, l'un des Baronets. Ce dernier avait oublié de changer de chaussures après avoir passé la journée à travailler dans la boue. Ses souliers n'étaient, comme vous pouvez l'imaginer, guère présentables ! Il est alors sorti de scène offusqué, mais nous avons ri de bon cœur avec le public.

Jean Beaulne

16

L'hystérie

La réaction des jeunes femmes pendant les spectacles présentés par les Baronets s'apparente à de l'hystérie collective. Un phénomène qui n'est pas nouveau, puisqu'on a assisté à de spectaculaires manifestations d'hystérie collective lors de la présentation des spectacles d'Elvis Presley durant ses meilleures années, entre 1956 et 1960, de Frank Sinatra à ses débuts et évidemment des Beatles à la même époque. Ceux-ci en ont d'ailleurs été victimes puisqu'ils ont décidé de ne plus se produire sur scène, car les cris des jeunes adolescentes dominaient complètement le son des haut-parleurs. Il n'y avait plus que la foule en délire lorsque les Beatles se déhanchaient, même légèrement, devenant ainsi des objets de culte rendus muets par leur horde d'admiratrices. Leur musique était devenue superflue.

Les Baronets n'étaient pas les Beatles. Malgré tout, au plus fort de la vague, on reproduisait les mêmes attitudes. D'ailleurs, lors d'une émission de télévision intitulée *Jeunesse d'aujourd'hui*, les fans criaient si fort que le bruit couvrait le play-back, faisant en sorte que les chanteurs ne savaient plus où ils en étaient rendus dans leur interprétation. Comment expliquer ce comportement hystérique ?

D'abord on remarque que, depuis Elvis jusqu'aux Back Street Boys, les manifestations sont les mêmes et impliquent invariablement des jeunes filles, pubères ou non, qui découvrent des pulsions émotives non conscientes, généralement à caractère sexuel.

Freud, que plusieurs femmes considèrent comme le premier des machos modernes, formula la théorie selon laquelle les symptômes hystériques résultent du conflit entre les contraintes sociales et éthiques de l'individu, et un désir refoulé. Cependant, on l'associait presque exclusivement aux femmes, les diagnostics d'hystérie chez les hommes étant rares. L'hystérie compte parmi les troubles les plus mal compris en psychiatrie et elle est souvent contestée en tant que névrose particulière.

Les Grecs de l'Antiquité expliquaient l'instabilité et la mobilité des symptômes somatiques et des accès de troubles psychiques chez les femmes par un déplacement – théorique – de l'utérus. Cette théorie de « l'errance de l'utérus » a donné son nom à l'hystérie. En grec, *hysteria* signifie « utérus », organe qui en vint à désigner des phénomène pathologiques caractérisés par un comportement fortement émotionnel. Au Moyen Âge, mais surtout à la Renaissance, l'hystérie était attribuée à la possession démoniaque et à la sorcellerie, ce qui entraîna la persécution des femmes.

Avec le temps, on a nuancé. Le terme « hystérie collective » s'applique à des situations dans lesquelles un grand nombre de personnes présentent le même type de symptômes somatiques sans cause organique. Par exemple, un cas d'hystérie collective fut enregistré aux États-Unis en 1977, quand 57 membres d'un orchestre scolaire furent pris de maux de tête, de nausées, de vertiges et d'évanouissements à la suite d'un événement sportif. Après avoir cherché vainement une cause organique, les scientifiques conclurent qu'une réaction à la chaleur, dont avaient été victimes quelques-uns des membres de l'orchestre, s'était répandue par suggestion émotionnelle aux autres. On préfère aujourd'hui le terme de « réaction de stress collective » pour qualifier ce type de phénomène.

Il faut retenir de ces analyses le « conflit entre les contraintes sociales et éthiques de l'individu, et un désir refoulé ». Et, au Québec, Dieu sait qu'Elvis, les Beatles et les Baronets ont incité des jeunes filles à exprimer ce désir refoulé comme une révolte qu'elles pouvaient se permettre de vivre collectivement. Révolte contre les parents, l'école, la société en général, qui les étouffaient. En 1965, la pilule est encore nouvelle sur le marché et la libération des femmes commence pour bon nombre d'entre elles. Est-ce le premier pas d'un affranchissement encore plus global ? Le sujet prête à discussion, mais le phénomène de l'hystérie collective a pris une ampleur dans les années soixante qui n'a plus son équivalent aujourd'hui. On le commentait à l'époque. On le discutait. Et le phénomène se manifestait à la grandeur de la planète alors qu'aujourd'hui les cas sont plus isolés.

17

Les premières amours

René a toujours été discret sur ses amours. On ne lui connaît que très peu de liaisons. Mais elles ont toujours été durables et importantes dans sa vie.

C'est en 1961 qu'il a rencontré Denyse Duquette, à l'âge de dix-neuf ans. Elle avait à peu près le même âge que lui, était fort jolie, simple, et procurait à René un sentiment de sécurité. Elle menait une vie saine, rangée, et adorait la campagne.

Lorsque la popularité des Baronets explose, en 1963, elle est toujours là et habite avec René chez ses parents. Ce dernier gagne beaucoup d'argent, prête sa Chrysler à son oncle Georges, mais ne songe aucunement à s'installer dans un appartement avec Denyse. Il préfère demeurer au sein de sa famille. C'est son monde, son havre, sa véritable attache que Denyse doit partager. Les Angélil et les Sara sont toujours aussi unis et le resteront. René ne peut se résoudre à quitter le foyer. D'autant plus qu'il est appelé à voyager constamment et qu'il n'a pas le temps, ou l'envie, de s'occuper d'un chez-soi. Il est cependant très amoureux de cette femme qui lui accorde toute la liberté dont il a besoin. Elle sait qu'il est populaire auprès des femmes, qu'il est sollicité par plusieurs d'entre elles, mais elle comprend et accepte cette situation. René apprécie son comportement et partage tous ses temps libres avec Denyse.

Il croit que c'est la femme de sa vie et il ne peut pas vivre sans elle. Mais elle est son plus grand secret et personne dans l'entourage des Baronets ne connaît son existence. Les deux jeunes amoureux sont prêts pour le mariage, mais, dans les années soixante, les vedettes de la chanson ne peuvent se permettre de convoler en justes noces sans en payer chèrement le prix. Le Beau Brummel des Baronets n'ose même pas évoquer cette possibilité devant ses compagnons et surtout pas devant Ben Kaye, qui en ferait sans doute une maladie.

Mais Joseph Angélil ne fait pas partie du show-business et ne voit pas la situation du même œil. Homme de principes, il n'accepte pas facilement l'idée que son fils et sa compagne vivent ensemble sans être mariés. Encore moins quand c'est sous son toit ! Toujours insouciant, René poursuit ses tournées, vit librement comme un célibataire avec les deux autres Baronets et se laisse séduire par les femmes. Il faut bien jouer le jeu jusqu'au bout avec ses compagnons, sinon on finirait bien par se douter de quelque chose.

18

Maryse

En 1965, alors que les Baronets vivent leurs plus belles heures de gloire, René fait la connaissance d'une jeune chanteuse qui avait tenté de faire carrière sous le nom de Maryse Marhall. Elle avait participé à de nombreux concours d'amateurs dans l'espoir d'être remarquée et d'enregistrer des disques, mais la concurrence avait été forte et elle n'avait pas réussi à attirer l'attention des producteurs. Finalement, elle s'était résignée et avait accepté du travail à titre de choriste. Elle avait accompagné les plus grands artistes du Québec sur scène ou en studio. Elle n'a que dix-huit ans lorsqu'elle travaille dans les studios de Tony Roman, le producteur des Baronets et de bien d'autres artistes.

René Angélil n'attire pas que les groupies et les jeunes filles du *fan club* des Baronets. À vingt-trois ans, c'est un jeune homme doté d'un charme fou qui fait des ravages dans les cœurs. Maryse en devient follement amoureuse et cherche toutes les occasions pour le rencontrer lors des séances d'enregistrement que dirige Tony Roman. Elle manœuvre si bien qu'elle finit par se faire remarquer par le beau René, qui ne reste pas insensible à ses charmes. Follement éprise, Maryse fait tout ce qu'elle peut pour le séduire, sachant fort bien qu'il est amoureux de Denyse Duquette. Elle se donne à lui, tente de le retenir et de lui faire oublier la femme qu'il aime. Peine perdue, Maryse connaît une trop courte histoire d'amour avec cet homme qui la fascine toujours. Elle vit par la suite un grand chagrin et multiplie les bêtises, comme c'est souvent le cas lorsqu'on s'imagine avoir perdu l'amour de sa vie.

Elle rencontre alors une nouvelle idole de la jeunesse, Johnny Farago, qui est devenu une véritable star au lendemain de sa première apparition à l'émission préférée des adolescents, *Jeunesse d'aujour-d'hui*. Johnny Farago chante des versions d'Elvis Presley et son premier succès, *Je t'aime, je te veux*, a déjà atteint les premières positions du palmarès. Par dépit, sûrement par vengeance, Maryse lui fait le coup du charme et vit une brève aventure avec lui. Un véritable coup de tête.

Peu de temps après, elle constate qu'elle est enceinte. Elle est persuadée que René est le père de cet enfant. Que faire ? Elle dira plus tard qu'elle n'a jamais informé René de son état parce qu'elle savait qu'il était éperdument amoureux de Denyse Duquette et qu'il n'allait jamais la laisser. Déprimée, elle quitte son travail de choriste et décide d'élever seule l'enfant qu'elle attend.

C'est un garçon en parfaite santé qui vient au monde et qui grandira en croyant être le fils de René Angélil. Étrange coïncidence, il naît exactement le jour où René Angélil épouse Denyse Duquette, le 11 décembre 1966 à l'église Saint-Sauveur de Montréal.

Cette méprise connaîtra son dénouement vingt-neuf ans plus tard.

« Quand j'étais plus jeune, je ne pensais pas à la ressemblance physique avec mon père. Mais, avec le temps, j'ai eu des doutes », raconte-t-il.

En 1995, Maxime Laplante (du nom de sa mère), sachant que sa mère avait eu une aventure avec Johnny Farago, demande à celui-ci de subir un test d'ADN. Voyant l'importance que cette paternité avait pour lui, Johnny accepte. Il n'existera plus aucun doute. Farago est bel et bien le père de cet enfant. Les retrouvailles sont émouvantes et Johnny songe même à préparer un spectacle en compagnie de son fils.

Des retrouvailles qui auront été de courte durée, puisque Farago est emporté par un infarctus en juillet 1997. René Angélil a assumé le coût des funérailles en souvenir du passé.

19

Un premier mariage

Les préparatifs du mariage de René Angélil, qui a vingt-quatre ans à ce moment, ont lieu dans une atmosphère de grande paranoïa. Il faut absolument éviter les fuites, les regards indiscrets et surtout les médias. Tout un exploit dans les circonstances, puisque René est immensément populaire au Québec. Il est connu du grand public, qui le voit régulièrement à la télévision, au cabaret et dans les journaux. René va encore plus loin, en cachant son mariage à ses amis et surtout aux autres Baronets. La carrière du groupe pourra donc suivre son cours normal. C'est dans la plus stricte intimité qu'est célébré le mariage, en présence uniquement des membres de sa famille, qui sont tenus au plus grand secret.

Même s'il est toujours amoureux de Denyse Duquette, René ne voit pas la nécessité de l'épouser. Denyse a le même âge que lui et ils ont toute la vie devant eux. Mais René n'a pas le choix. Son père, qui ne s'est pas habitué au concubinage de son fils, exerce des pressions constantes pour qu'il légalise cette union. René avait toujours trouvé des excuses pour gagner du temps et reporter l'événement, mais il est subitement à court d'arguments. Son père est âgé de soixante-trois ans et il ne veut pas le décevoir une autre fois. A-t-il l'intuition que la mort le fauchera dans quelques mois ? On pressent souvent, sans vouloir l'admettre, ce genre de fatalité.

Le mariage comble Joseph et Alice Angélil, qui considèrent Denyse comme leur propre fille.

La première épouse de René Angélil, Denyse Duquette.
(Photo : collection privée Jean Beaulne.)

Les trois Baronets devaient adopter la coupe Beatles pour plaire à leurs fans.
(Photo : collection privée Jean Beaulne.)

20

Déjà le marché international

La popularité des Baronets est immense au Québec, mais elle ne suffit pas à René, qui rêve de traverser les frontières et de se mesurer aux plus grands groupes américains et anglais. René en parlait souvent aux autres Baronets, qui ont fini par se dire : pourquoi pas nous ? Jean Beaulne rêve lui aussi d'une carrière internationale de même que leur manager Ben Kaye. Mais comment percer le marché américain ? Il n'y a pratiquement pas de précédents. Un groupe canadien, les Diamonds, s'est hissé en tête du palmarès avec *Little Darling* mais ce succès n'a pas eu de suite. Un autre groupe, celui-là du Québec, a également réussi à décrocher la première position au hit-parade américain, les Beau-Marks, dont le leader était Ray Hutchisson, avec leur unique succès *Clap Your Hands*. Encore là, il s'agissait d'un cas isolé.

Jusqu'ici, les Baronets sont allés aux États-Unis pour présenter des spectacles, mais on ne peut pas parler d'une véritable carrière internationale. Leurs cachets sont dérisoires comparativement à ce que peuvent toucher les grandes vedettes du disque et de la télévision américaine. Il leur faut donc enregistrer là-bas.

Un jour, Jean Beaulne rencontre un producteur américain, Al Kasha, de la compagnie de disques Vee Jay. Il est à la recherche d'un groupe québécois. Après le succès remporté par les Beatles, la mode est aux groupes étrangers et Kasha se dit qu'un groupe québécois, avec une touche française, pourrait séduire le public américain. Ben Kaye ne perd pas de temps et se rend à New York pour rencontrer Kasha.

Kaye, dont les talents de vendeur ont toujours impressionné René, intéresse à ce point Kasha qu'il ne tarde pas à conclure une entente avec lui. Les Baronets se rendent donc à New York et préparent déjà l'enregistrement d'un album constitué uniquement de chansons originales américaines. La compagnie Vee Jay produit le groupe The Four Seasons et enregistre leurs plus grands succès. C'est également sous étiquette Vee Jay que les Four Seasons enregistrent leurs plus grands succès. Au milieu des années soixante, la tornade Beatles a déferlé sur l'Amérique, entraînant avec elle une quantité de groupes anglais qui ont supplanté la plupart des artistes rock américains. Seuls les Beach Boys et les Four Seasons résistent. Avec des succès tels que *Big Girls Don't Cry*, *Walk Like a Man*, *Ronny*, *I've Got You Under My Skin*, ils dépassent les cinquante millions de disques vendus.

C'est l'imprésario de ces grandes vedettes américaines, Bob Crew – entouré des professionnels les plus prestigieux de la scène musicale new-yorkaise : Charlie Collelo, arrangeur et auteur-compositeur, ainsi que les compositeurs Brooks Arthur (producteur actuel d'Adam Sandler), Bob Gaudio (membre des Four Seasons), et Al Kasha –, qui produit l'album en anglais des Baronets, destiné au marché mondial. René et ses compagnons flottent sur un nuage et tous les rêves sont permis. Ils ont, cette fois, tous les atouts en main pour s'imposer sur le marché le plus lucratif du monde. Ils sont dans le New York de Frank Sinatra qui chantait : « *If you can make it there, you can make it everywhere.* » René réalise alors le rôle fondamental que jouent les spécialistes dans la production d'un bon disque, et la valeur d'une chanson. Une fois l'enregistrement terminé, les Baronets reviennent à Montréal pour respecter leurs engagements et n'ont plus qu'à attendre la suite des événements et peut-être la gloire internationale. Le rêve américain est à portée de la main.

Les semaines passent et aucune nouvelle. Subitement, ils apprennent que la compagnie Vee Jay a déclaré faillite et que toutes ses opérations ont été interrompues. Voilà qui met fin à la carrière internationale des Baronets.

On pourrait penser qu'ils auraient pu récupérer l'enregistrement et le remettre à une autre compagnie afin de relancer l'album. Pas si simple, puisque, dans les procédures de faillite, tout le matériel est saisi, analysé, répertorié. Il faut alors du temps pour récupérer les avoirs. Trop de temps pour les Baronets, qui n'avaient pas non plus les moyens financiers nécessaires pour tout reprendre. Il reste de cette aventure un album qui n'a jamais été joué à la radio. Jean Beaulne en possède cependant une copie qu'il conserve pour des projets futurs.

C'est un coup dur pour le groupe, et plus particulièrement pour René Angélil. Mais avec le recul, il faut voir dans cet échec une leçon. Ce qui distingue René de ses compagnons et de tous ceux qui l'entourent, c'est sa capacité d'apprendre et d'utiliser tous les événements, fussent-ils les plus douloureux, à son profit. Dans sa longue ascension vers la gloire et la fortune, il subira les pires épreuves et saura en tirer profit. Avant de gagner, de remporter le gros lot, il aura perdu plus souvent que la plupart des gens de son entourage. Il sera souvent très près du but, parfois à une dernière signature, un dernier rendez-vous, sans y parvenir. Je ne suis pas de ceux qui estiment que René a été un homme chanceux. Il a payé d'une longue série de revers le succès qu'il a connu.

Il y a un bouffon qui sommeille en René Angélil. Pour preuve, je peux raconter en détail la nuit où il a décidé de se faire arrêter par la police pour simplement gêner l'officier qui procéderait à son arrestation. À trois heures du matin, en plein centre-ville de Montréal, voyant un véhicule de police au coin de la rue, René sortit de sa voiture et monta sur le capot. Il se mit alors à faire son imitation favorite. En moins de deux minutes, le policier arriva et lui demanda ce qu'il faisait. René répondit qu'il imitait Jerry Lewis. Mais le policier, qui n'avait de toute évidence pas un sens de l'humour très développé, l'arrêta sur-le-champ pour nuisance publique! En chemin, René lui dit que s'il l'emmenait au poste, ce serait lui qui aurait l'air ridicule... Je l'ai suivi et, en arrivant au poste, le policier expliqua au capitaine qu'il avait arrêté René parce qu'il imitait Jerry Lewis sur le capot de son auto. Le capitaine et tout le personnel à proximité se sont mis à rire et le policier a vraiment été embarrassé. Plus embarrassé encore lorsque le capitaine lui a ordonné de s'excuser et de reconduire René à son automobile... Imaginez le sourire qui s'est affiché alors sur le visage de René Angélil!

Jean Beaulne

21

Coup de poing sur la gueule

Il faut croire que la ville de New York ne porte pas chance à René Angélil. C'est dans cette ville qu'il connaîtra plusieurs échecs et de bien mauvaises expériences. Jean Beaulne se souvient d'un incident qui témoigne de la tension qui persistait entre René et lui.

Angélil avait causé beaucoup d'engouement parmi la gent féminine, mais Beaulne également. Nous sommes à New York et ce dernier reçoit un appel d'une jolie femme qui s'est rendue dans la métropole américaine dans l'espoir de passer avec lui quelques jours en amoureux. Beaulne est ravi et en profite pour faire visiter la ville à sa conquête. Il loue un tourne-disque afin d'écouter dans sa chambre, en compagnie de sa dulcinée, l'enregistrement qu'ils viennent de réaliser sous l'étiquette Vee Jay. Il va donc trouver René, auquel il a prêté l'appareil et le *demo* quelques heures auparavant, pour qu'il les lui rende. René refuse en prétextant qu'il n'a pas eu le temps d'écouter l'enregistrement. Jean insiste, mais René refuse toujours. Beaulne s'empare de l'appareil et René saisit le fil qui pend au bout du tourne-disque, en tirant très fort.

«Lâche ça!» hurle Beaulne, rouge de colère. René tire encore plus fort, comme s'il s'agissait d'une épreuve de force. Beaulne, conscient que René veut encore avoir le dernier mot et qu'il va briser son appareil, éclate de rage et lui assène un coup de poing en plein visage. René chancelle tandis que Pierre et Ben Kaye, qui sont témoins de l'incident, séparent rapidement les deux hommes.

Jean Beaulne finira par écouter tranquillement sa musique, et l'incident sera oublié dès le lendemain.

«C'était la première fois que René et moi en venions aux poings. Même si nous n'étions ni de nature rancunière, ni bagarreurs, nous avions du caractère et la réplique facile. La seule autre fois où j'ai vu René se batailler, ce fut dans un lobby d'hôtel avec notre bassiste Gerry Legault, qui avait haussé le ton à cause d'une partie de cartes qu'ils avaient jouée la veille. En douze ans de carrière, nous avons cependant eu plusieurs prises de bec puisque nous avions tous deux un bouillant caractère.

« À cette époque, René ne pensait qu'à s'amuser, alors que moi je rêvais d'une carrière internationale pour les Baronets. Je n'acceptais pas le fait que René soit aussi insouciant. Mais, quelques années plus tard, alors que je vivais à Santa Monica, en Californie, et que je ne pensais moi-même qu'à m'amuser, à faire de la bicyclette et du patin à roues alignées et à vivre au rythme du *night life* hollywoodien, ça aurait été à son tour de me traiter de paresseux !

« Lorsque René a pris la carrière de Céline en main, il est devenu un être passionné comme je le fus à l'époque, moi, à un point tel que, lorsque les gens du milieu n'abondaient pas dans le même sens que lui, il devenait colérique. Durant ses premières années comme manager, il a maintes fois vanté le grand talent de sa protégée en sachant très bien que plusieurs personnes ne croyaient pas du tout en ses projets. On lui répétait souvent qu'il ferait mieux de tout lâcher, que la petite ne réussirait pas, qu'elle n'avait ni la beauté ni la personnalité voulues pour atteindre les sommets…

« Maintenant que René s'est assagi et que Céline a réussi, il comprend mieux le sens de la vie. Comme cette personne qui, un jour, a déclaré : ''L'argent ne fait pas le bonheur… et seuls les riches le savent !'' Sa principale priorité, ce sont les êtres aimés qui l'entourent. Il a même déclaré à un journaliste d'un grand quotidien comment l'argent et la gloire ont peu d'importance maintenant à ses yeux. Céline et René Charles sont devenus sa seule priorité et il pourrait tout lâcher du jour au lendemain par amour pour eux. »

22

La Comédie-Canadienne

La popularité des Baronets grandit et le groupe fait salle comble dans tous les cabarets où il prend l'affiche. René, Pierre et Jean profitent de leur gloire et mènent un grand train de vie. Les revenus de chacun d'eux atteignent jusqu'à 5 000 $ par semaine. C'est la vie fastueuse avec des voitures neuves, les meilleurs costumes, les grands restaurants, les hôtels luxueux. Ils ont même décidé de faire l'achat de trois Pontiac Parisienne neuves et identiques. Un beau coup de marketing qui plaît à leur manager Ben Kaye. Quand les Baronets se produisent en spectacle, on peut voir à la porte du cabaret les trois voitures garées ensemble. Comme une signature ou une réclame publicitaire des Baronets. Curieusement, on ne déplore aucun acte de vandalisme de la part de jeunes hommes jaloux ou de voleurs. On respecte ce groupe dont les membres ne cachent pas leur virilité et misent sur l'autodérision et l'humour. Il faut croire que tout le monde aime les Baronets.

Les engagements se multiplient, le groupe est sollicité de toutes parts et… la tension monte au sein de la formation. Les trois compagnons de fortune n'apprécient pas la présence grandissante de la violence dans les cabarets ni du commerce de la drogue, qui se fait de plus en plus ouvertement. De plus, les Baronets sont fatigués de cette vie trépidante, des salles enfumées et des spectacles à répétition. Ils se rencontrent finalement en compagnie de Ben Kaye et discutent d'un projet proposé par Jean Beaulne. Pourquoi ne pas réunir sur une même scène les Classels, un groupe fort populaire en 1964, et les Baronets, avec d'autres groupes en première partie ? La participation des Classels, un groupe qui se voulait la réplique québécoise des Platters, ne posait aucun problème puisque leur carrière était également dirigée par Ben Kaye.

Ce concept est nouveau au Québec. On discute longuement autour de la table alors qu'on redoute de présenter deux groupes vedettes au sein d'un même show, ce qui pourrait mettre la rentabilité de l'entreprise en péril. On décide tout de même de tenter l'expérience.

Pas moins de 18 000 personnes s'entassent au Colisée de Québec pour assister au grand spectacle. L'événement est un succès complet et les Baronets sont euphoriques lorsqu'ils regagnent leur loge après avoir quitté la scène sous les bravos et les applaudissements. L'expérience est concluante et ils abordent ainsi un nouveau circuit nettement plus rentable et moins astreignant que celui des cabarets. Finies les longues tournées, les longues heures et l'atmosphère lourde et oppressante des boîtes de nuit.

Toujours dans l'euphorie, les Baronets se préparent à partager le magot. Sur la table, on dépose un tas de beaux billets verts qui totalisent la somme de 52 000 $. Les yeux des Baronets sont grands et particulièrement ceux d'un Jean Beaulne triomphant. C'est tout de même lui qui avait eu la bonne idée de présenter ce spectacle.

Soudain, quelqu'un fait savoir à Jean Beaulne qu'il faut d'abord remettre la moitié de la somme à un coproducteur, qui a payé la publicité et les coûts de production. Beaulne blêmit. Il est estomaqué.

«On m'a caché la collaboration de ce producteur. On a comploté dans mon dos et la confiance que j'avais en Pierre, René et Ben s'est écroulée tout d'un coup. On m'a trahi sous prétexte qu'on avait besoin d'un investisseur et on donne 50 % de la recette à un inconnu. Si, au moins, on m'avait prévenu de la situation, j'aurais moi-même investi l'argent nécessaire pour la promotion, tellement j'étais convaincu de notre popularité. Tout un monde s'écroulait autour de moi. Tant d'années de sacrifices pour en arriver là. Ma colère a été terrible. On a tenté de me faire croire que j'étais au courant de la situation mais rien ne pouvait me convaincre.»

L'euphorie des Baronets s'estompe rapidement et un grand malaise s'installe dans le bureau du Colisée. Beaulne s'approche de Ben Kaye et c'est dans le blanc des yeux qu'il lui dit: «À partir d'aujourd'hui, je serai imprésario. Je vais préparer mon avenir, moi aussi. Je ne peux plus avoir confiance en vous. Je suis encore un Baronet, mais je ne le serai plus à temps plein. Je vais respecter mes engagements, mais je ne penserai plus au groupe, je penserai à l'avenir de Jean Beaulne. »

Beaulne empoche un montant largement inférieur à qu'il avait espéré et quitte précipitamment le Colisée sans saluer qui que ce soit.

« Seul dans mon auto, en route vers Montréal, j'ai pleuré pendant 300 kilomètres en demandant au bon Dieu pourquoi on n'avait pas plus de respect pour moi. Je me disais que ma vengeance serait d'avoir plus de succès qu'eux à titre d'imprésario et j'en ai eu. »

S'il fallait situer la fin des authentiques Baronets, de ces complices depuis l'adolescence, de ces compagnons d'armes, c'est bien en cette nuit du 11 décembre 1964 alors que rien ne sera plus comme avant. On pourra discuter des événements entourant la production du spectacle du Colisée, apporter de nouveaux éclairages, mais il n'en demeure pas moins qu'un des membres du groupe est blessé grièvement dans son orgueil, dans sa dignité, dans son cœur aussi, à la suite de cette soirée. Et il ne s'en remettra jamais.

Par la suite, Beaulne rejoint ses compagnons en toute hâte à Montréal pour les répétitions d'un spectacle présenté à la Comédie-Canadienne. L'ironie du sort a voulu qu'au moment où les Baronets vivent un grand déchirement, le plus grand conflit de leur association, la consécration les attende dans la plus prestigieuse salle du Québec.

La Comédie-Canadienne, en 1964, c'est le Carnegie Hall de Montréal, l'équivalent de l'Olympia de Paris. C'est là que Jacques Brel, Gilbert Bécaud, Charles Aznavour et combien d'autres artistes de premier plan ont présenté de mémorables spectacles. C'est le temple de la chanson française et québécoise à Montréal. Seuls les grands noms s'y produisent. Pour les Baronets, c'est une chance extraordinaire, une occasion de s'installer parmi les artistes les plus prestigieux du pays. Il faut absolument oublier les événements qui ont précédé et répéter une dernière fois les sketches et les chansons. La tension est à son maximum entre les trois membres du groupe. Personne dans l'entourage des Baronets n'est au courant de leurs problèmes et ils conviennent de se concentrer sur ce spectacle particulièrement important.

Vêtus de smokings tout neufs, entourés de 15 musiciens sous la direction de Georges Tremblay, ils présentent leur spectacle devant une salle particulièrement chaleureuse. Des amis, des parents sont assis dans les premières rangées. Des gens qui n'osaient pas aller les voir dans les cabarets assistent au spectacle. Les Baronets voulaient de la classe, du prestige, une meilleure réputation dans le milieu, voilà que leurs vœux sont exaucés.

La première remporte un succès inespéré. Si Jean Beaulne a le cœur à l'envers et lèche secrètement ses plaies, il n'en paraît rien sur scène. Le groupe est enjoué, charmant, très professionnel, bien préparé, et l'auditoire ne cesse de l'acclamer.

On croirait que c'est le bonheur total dans les loges des Baronets après le spectacle. Beaulne se permet même une blague de circonstance : « C'est la première fois que je n'entends pas une connaissance dans la salle me dire : "Lâche donc ça. Il n'y a pas d'avenir pour vous dans ce métier !" »

Il ajoute : « C'est le plus beau moment de la carrière des Baronets. Mon plus beau souvenir. »

René est euphorique : « C'est la consécration ! »

Les critiques sont presque unanimement élogieuses, le groupe est au sommet. D'autant plus que, quelques mois plus tard, ils attirent pas moins de 60 000 personnes au parc Jarry lors de la célébration de la fête nationale des Québécois, la Saint-Jean-Baptiste.

René ne peut même pas imaginer que les Baronets disparaîtront un jour. Il pense que le groupe s'adaptera à toutes les modes. Il n'est pas l'homme des ruptures et il en sera ainsi toute sa vie. À vingt-cinq ans, il demeure toujours chez ses parents et fréquente les mêmes amis. Jean Beaulne lui dit qu'il ne sera pas membre de la formation pendant très longtemps et René ne le croit pas.

23

Mésentente

À la fin de l'année 1966, les journaux spécialisés font état d'un climat de tension grandissant entre les membres des Baronets. On entend même leurs engueulades dans les coulisses de la *Casa Loma* ou du Théâtre-National, où ils se produisent régulièrement. Pierre Labelle et René Angélil, accusent Jean Beaulne de négliger le groupe et de s'occuper de la carrière d'autres artistes. Jean Beaulne accuse Labelle, et surtout René Angélil, d'être paresseux, de lui laisser tout le travail administratif et de ne pas prendre leur carrière au sérieux. Beaulne ne croit plus en les Baronets.

Ben Kaye tente de réconcilier les membres du groupe, écoute les arguments de toutes les parties et leur fait promettre d'être plus disciplinés. Une promesse qu'ils ne tiendront pas longtemps et ce sera à nouveau la pagaille. Comme dans tout conflit, il est difficile d'établir qui a vraiment tort dans cette histoire. René Angélil s'intéresse aussi au métier d'imprésario. Il s'occupe déjà de la carrière de la jeune chanteuse Mugette et c'est lui qui a découvert le groupe des Classels. Ben Kaye est devenu le manager de ce groupe, tandis que Jean Beaulne a découvert les Monstres, dont fait partie Marc Hamilton, les Bel Canto et les Bel-Air. René Angélil n'est pas le seul membre du groupe à faire preuve d'initiative et de leadership. Il a devant lui un sérieux rival qui a eu le flair de découvrir des chanteurs qui connaîtront beaucoup de succès dans les années suivantes. La situation ne peut continuer ainsi et il faudra prendre une décision concernant l'avenir des Baronets.

Pierre Labelle, qui n'est pas méchant pour deux sous, évite la dispute et se range instinctivement du côté de René, son ami d'enfance. Ben Kaye hésite entre les deux parties et se laisse finalement convaincre, par René, qu'il vaudrait mieux remplacer Jean.

Mais personne n'a le courage d'informer le principal intéressé qu'il ne fait plus partie des Baronets. Celui-ci est atterré et profondément blessé lorsqu'il apprend la nouvelle par les journaux. À vrai dire, il ne s'y attendait pas, en dépit des nombreuses frictions entre les membres du groupe.

Jean Beaulne est remplacé par le guitariste Jean-Guy Chapados, un tout jeune homme qui a accompagné le trio à plusieurs reprises. Et c'est ainsi que les Baronets deviennent les Nouveaux Baronets. La formation entreprend une tournée, enregistre quelques disques et se donne un nouveau look qui ne semble pas plaire. Leurs admiratrices constatent que la chimie n'est plus la même et que l'image des Baronets a été diluée. La cote de popularité des Nouveaux Baronets décline constamment et René s'inquiète.

Les choses s'aggravent lorsque Jean Beaulne intente une poursuite de 50 000 $ contre son ancienne formation pour l'utilisation du nom « Baronets » sans sa permission. René, qui a déjà songé à étudier le droit, se voit chargé de l'affaire. Il prépare les dossiers de la défense, cherche à discréditer son ancien compagnon, mais le juge donne raison à celui-ci. En juin 1966, les Nouveaux Baronets doivent lui remettre 50 000 $ ou abandonner le nom des Nouveaux Baronets.

Pierre et René n'ont aucune envie de payer une telle somme, surtout que le groupe ne connaît pas beaucoup de succès.

C'est René qui téléphone à Jean Beaulne afin de le rencontrer. Il lui demande de revenir au sein du groupe et de reprendre sa place comme avant.

« Nous avons fait une erreur, dit-il, Oublions le passé et repartons à zéro. »

Beaulne demande du temps pour réfléchir. René, qui ne lâche jamais prise, revient le voir toutes les semaines pendant deux mois. Il promet que lui et Pierre seront plus disciplinés, qu'ils travailleront plus fort durant les répétitions et qu'ils ne seront plus constamment en retard.

Jean accepte finalement de revenir, à deux conditions. Que le nom « Baronets » lui appartienne et qu'il devienne le manager du groupe. Beaulne ne veut plus entretenir de liens d'affaires avec Ben Kaye, qu'il estime bon vendeur mais piètre stratège.

24

1967

C'est l'année de l'Exposition universelle à Montréal. Tout le Québec qui se met en frais pour recevoir les millions de visiteurs qui viendront du monde entier. Repliés sur eux-mêmes depuis la Conquête, les Québécois ouvrent enfin les portes de leurs demeures à bon nombre de visiteurs qui cherchent un gîte, car les hôtels ne suffisent plus à la demande. Les cultures se mélangent, s'apprivoisent, et le Québec se transforme, se libéralise. On ferme les restaurants et les cabarets plus tard le soir. Les permis d'alcool sont accordés plus facilement. On fête en compagnie de toutes les nationalités et la fraternité humaine n'a jamais été aussi chaleureuse à Montréal et dans tout le Québec.

Fiers d'eux et désireux de se mettre au diapason de la culture internationale, les Québécois veulent se faire voir et se faire entendre. On investit dans l'art, dans la musique locale, et les Charlebois, Vigneault, Léveillée chantent les gens de leur pays avec leurs mots et leur musique.

Les groupes populaires participent également à ce réveil et on entend maintenant les Hou-Lops, les Sultans, César et ses Romains, les Sinners et tant de groupes qui rivalisent d'originalité.

Les Beatles ont révolutionné à jamais la musique populaire et c'est une nouvelle génération de créateurs qui a pris les commandes de l'industrie. En 1967, les Fab Four vont encore plus loin. Le lancement de l'album *Sergeant Pepper's Lonely Hearts Club Band* produit un véritable choc culturel. Un extrait de cet album, *A Day in the Life*, annonce rien de moins qu'un nouveau monde musical.

Les Baronets, qui ont connu leurs heures de gloire avec des versions des premiers succès des Beatles, ne peuvent plus suivre leurs maîtres à penser. Peu nombreux sont ceux, d'ailleurs, qui peuvent se comparer aux Beatles en 1967.

En fait, les Baronets sont déjà dépassés par le courant musical et par bon nombre de nouveaux groupes, même s'ils prennent un nouveau départ avec le retour de Jean Beaulne. Mais ils ne lâcheront pas prise facilement et offriront l'un de leurs meilleurs spectacles pour célébrer leur retour. Ils avaient d'abord songé à la Comédie-Canadienne mais c'est au *Café de l'Est*, devant une salle comble, que les trois Baronets triomphent en mars 1967.

Au lendemain de ces retrouvailles couronnées de succès, René, qui a célébré très tard dans la nuit, ne parvient pas à ouvrir la porte de la salle de bains du domicile familial. Quelqu'un s'y trouve, enfermé, immobile et sans donner signe de vie. René recule, prend son élan et enfonce la porte. Son père est étendu par terre et il ne respire plus. À l'âge de soixante-quatre ans, cet homme si discret s'est effacé sans faire de bruit.

René réalise subitement toute la distance qui les séparait et il en souffre plus que jamais. Il s'en veut de l'avoir déçu, de ne pas l'avoir compris, de ne pas lui avoir dit qu'il l'aimait. Perdre son père, c'est tout remettre en question.

25

René père

Le retour de Jean Beaulne avec les Baronets devait annoncer des jours meilleurs. En réalité, le groupe se désagrège peu à peu, alors que René et Pierre font bande à part en isolant Jean et en s'accrochant au monde du cabaret.

En 1968, cependant, l'année démarre avec l'annonce d'une bonne nouvelle. René est le père d'un premier enfant, qui sera nommé Patrick. Son épouse, Denyse Duquette, accouche le 28 janvier 1968 et René ne peut contenir sa joie. Il est à ce point heureux de l'événement qu'il veut, cette fois-ci, partager la nouvelle avec ses amis et connaissances. Et c'est ainsi que tout le monde apprend que René est père de famille, qu'il est bel et bien marié. Toute une surprise pour les Baronets, qui ne se doutaient de rien. À bien y penser, sa stratégie n'était pas bête. En cachant son épouse qui vivait avec lui dans la maison de ses parents, comment aurait-il pu susciter des doutes ? Contrairement aux autres nouveaux mariés qui, généralement, quittent le foyer au lendemain de la cérémonie nuptiale, le couple Angélil était demeuré à la maison, sous la protection de la famille. René pouvait voyager, s'amuser, travailler tard, et sa femme n'était jamais seule.

Après la venue de Patrick, René se consacre à son nouveau rôle et regarde pendant un certain temps son fils évoluer. Ce petit enfant lui fait oublier le père qu'il a perdu, un an auparavant. Comme si sa vie retrouvait l'équilibre et une raison d'être.

Sa carrière se poursuit avec les Baronets, mais il sait bien que les limites sont atteintes. Déjà, la routine s'installe alors qu'aucun grand projet n'est en vue. Jean Beaulne avait annoncé qu'il allait quitter le groupe un an ou deux après sa réintégration en 1967 et, effective-ment, il prend ses distances en 1969.

«Constatant que mes compagnons n'avaient plus d'ambition et qu'ils n'accueillaient pas mes idées avec beaucoup d'enthousiasme, je les gardais pour moi et je m'en servais pour les groupes que je gérais.»

Et c'est à cette époque que Jean Beaulne, exaspéré par la désin-volture et l'insouciance de René qui ne pense qu'au jeu, lui dit: «Je ne sais pas comment tu vas réussir dans la vie avec les deux pieds dans la même bottine comme tu les as présentement.»

Une affirmation qu'il regrettera plus tard pour les raisons que l'on sait aujourd'hui.

Les affaires de Beaulne sont prospères en 1969 alors qu'il gère entre autres la carrière du groupe des Bel Canto et celle des Bel-Air, et prépare une tournée en Europe. Les Bel Canto en particulier rem-portent beaucoup de succès en interprétant des chansons originales, ce qui leur vaudra d'être invités à l'Exposition universelle d'Osaka. Les Bel-Air ont réussi à se faufiler jusqu'aux premières places du palmarès et Beaulne gagne finalement quatre fois plus d'argent à titre d'imprésario que comme interprète. Sa carrière sera, par la suite, parsemée de bons coups qui ne seront jamais reconnus. Tou-jours à la recherche de futures vedettes, c'est lui qui a découvert le premier les Mario Pelchat, André-Philippe Gagnon, Marina Orsini dans le cadre des *Découvertes* de Jean Beaulne. C'est lui qui a écrit un livre sur l'industrie du spectacle au Québec, seul document du genre dans les années soixante-dix. C'est lui qui, finalement, gère la carrière des Baronets plus qu'il n'y paraît, un fait qui ne sera jamais admis par René Angélil, qui a ostracisé Jean Beaulne comme il le fera plus tard de Paul Lévesque, le premier manager de Céline Dion.

26

La fin des Baronets

« J'espérais que Pierre et René allaient changer, sans trop y croire, cependant, se rappelle Jean Beaulne avec nostalgie et résignation. Ils étaient tellement ancrés dans leurs habitudes… J'avais ce groupe à cœur et j'osais penser qu'il y avait encore une possibilité de faire carrière aux États-Unis. Je rêvais. Nous avons fait un retour qui aurait dû être à la Comédie-Canadienne, mais comme tout le monde n'était pas d'accord, l'événement a eu lieu au *Café de l'Est*. Ce fut un succès et nous avons recommencé la tournée des cabarets. Il n'y avait plus d'efforts supplémentaires de fournis ; le groupe n'évoluait pas et c'était la vieille routine qui se poursuivait. Ma présence sur scène, même sans rien changer au spectacle, suffisait pour vendre le groupe encore pendant quelques années. Je n'étais pas heureux dans ce contexte et, finalement, je ne pensais qu'à gagner de l'argent jusqu'à ce que le groupe ne soit plus vendable. »

C'est le début de la fin des Baronets. C'est le déclin qui s'amorce. Le groupe multiplie les spectacles dans les cabarets et Beaulne, l'imprésario de la formation, presse le citron avant qu'il ne soit trop tard. Il n'a aucune illusion sur ses compagnons de scène, qui ne semblent avoir aucune ambition artistique.

Les cabarets déclinent également après l'euphorie de l'Exposition universelle de Montréal. La télévision développe des réseaux privés qui engagent de nombreux artistes de variétés. Les grandes salles de spectacles se multiplient et les cabarets n'attirent plus qu'une triste clientèle composée souvent de personnages marginaux et de criminels, de sorte que la violence s'installe dans la plupart de ces endroits.

Un soir, dans l'un d'eux, les Baronets sont interrompus pendant leur spectacle. Un type aux allures plutôt louches, installé près de la scène, parle très fort. Il dit qu'il vient de sortir de prison à qui veut l'entendre. Il est accompagné de trois demoiselles fort peu recommandables et se lève subitement. Il braque un revolver en direction du batteur des Baronets. Les 400 spectateurs se figent et c'est le grand silence dans la salle : «Écoute, le drummer ! Si tu joues pas moins fort, j'te tire ! T'as compris ?»

Beaulne prend le batteur Michel par le bras et le conduit à sa loge. Il fait signe aux autres de continuer. Satisfait de la réaction du groupe et heureux de l'émoi qu'il a provoqué, le malfrat s'assoit, reprend son verre de champagne et salue ses trois compagnes.

D'autres incidents de ce genre se produisent pendant l'année 1969. Beaulne se souvient d'un portier assez susceptible qui n'appréciait pas toujours ses blagues. Voyant Beaulne vêtu d'un luxueux manteau de fourrrure, il lui dit :

– Si tu ne l'avais pas sur le dos, je te le volerais.

– Attention ! j'ai des mitraillettes ! lui répond le Baronet en ouvrant son manteau.

Le portier lui met alors son revolver sur l'œil droit.

Pas sur mon œil droit, c'est mon plus fort, blague Beaulne pour se sortir de l'impasse.

Et le portier de lui mettre alors l'arme sur l'œil gauche.

- Oh non ! s'exclame Jean en essayant de détendre l'atmosphère, l'un ne va pas sans l'autre.

Puis il va s'asseoir un peu plus loin, tremblant encore de cette mésaventure qui aurait pu lui coûter la vie.

Finalement, pas de dommages et le portier rengaine son arme avec le sourire. Mais combien c'est triste de gagner sa vie de cette façon.

«Pourtant, poursuit Beaulne, Pierre et René semblaient se plaire dans ce milieu. Comme s'ils étaient enracinés là pour la vie. Lorsque René était venu me voir pour me ramener dans le groupe, je savais qu'il disait n'importe quoi, mais en devenant l'imprésario du groupe, je pensais le changer. Je rêvais. Il voulait que je revienne pour reprendre la routine.

«Mais à cette époque, il n'avait pas d'ambition. Il ne pensait qu'au jeu. Il n'avait pas le génie qu'il a utilisé pour Céline. S'il avait manifesté ce génie avec les Baronets, nous aurions formé une force extraordinaire et nous aurions réussi aux États-Unis. C'est avec Céline qu'il manifestera son talent et qu'il réussira son grand coup.

« Un groupe comme les Baronets devait faire l'unité et ce ne fut pas le cas. René ne pouvait pas croire au groupe parce qu'il ne croyait pas en lui-même en tant que chanteur. »

Les Baronets travaillent moins souvent et Jean Beaulne en profite pour s'occuper de la carrière de ses groupes. De temps à autre, il retrouve ses camarades, mais la magie n'y est plus. Les Baronets agonisent. Pierre et René avaient préparé un numéro devant durer de 5 à 10 minutes, drôle au début, puis les deux compères ont décidé d'improviser longuement pendant ce numéro, laissant Beaulne poireauter sur scène pendant 15 ou 20 minutes. C'était trop.

Un beau jour, René joint Beaulne par téléphone pour lui faire part d'une offre de contrat au cabaret *Rainbow* dans l'est de la ville, rue Notre-Dame. Probablement l'un des plus sordides cabarets de l'époque. Un véritable « trou » qui présente des spectacles vulgaires devant des spectateurs qui le sont tout autant.

Beaulne a finalement accepté, avec une idée bien arrêtée. En ce jour du 12 décembre 1969, qu'il n'oubliera jamais, il se rend au *Rainbow* et rencontre le propriétaire, peu avant le spectacle de 22 h 30. Il lui fait une proposition.

« Je laisse le groupe ce soir parce que je m'en vais bientôt en tournée en Europe et au Japon avec mes protégés. Si vous acceptez de prendre René et Pierre en duo, vous allez économiser un tiers du cachet et vous aurez une aussi bonne qualité de spectacle. Ils ont assez de matériel pour durer une bonne heure. »

Le patron accepte la proposition à condition qu'il demeure près de lui pendant tout le spectacle. Si le spectacle est bon, il gardera René et Pierre toute la semaine.

Jean Beaulne descend jusqu'à la loge des deux autres Baronets pour leur annoncer sa démission en croyant leur plaire, puisqu'ils avaient pris l'habitude de travailler en duo depuis quelques mois.

Pierre avale une bouchée et ne réagit pas en apprenant la nouvelle. René sursaute, rage et, rouge de colère, ordonne à Jean :

– Tu vas mettre ton costume pour le spectacle, m'entends-tu ?

– T'as pas d'ordres à me donner ! Il n'y a personne qui va m'obliger à faire ce que je ne veux pas faire !

Beaulne envoie carrément promener René, qui lui saute dessus. Les deux hommes en sont presque arrivés aux poings quand Pierre les sépare.

« J'ai regardé le spectacle par la suite, raconte Beaulne. Pour la première fois, j'ai compris l'importance que j'avais dans la vie de René. Même avec toutes les brouilles que nous avions eues, il s'accrochait à moi. Il se sentait perdu tout à coup. Les Baronets, c'était sa sécurité. Il n'avait pas confiance en lui, en ses moyens. Moi, je ne pouvais concevoir qu'il s'accroche à cette vie de bar comme si c'était la seule au monde. Il ne voyait pas la déchéance, le peu d'avenir que nous avions avec ce groupe qui ne progressait plus. »

Puis un film passe subitement dans sa tête. Des images tristes et drôles se succèdent. Il revoit René et Pierre à l'école Saint-Viateur, imitant leurs professeurs et le faisant rire. Il revoit René dans les belles années de leur carrière, s'arrêtant à trois heures du matin sur la route et descendant de sa toute nouvelle voiture. René se prosterne devant l'auto, immobilisée au milieu de la route, et se met à réciter des prières arabes et à chanter des chants de son pays d'origine.

– Mais qu'est-ce que tu fais là ? lui demande le jeune Beaulne.

– Je célèbre les premiers mille milles de mon nouveau char.

Ce jour-là, Beaulne avait ri comme un fou.

Il revoit une autre scène, sur une route des États-Unis. Il était très tard dans la nuit et les trois Baronets roulaient en direction de Montréal. Assis derrière, René avait décidé d'énumérer toutes les compagnies qui affichaient leur produit sur les panneaux publicitaires, le long de la route.

– Coke, Maxwell House, Texaco, Wonder Bra, Lipton, Mobil Oil, Chrysler, Pepsi, American Airlines, Orange Crush, *New York Times*, Chevrolet, Malboro, Dr. Pepper…

– Écoute, ça fait une demi-heure que tu lis les annonces. Bon ! O.K. On en a assez entendu, lance Pierre Labelle.

– Woolworth, Dodge, Shell, Kentucky, Minute Rice, Austin, A & W, Sony, Neilson, Studebaker…

– Non, ça fait une heure, fait remarquer Beaulne, découragé.

– Kleenex, Seven-Up, *Wall Street Journal*…

Pierre et Jean se regardent, désespérés, presque enragés, puis ils éclatent de rire.

«Ce qu'il pouvait être tenace, pense Beaulne. Quelle tête de cochon!»

Il compte mentalement. Presque douze ans qu'ils ont été ensemble à rire, à se déchirer, et parfois à bien s'aimer sans jamais se le dire. À s'aimer bien mal jusqu'à se haïr, et puis oublier.

Beaulne revient à la réalité. Pierre et René sont drôles. Jean rit, parfois un peu trop pour influencer le propriétaire du cabaret. Mais c'est fini. Il ne veut plus jamais voir les Baronets dans un «trou».

Après le spectacle, le patron accepte d'engager le nouveau duo des Baronets. Beaulne va saluer ses anciens compagnons pour la dernière fois et leur laisse son costume. Par la suite, René et Jean se sont retrouvés et ont conservé une certaine amitié, mais dans l'immédiat René doit réfléchir à son avenir.

René et Pierre décident de travailler en duo. Les Baronets ne seront plus que deux.

À sa naissance, le 30 mars 1968, Céline entre dans la vie comme on se rend à un spectacle. Elle est plongée dans une ambiance musicale continuelle, puisque le clan Dion est une famille d'artistes. Thérèse, sa mère, joue du violon, son père Adhémar, de l'accordéon, tandis que ses frères et sœurs Denise, Clément, Claudette, Liette, Michel, Louise, Jacques, Ghislaine, Linda, Manon, et les jumeaux Paul et Pauline ont tous un talent pour la chanson ou la musique. Déjà, à cinq ans, elle connaît plusieurs chansons et chante même au mariage de son frère Michel. Elle est tellement choyée et entourée par sa famille que son entrée à l'école ne se fait pas sans heurt.

C'est un choc ! La petite n'aime pas l'école. Sans musique, l'école n'a pas d'intérêt ! Pire encore, ses compagnes se moquent d'elle lorsqu'elle leur dit qu'elle veut devenir chanteuse, ou la surnomment « le vampire » à cause de ses longues dents. Pour l'inciter à poursuivre ses études, ses parents n'ont d'autre solution que de la laisser chanter à leur bar, *Le Vieux Baril*, en lui faisant promettre qu'elle se lèvera tôt, le lendemain, pour aller à l'école.

Bien qu'elle n'ait pas fait de longues études, Céline est allée à l'école de la vie, entourée d'adultes qui lui ont aussi légué le don et le goût pour la musique. Issue d'une famille modeste, honnête et exemplaire, elle a puisé auprès des siens les belles valeurs qu'on lui connaît aujourd'hui.

Jean Beaunoyer

27

René au cinéma

Voilà que les deux amis de toujours se lancent dans une nouvelle aventure, celle du cinéma. Après le succès remporté par *Valérie*, *L'Initiation* et d'autres productions du même genre, on tourne beaucoup au Québec. Généralement, des comédies ou des films érotiques. René et Pierre font donc leurs débuts au cinéma dans le film comique *L'Apparition* et dans le film érotique *Après-ski*.

Roger Cardinal, qui le réalise, ne connaît les Baronets que de nom. La musique populaire et les groupes québécois, très peu pour lui. Pierre Labelle et René Angélil ne doivent interpréter que des rôles secondaires pour une scène humoristique. Fort occupé sur le plateau de tournage, Cardinal ne perd pas de temps à expliquer la scène aux deux compères : « Toi, René, tu vas être le comique, et toi, Pierre, le *straight man*... Je ne peux pas vous parler longtemps, il faut que je retourne au tournage. »

René et Pierre sont désemparés ; Cardinal veut intervertir leurs rôles. Ils attendent deux heures dans une petite pièce aménagée sur les lieux du tournage avant le retour de Cardinal, qui les croyait partis.

– Est-ce que je peux vous parler, monsieur Cardinal ? demande Angélil. Voyez-vous, sur scène, c'est moi le *straight man* et c'est Pierre le comique.

– En apparence, les gars, c'est pas ce que ça donne. Moi, j'aimerais mieux que ce soit toi le comique, réplique Cardinal.

– Mais ce n'est pas ce qu'on est dans la vie professionnelle, insiste René.

– Bon ! Organisez-vous donc comme vous voudrez et puis on va faire quelque chose ensemble.

Ils ont fait un autre film parce que Cardinal avait aimé leur jeu et leur attitude pendant le tournage. Cette fois, Cardinal réalisait un film dont le scénario avait été écrit par René et Pierre, *L'Apparition*. René avait sollicité Roger Vallé pour financer cette comédie. Camille Adam avait entrepris le tournage du film à titre de réalisateur et Roger Cardinal avait repris le projet depuis le début. La production a été une rigolade continuelle et Cardinal se souvient encore des tours pendables que les deux compères lui ont joués.

« Ils ont fait exprès, de connivence avec les techniciens, pour bousiller des scènes, en oubliant subitement leur texte ou en échappant un réflecteur pendant le tournage, et je n'y voyais que du feu. Pendant tout ce temps-là, ils me filmaient. Ils étaient d'excellents comédiens, se souvient Cardinal. À l'époque, il n'y avait plus rien qui fonctionnait pour René. Il avait vécu deux divorces et il n'avait plus d'argent. Je lui en ai prêté pour manger et je l'ai même hébergé. Mais il gardait le sourire. Il disait toujours que ça allait se régler.

« Son but ultime, à cette époque, c'était de devenir acteur, et je dois dire que René aurait pu y parvenir. Il était beau, talentueux, et il aurait très bien pu jouer dans des comédies dramatiques. Il voulait carrément devenir acteur et, au lieu de marier Céline Dion, il aurait marié Barbra Streisand. »

Les deux films dans lesquels Pierre et René ont tourné n'ont pas obtenu le succès escompté et ont été complètement démolis par la critique. Heureusement que les deux compères ont été payés et qu'ils se sont amusés pendant le tournage, parce que aucune de ces productions n'est passée à l'histoire. L'aventure a été de courte durée et il faut croire que René a oublié ses rêves d'acteur.

Pierre et René retournent alors sur scène pendant un certain temps. Ils chantent de moins en moins et misent davantage sur l'humour.

C'est maintenant au tour de Pierre Labelle de se plaindre du manque de sérieux de son partenaire.

Devenu un véritable parieur, René joue aux cartes et ne rate jamais une occasion de parier sur des matches de hockey ou même sur des parties de quilles. L'homme vit une mauvaise période. Comme si la chance l'avait complètement abandonné. Il a même tenté de réussir un grand coup, en jurant à Pierre et à des musiciens des Baronets qu'ils allaient faire fortune au casino du *Caesar's Palace* avec un autre formule infaillible. Les Baronets engloutissent plusieurs milliers de dollars dans cette aventure. Le guitariste du groupe, Jacques Crevier, se souvient des circonstances entourant l'événement.

«René avait rencontré quelqu'un qui lui avait dit qu'il était en possession d'un système infaillible pour le jeu de roulette. Il suffisait d'appliquer le système à la lettre pendant un temps déterminé et tu gagnais à tout coup. René a toujours été très fort en mathématiques et il a toujours été un joueur. Alors, tout ça a cliqué dans sa tête. Il n'a pas tardé à vouloir essayer cette méthode infaillible et il a acheté, ici au Québec, une roulette comme il y en a dans les casinos. On a commencé à tester le système. On donnait un spectacle à ce moment-là dans un hôtel de Saint-Jérôme et, après les représentations, on pratiquait la roulette. René maîtrisait de plus en plus la martingale et, pendant des semaines et des semaines, on se retrouvait dans la chambre d'hôtel en pensant qu'un jour le fameux système allait se planter. Eh non! Ça fonctionnait; on ne perdait pas. Parfois, les numéros ne sortaient pas, mais selon le système, tu doublais ta mise la deuxième fois et tu gagnais. Tu reprenais ainsi l'argent que tu avais perdu. C'était mathématique.

«On utilisait la mémoire de René, qui était phénoménale. Il fallait être deux pour jouer. L'un jouait et l'autre tenait les statistiques. René avait été chargé des statistiques. Comme ça fonctionnait à tout coup, on a commencé à extrapoler. On se disait qu'avec notre système ça allait être bien plus payant que le show-business... On pensait aller jouer partout, dans tous les casinos. Deux iraient à Monaco, deux à Las Vegas, et ainsi nous ferions plein d'argent. Un jour, René est arrivé avec une brillante idée: se payer un voyage à Las Vegas. Chacun devait investir 1 000 $, ce qui était beaucoup d'argent à l'époque, pour un total de 4 000 $, le montant nécessaire à l'opération. Nous avions convenu que deux personnes allaient se rendre là-bas dans un premier temps. Mais il fallait décider qui. René, bien sûr, mais encore? Pierre n'était pas joueur et moi, ça me faisait peur d'aller parier autant d'argent. Alors on a décidé que ce serait Carlo, le batteur du groupe. Il jouait souvent aux cartes avec René et il n'était jamais sorti de Montréal. Il était excité à l'idée d'aller à Las Vegas et il ne tenait plus en place. Une fois arrivés, les deux gars nous ont appelés pour nous annoncer qu'ils avaient gagné 1 200 $. Ils étaient partis pour une semaine. Nous, à Montréal, on se disait : «Dis-moi pas qu'il va falloir qu'on commence à voyager, nous aussi. Mais comment allons-nous réussir à appliquer le système ?» Car c'était très mathématique, très compliqué. Puis, au bout de quelques jours, ils ont commencé à perdre. On ne comprenait pas, car le système devait être infaillible. Qu'est-ce qui se passait ? Ils avaient oublié un détail : la roulette qu'ils utilisaient ici n'était pas exactement la même que celle de Las Vegas. Nous avions une roulette avec un «0» alors que là-bas ils ont une roulette avec, en plus, un «00». C'est ce qui nous manquait. Alors on a tout perdu. Ils ont fini par en rire et rire d'eux-mêmes. Ce fut le baptême de René à Las Vegas. Mais on a réalisé qu'on avait perdu une grosse somme et là on a "freaké". »

Un soir, Pierre et René présentent un spectacle dans un endroit quelconque. La magie a complètement disparu, les deux hommes sont tendus, écœurés et, finalement, c'est Pierre, ce bonhomme jovial et sympathique, docile en toute autre occasion, qui prend la décision et qui sonne le glas : «Ça n'a pas de bon sens, René ! C'est assez ! On finit là !»

Jusqu'à la dernière minute, René s'est accroché. Tout laisse croire qu'il n'aurait jamais abandonné les Baronets. Il n'abandonne jamais, même s'il s'agit d'une cause perdue, or c'était bien le cas à ce moment.

La dissolution du groupe sera officielle en 1973, mais c'est ce soir-là que les Baronets ont cessé d'exister. Un triste soir, un triste spectacle. René aura été le dernier à s'accrocher au groupe. Toujours fidèle.

L'homme de trente ans se rend à l'évidence. Il n'a pas ce qu'il faut pour poursuivre une carrière sur scène. Il se rappelle qu'il a déjà été une attraction, la coqueluche des jeunes filles, et qu'il était grisé parfois par les cris et les applaudissements. Mais les années soixante étaient finies, avec une bonne partie de sa jeunesse. Sa mère avait payé ses dettes de jeu et il songeait à aller tenter sa chance ailleurs.

28

Guy Cloutier

Après la dissolution des Baronets, Pierre Labelle s'oriente vers l'humour et prépare déjà un spectacle solo. Jean Beaulne se consacre entièrement au métier d'imprésario et René Angélil se tourne du côté de Guy Cloutier. Les deux hommes se connaissent depuis plusieurs années et René sait fort bien que Cloutier a toutes les qualités voulues pour l'initier au métier. Il pourra enrichir l'expérience qu'il a déjà accumulée auprès de Jean Beaulne et de Ben Kaye. De plus, c'est un ami, un sportif et, surtout, un homme qui le fait rire. Il trouve en lui un amuseur de la trempe de Pierre Labelle. Mais Cloutier est plus ambitieux, plus mordant, et c'est un gagnant.

Il fait partie des êtres qui marquent la vie de René Angélil. On peut parler d'un phénomène du show-business qui mérite qu'on s'y attarde quelque peu.

Né à Alma en 1942, Guy Cloutier est un organisateur né. À l'école, il mettait aussi bien sur pied des soirées de danse que des excursions de groupe, et il n'a pas mis beaucoup de temps, après sa sortie de l'école, à devenir propriétaire d'un magasin de disques, *La Maison du palmarès*. À vingt ans, son commerce était l'un des plus prospères de la ville d'Alma. Sans même le savoir, il était déjà un redoutable promoteur de disques. Afin d'assurer la rentabilité de son entreprise, il talonnait les postes de radio de sa région afin qu'ils fassent tourner les nouveaux enregistrements qui lui parvenaient de Montréal. Il était constamment à l'affût de toutes les nouveautés dans le domaine de la chanson, connaissait l'itinéraire des tournées des artistes et disposait de grandes quantités de quarante-cinq tours et d'albums.

C'est à l'hôtel Alma, dans sa ville natale, qu'il a rencontré les Baronets en 1963 et qu'il s'est lié d'amitié avec René Angélil. Fasciné par le monde des artistes, Cloutier a voulu se rapprocher de la métropole parce que son magasin de disques venait de faire faillite. L'entreprise n'était cependant pas aussi simple qu'il le croyait. En repartant à zéro, Cloutier devait s'astreindre pendant quelque temps à une vie de misère. Il a couché quelques nuits sur le banc d'un parc avant de se loger dans la maison des Angélil, puis de Pierre et Jean. Il a ensuite trouvé du travail dans les studios de Tony Roman. D'abord homme à tout faire pour les Baronets au salaire de 150 $ par semaine, Cloutier, dynamique et doté d'un sens de l'initiative hors du commun, est devenu l'associé de Roman et producteur de la maison de disques Canusa. Cette entreprise allait générer de nombreux succès au palmarès durant les années soixante.

Par la suite, Cloutier a voulu élargir son champ d'action et s'occuper de la carrière d'artistes prometteurs. C'est ainsi qu'il remarqua le jeune René Simard, qui avait été éblouissant aux *Découvertes de Jen Roger*, une émission de télévision diffusée à Québec.

Cloutier, qui se souvenait de la phénoménale carrière de Josélito en Europe, se dit que René Simard représentait une véritable mine d'or et qu'il pouvait devenir une grande vedette au Québec s'il était bien encadré. Il ne tarda pas à rencontrer ses parents et à signer une entente avec eux.

René Simard n'avait que neuf ans à l'époque et Cloutier en fit une vedette en moins d'un an. Il avait suffi d'un album intitulé *Ave Maria* et d'un succès, *L'Oiseau*, pour que le jeune chanteur devienne la coqueluche des Québécois. La télévision le réclamait, on lui consacrait déjà des émissions spéciales et il avait même réussi à présenter un spectacle au Forum de Montréal alors qu'il n'était âgé que de dix ans.

C'est avec René Simard que Guy Cloutier démontra les indéniables qualités de manager qui avaient tant impressionné René Angélil. La petite histoire du show-business québécois retiendra que Guy Cloutier a géré la carrière artistique d'un enfant sans jamais abuser de sa santé et sans l'exploiter financièrement comme ce fut le cas pour bien d'autres imprésarios. Bien au contraire, Cloutier a protégé le jeune René Simard comme s'il s'était agi de son propre fils. Tous ses cachets étaient versés dans une fiducie contrôlée par la curatelle du Québec et les fonds furent bloqués jusqu'à ce que René Simard atteigne sa majorité, ce qui lui a d'ailleurs permis d'être millionnaire à l'âge de dix-huit ans.

Cloutier, avec Beaulne et Kaye, a pratiquement inventé le métier d'imprésario au Québec. Jamais, jusque-là, un homme d'affaires ne s'était autant dévoué pour un artiste. Non seulement négociait-il les contrats de son protégé, mais il s'occupait de son éducation, de sa tenue vestimentaire, de son alimentation, de ses loisirs et de son budget.

René Angélil l'observe et apprend. Il est maintenant l'employé de Guy Cloutier et l'assiste dans la gérance des autres artistes liés par contrat avec celui-ci : Patrick Zabé et Johnny Farago, entre autres. Il porte une attention toute spéciale à la carrière d'Anne Renée et succombe à ses charmes. La jeune chanteuse est particulièrement jolie, enjouée, et enregistre quelques versions françaises de chansons américaines qui connaîtront un certain succès, dont *Le Jonc d'amitié* et *Un amour d'adolescent*. Cette idylle dure quelques années avant que René ne songe à divorcer d'avec Denyse Duquette. Il est follement amoureux d'Anne mais il est marié et père de Patrick, maintenant âgé de cinq ans. C'est finalement Denyse elle-même qui demande le divorce le 21 juillet après que René eut quitté le domicile conjugal de Saint-Léonard le 14 avril 1972. Elle l'obtient le 12 juin de l'année suivante. La Cour supérieure accorde à la requérante la garde de Patrick et condamne Angélil à lui verser une pension alimentaire de 60 $ par semaine, payable d'avance chaque vendredi au domicile de la requérante.

René n'attendait que les papiers officiels du divorce pour épouser civilement Anne-Renée Kirouac quelques jours plus tard, le 23 juin 1973. Son épouse est âgée de vingt-trois ans et René a trente et un ans. Jean-Pierre naîtra de cette union, le 23 mars 1974, exactement neuf mois après la célébration du mariage.

Denyse Duquette disparaît ainsi de la vie de René Angélil et ne donne plus signe de vie. Femme discrète, éloignée des médias, elle mène actuellement une vie rangée après avoir refait sa vie avec un homme de la région de Drummondville.

Angélil s'intéresse de plus en plus à la carrière d'un autre René, Simard celui-là, quand il apprend que la jeune coqueluche des mères québécoises participera au festival Yamaha de Tokyo. Cet événement réunit les jeunes chanteurs les plus prometteurs de la planète et René Simard en sera.

C'est à la suite du succès qu'il avait obtenu en première partie du spectacle de Daniel Guichard, à Paris, qu'il a reçu l'invitation. Angélil accompagne Cloutier et Simard à Tokyo et assiste au triomphe du jeune chanteur de quatorze ans, qui remporte le premier prix de ce prestigieux concours. C'est le grand Frank Sinatra qui lui remet le trophée en 1974.

Cloutier et Angélil exultent. Ils s'attardent quelques jours à Tokyo pour célébrer l'événement et profitent de l'occasion pour préparer une formidable stratégie. Ils ne tiennent plus en place.

– Guy, c'est le temps ou jamais ! s'exclame René. Il faut penser *big*. Même Sinatra «capote» sur lui ; il faut essayer les États-Unis, tout de suite. Le petit est *hot* partout !…

René Simard enregistre un disque en japonais et on l'entend à la radio de Tokyo. Le jeune à la voix de soprano, au visage candide et joyeux, charme tous les publics. L'image parfaite pour plaire aux Américains.

Le tandem ne tarde pas à se mettre à l'œuvre. Dans un premier temps, on affirme à un journaliste américain que René Simard vend, au Québec, plus de disques que les Beatles et Elvis Presley réunis. L'article est repris dans le prestigieux *Wall Street Journal* et le nom de René Simard commence à circuler dans le monde du show-business américain.

C'est surtout Angélil qui est à l'origine de cette campagne en adoptant le style préconisé par Ben Kaye, l'ancien manager des Baronets, qui vendait ce groupe comme s'il s'agissait de la meilleure formation d'Amérique. Il avait appris de lui qu'il ne fallait jamais lésiner sur les mérites d'un artiste. René Simard était donc le chanteur le plus prometteur d'Amérique, le protégé de Frank Sinatra, rien de moins, et un meilleur vendeur de disques que les Beatles et Elvis. En réalité, Sinatra n'avait fait que remettre un trophée et Simard avait surpassé les ventes de disques des Beatles, ou d'Elvis, brièvement. Qu'importe, il fallait frapper et frapper fort. Et les Américains y ont cru.

Enivrés par le succès de leur campagne publicitaire, les deux managers se rendent à New York pour rencontrer les représentants de la compagnie de disques CBS. Afin de faciliter les négociations avec les hommes d'affaires de cette compagnie, Angélil avait eu l'idée de faire appel aux services de l'avocat qui représentait les Beatles à New York, Walter Haford. Le duo se félicite et s'imagine que l'affaire est dans le sac ; que la rencontre qui a lieu dans un restaurant de New York n'est qu'une formalité.

Guy Cloutier ne parle pas très bien l'anglais et c'est Angélil qui a pris l'initiative de communiquer avec l'avocat Haford afin de lui faire connaître les exigences de la jeune merveille.

C'est ainsi que Haford fait savoir aux représentants de CBS qu'on exige rien de moins qu'un million de dollars pour mettre sous contrat la vedette québécoise. Angélil avait réussi à persuader son partenaire qu'en exigeant une telle somme les gens de CBS seraient impressionnés. *Think big*, voilà le secret de René Angélil.

Mais les gens de CBS ne l'entendaient pas ainsi. Ils ont terminé le repas sans broncher, en disant qu'ils allaient réfléchir… et n'ont donné par la suite aucun signe de vie. Angélil avait perdu son pari ; le bluff n'avait pas fonctionné.

Les deux hommes s'entêtent cependant et décident de produire, par leurs propres moyens, un disque en anglais de René Simard destiné au marché américain. Ils subiront un échec lamentable, et René Simard voit ainsi passer une occasion unique dans la vie d'un artiste : devenir une vedette internationale. Il aurait fallu bien peu pour qu'il y parvienne. Une meilleure approche des majors du show-biz américain et une meilleure connaissance du marché international.

René Simard se fera connaître des Américains en participant à quelques émissions de variétés et en se produisant plus tard à Las Vegas en compagnie de Liberace. CBS, cependant, lui aurait certainement ouvert les portes d'une véritable carrière internationale, avec des chansons originales et une équipe qui l'aurait propulsé au sommet.

La défaite est amère mais la leçon servira un jour. René Angélil ne pourra jamais oublier qu'une carrière internationale se bâtit lentement, prudemment et même humblement, avec l'appui des multinationales.

Pour l'instant, l'homme de trente-deux ans est désemparé et rien ne va plus entre lui et son partenaire. L'échec de la percée américaine a créé un froid entre les deux hommes. L'entreprise a nécessité un investissement important qui s'est avéré une perte sèche et il n'y a aucun autre projet qui pourrait raviver leur association.

Une association qu'Angélil remet d'ailleurs en question. Après s'être investi à fond dans les entreprises de Guy Cloutier, René Angélil estime qu'il mérite d'être son associé à part entière et de toucher 50 % des profits de la compagnie. C'est son épouse, déjà une femme d'affaires avertie, qui l'incite à réclamer sa part du gâteau.

Cette intervention d'Anne Renée nous permet de découvrir un René Angélil qui ne ressemble en rien à l'homme puissant et dominateur qu'il est aujourd'hui.

À la fin de 1975, Angélil est encore un homme nonchalant, indiscipliné, qui s'amuse et qui n'a toujours pas trouvé sa voie. Il est l'employé de Guy Cloutier en plus d'être son ami et constate que son champ d'action est limité. Il n'a pas le contrôle qu'il souhaiterait sur l'entreprise.

Cloutier refuse finalement une association avec lui et il décide de fonder sa compagnie, au grand plaisir de son épouse. C'est elle qui subviendra aux besoins de la famille avec ses cachets. Elle anime une émission de télévision fort populaire, *Les Tannants*, après avoir interrompu sa carrière de chanteuse à la suite de la naissance de son fils Jean-Pierre.

En quittant les productions Guy Cloutier, René Angélil emmène avec lui Johnny Farago, cet artiste qui avait entrepris sa carrière en interprétant des versions françaises des succès d'Elvis Presley.

29

Elvis Presley

Ce n'est pas sans raison qu'Angélil prend en charge la carrière de Farago. Bien sûr, les deux hommes se connaissent depuis plusieurs années, Johnny ayant commencé sa carrière alors que René était l'un des Baronets. Mais, en fait, Angélil était fasciné par l'univers d'Elvis depuis son adolescence. Ce n'était pas seulement l'artiste lui-même qui l'interpellait mais le mythe qui l'auréolait.

En 1976, il assiste, en compagnie de son épouse, de Guy Cloutier et de René Simard, à l'un des derniers spectacles du King. Évidemment, ils sont assis à la première rangée.

Angélil et Cloutier sont éblouis par la présence de cette légende vivante. Mais certains autres spectateurs le sont beaucoup moins.

« C'était décevant. Elvis semblait se moquer des gens présents dans la salle et avait peine à bouger. Je n'en garde pas un bon souvenir », racontera plus tard René Simard.

Il est vrai qu'Elvis n'est plus que l'ombre de lui-même. Il pèse plus de 130 kg, ne bouge pratiquement pas sur scène ; il oublie même les paroles de ses plus grands succès.

Mais même cette déchéance fascine Angélil et Cloutier. Après le spectacle, ce dernier trouve le moyen de rencontrer son idole et de lui serrer la main ; quelqu'un de son entourage photographie la scène. Et c'est alors que Cloutier lui dit avec son plus bel accent anglais du Lac-Saint-Jean : « Félicitations, Mister Presley ! »

René Simard, qui assistait à la scène, en rit encore.

En 1976, les gens vont voir Presley comme s'il s'agissait d'un monument. L'idole attire encore les foules, mais ne vend plus beaucoup de disques, pas plus qu'il n'a d'influence sur l'industrie de la musique. La carrière de Johnny Farago, qui s'inscrit en parallèle de celle d'Elvis, en a subi les contrecoups. Constatant qu'il est identifié à un artiste sur son déclin, Farago se cherche et adopte différents styles sans trop de succès. Sa carrière ne va nulle part et Angélil espère pour lui des jours meilleurs. Il a maintenant trente-cinq ans et ce n'est pas Farago qui fera de lui un homme riche. Ses revenus sont modestes et il s'inquiète de son avenir lorsque, le 12 juin 1977, il assiste à la naissance du deuxième enfant qu'il a avec Anne Renée, une fille prénommée Anne-Marie. Avec Patrick, issu de son premier mariage, René est maintenant père de trois enfants et n'est pas très fier de lui. Il piétine sur le plan professionnel et rêve encore à l'artiste qui pourrait lui permettre de gérer une carrière internationale. Il ne fait pas partie des grands du showbiz québécois et on le méprise dans le milieu. Mais il sait que le Québec représente un marché trop restreint pour faire vivre décemment un artiste pop. Il y étouffe, même s'il s'y sent chez lui et qu'il aime y vivre ; mais c'est le star-système qui l'intéresse et il n'y en a toujours pas au Québec. Pas de démesure dans son coin de pays. Il n'en est pas à ses débuts dans le show-business, mais il rêve encore et il se voit frayer avec ses idoles : le colonel Parker, Frank Sinatra, Barbra Streisand, le producteur Phil Spector, les Bee Gees et les autres grands de la musique populaire.

30

La mort d'Elvis

Le 16 août 1977, les médias du monde entier annoncent la mort d'Elvis Presley. Subitement, le roi déchu redevient le King. De partout dans le monde, des milliers de fans se précipitent vers Memphis pour assister aux funérailles du plus célèbre chanteur de son siècle, du premier chanteur de l'ère atomique, du véritable créateur de la musique rock and roll. On n'économise pas les superlatifs.

René Angélil ne veut rater cet événement à aucun prix. Sans perdre de temps, il s'envole pour Memphis en compagnie de Johnny Farago et réussit à se faufiler dans la foule pour se rendre près de la dépouille de son idole. Il n'est pas sans remarquer la diligence du colonel Parker, qui contrôle parfaitement la situation. En plus de s'occuper de l'organisation des funérailles, il administre la « nouvelle » carrière d'Elvis.

La compagnie RCA Victor, chez qui Presley enregistrait depuis 1956, ne suffit plus à la demande. Partout dans le monde, ses disques sont introuvables. Même si RCA Victor s'échine à en presser jour et nuit, la compagnie ne peut tout simplement pas répondre aux attentes d'une clientèle qui s'arrache les enregistrements et les moindres souvenirs d'Elvis Presley.

Au Québec, il n'y a pas que ses disques qu'on s'arrache mais également ceux de ses imitateurs, dont Johnny Farago. Profitant de cet engouement, René Angélil a la brillante idée d'organiser un spectacle hommage à Elvis avec Farago, qui reprend pour l'occasion son personnage du King. Le tout est fort bien monté et présenté au parc Jarry devant 10 000 spectateurs encore sous le choc de la mort d'Elvis.

Étonnamment, la critique, qui n'avait pas épargné Farago jusque-là, louange sa prestation et parle d'une grande performance de l'imitateur du King. René est ravi et décide d'organiser une tournée provinciale qui obtiendra beaucoup de succès. Il faut croire que Presley était revenu à la mode, puisque Farago, plus Elvis que jamais, fait salle comble partout où il passe ; la tournée se prolongera pendant plus d'une année.

31

Ginette Reno

René sait fort bien, cependant, que cet engouement ne durera pas et que le talent de Farago est limité. Il est donc ouvert à toute nouvelle proposition et songe à un artiste de haut calibre qu'il pourrait lancer sur la scène internationale. L'occasion se présente à la période des fêtes, en 1977, alors qu'il séjourne avec Anne Renée et ses enfants à l'hôtel El Presidente, où Johnny Farago présente son spectacle. À cette époque, le Mexique est un lieu de prédilection pour les Québécois en vacances hivernales et c'est une clientèle de compatriotes qui assiste au spectacle de Farago. De nombreux artistes y viennent également et l'hôtel El Presidente est un endroit qu'affectionnent les Dominique Michel, Danielle Ouimet, Michel Girouard et Ginette Reno.

Après le spectacle, Ginette reconnaît René et vient s'asseoir à sa table. On parle des vacances, de la famille, du métier qui n'est pas toujours facile et, justement, Ginette confie à René qu'elle cherche un manager parce que sa carrière est trop difficile à administrer. Sans plus tarder, elle lui demande s'il accepterait de s'occuper d'elle.

L'homme est étonné, et ravi. Pourquoi pas ?

Il connaît très bien Ginette depuis ses débuts dans les années soixante. Elle participait à des concours d'amateurs en même temps que les Baronets, et son premier amour fut Pierre Labelle. Ils ont partagé la scène de plusieurs cabarets de la région de Montréal du temps où il était un Baronet et ils ont également participé à de nombreuses émissions de télévision, dont *Jeunesse d'aujourd'hui* où elle était l'une des artistes les plus réclamées.

René est très conscient également que cette chanteuse de trente et un ans est la plus populaire du Québec, la plus talentueuse, et qu'elle possède le potentiel nécessaire pour aspirer à une carrière internationale.

Née le 28 avril 1946, Ginette était déjà une vedette dès l'âge de treize ans, alors qu'elle chantait dans les cabarets de Montréal. Elle n'avait pas vingt ans qu'elle triomphait déjà à la Place des Arts aux côtés de Gilbert Bécaud. Deux ans plus tard, elle participait avec d'autres artistes québécois au spectacle *Vive le Québec* à l'Olympia de Paris. En 1968, elle remporte le titre de Miss Radio-Télévision au Québec et, en 1969, le trophée accordé à la meilleure chanteuse canadienne au gala des junos. À l'étranger, elle s'affirme tout autant en tenant l'affiche pendant deux semaines au Théâtre Savoy, à Londres, et en remportant le premier prix du festival Yamaha de Tokyo, en 1972, en plus d'animer une série télévisée en compagnie de Roger Whittaker à la BBC de Londres.

Elle a déjà enregistré trois albums en anglais et on ne compte plus ses succès sur disque. Mais le plus beau souvenir demeurait pour elle, et de nombreux Québécois, cette soirée magique du 24 juin 1975 où elle avait atteint un sommet dans sa carrière, c'est le cas de le dire, en interprétant *Un peu plus haut, un peu plus loin*, de Jean-Pierre Ferland, sur le mont Royal. Plus de 200 000 personnes avaient été témoins de sa performance lors d'un spectacle présenté dans le cadre de la fête nationale.

René sait aussi que Ginette Reno a la réputation de changer fréquemment de manager et qu'elle ne s'attache à aucun d'entre eux. Elle a toujours été plus fidèle à ses amants qu'à ses imprésarios. Il accepte son offre parce qu'il veut tenir le pari qu'il propulsera la carrière de Ginette plus loin qu'elle ne pourrait l'imaginer, de sorte qu'elle n'aura aucune envie de mettre fin à leur association.

De plus, il n'a pas le choix. Il pense à sa famille, à son avenir, et est convaincu que Ginette Reno lui permettra de devenir un imprésario reconnu et estimé par ses pairs. En fait, elle est le coup de chance qu'il attendait depuis longtemps.

De retour à Montréal, il assiste à l'un de ses spectacles et éprouve une sensation étrange en écoutant *Je ne suis qu'une chanson*, que Ginette a intégré à son répertoire depuis plusieurs années. Il ne comprend pas pourquoi personne ne lui a suggéré d'enregistrer cette pièce où elle se donne à fond.

« Je ne l'ai jamais enregistrée parce que c'est une chanson pour la scène, pas pour le disque », lui expliquera-t-elle.

René n'en démord pas. Il faut enregistrer *Je ne suis qu'une chanson*, qui deviendra un énorme succès, ce qui ne fait aucun doute dans son esprit. Tenace comme on le connaît, il emmène finalement la chanteuse en studio et l'entoure d'un impressionnant orchestre. Ginette n'y croit toujours pas, mais, de guerre lasse, elle se résout finalement à l'enregistrement.

Les résultats ne se font pas attendre et *Je ne suis qu'une chanson* passe à l'histoire lorsqu'on comptabilise 350 000 disques vendus au Québec. Une marque qui n'a jamais été dépassée. Ginette est particulièrement heureuse de ce succès parce qu'il a été enregistré sous sa propre étiquette, la maison de disques Melon-Miel, qu'elle avait fondée en 1977.

René s'occupe activement de la carrière de sa nouvelle protégée et ne ménage aucun effort. D'abord, une tournée du Québec, quelques passages à la télévision et déjà un plan pour conquérir la France. Il multiplie les contacts, se rend à Paris et fait entendre les disques de Ginette à un représentant de la compagnie CBS. Il a également emporté dans ses valises la vidéo du spectacle que présentait son artiste sur le mont Royal, sans toutefois préciser qu'il s'agissait d'un spectacle de la fête nationale. Ben Kaye lui a appris à jeter de la poudre aux yeux, à déformer quelque peu la vérité et à insister constamment.

Dans un premier temps, les producteurs français sont impressionnés autant par la voix et le charisme de Mme Reno que par l'enthousiasme que manifeste René, qui tente sa première grande percée internationale à titre d'imprésario. Cependant, la plupart d'entre eux estiment que la chanteuse n'a pas ce qu'il faut pour conquérir le public français. Elle n'a pas le look nécessaire et son accent québécois est trop marqué. En plus, à cette époque, la France n'est pas particulièrement intéressée par les chanteuses à voix ; elle préfère le genre Jane Birkin ou Françoise Hardy. René s'acharne et, finalement, un représentant de CBS lui conseille d'aller rencontrer Eddy Marnay.

Homme sensible, rêveur et un peu bohème, Eddy Marnay n'est plus dans le coup. Âgé de cinquante-huit ans, il a écrit des chansons pour Édith Piaf, Yves Montand, Nana Mouskouri et Mireille

Mathieu, en plus de faire la traduction de chansons interprétées par Barbra Streisand. Mais tous ces artistes appartiennent déjà au passé. Il est riche et célèbre, mais le vent a tourné, la mode a changé et on a oublié Eddy Marnay. Cela lui importe peu, puisqu'il vient tout juste de vivre un divorce accablant et qu'il remet de toute façon sa vie en question.

C'est cet homme que rencontre René Angélil dans un faubourg de Paris. Marnay est né en Algérie et René, fin renard, n'a pas caché ses origines arabes. Les deux hommes fraternisent rapidement et Angélil ne tarde pas à lui vanter les qualités de la prodigieuse chanteuse québécoise Ginette Reno. Il sort tout le matériel qu'il y a dans sa valise et fait entendre à un Marnay emballé les disques de Ginette ; il lui fait même voir ses vidéos. Déjà René crie victoire et les choses avancent rondement.

De retour au pays, il invite Eddy Marnay à venir voir le spectacle que présente Ginette Reno dans une salle de Québec. Marnay est ému et décide sur-le-champ d'écrire des chansons pour elle. Angélil finalise une entente avec le producteur Claude Pascal en vue d'enregistrer un album composé de chansons originales d'Eddy Marnay, dans les studios de Pathé Marconi, en France. Sans perdre de temps, il prépare une tournée de Ginette au Québec et au Canada anglais, en plus d'assurer la promotion du nouvel album en France et au Québec. Il est grisé par cette première grande victoire dans sa carrière d'imprésario. Il touche au but : la consécration, la gloire, peut-être la fortune. Cette fois-ci, il a l'appui d'une grande maison de disques, d'un auteur reconnu et d'un producteur d'expérience. Il a bien manœuvré ; il a mené son bateau à bon port. Ginette n'a plus qu'à se manifester et à faire craquer les Français. Et c'est sûrement ce qu'elle fera, Angélil n'en doute pas un instant.

Il ne peut plus se contenir et informe la principale intéressée de toutes ces bonnes nouvelles. À sa grande surprise, Ginette Reno ne partage pas son enthousiasme. Elle se dit fatiguée et songe davantage à ses prochaines vacances avec son nouvel amoureux, Alain Charbonneau, qu'à sa carrière en France. Elle ne le décourage pas, cependant, et lui dit de continuer ses démarches. René pense qu'elle est effectivement surmenée et il poursuit ses préparatifs.

Quand elle revient de ses vacances, les choses ont changé dans le monde de Ginette. Elle a trouvé l'homme de sa vie et n'entend pas le sacrifier à sa carrière. C'est alors qu'Alain Charbonneau s'impose et exige de partager la gérance et les honoraires de 20 % qui s'y rattachent. Ginette tente de négocier un accord avec Angélil, mais celui-ci refuse.

Subitement, tout s'écroule autour de lui. Des mois de travail, les plus beaux rêves de sa carrière d'imprésario, ses contacts, son métier, son argent. Il ne lui reste plus que sa femme qui l'appuie, ses enfants et quelques amis. René, qui aura bientôt quarante ans, se souvient de son père et songe sérieusement à retourner aux études afin d'entreprendre une carrière d'avocat.

Eddy Marnay lui a téléphoné pour tenter d'arranger les choses et de rétablir le contact avec Ginette. Alain Charbonneau a bien voulu poursuivre le projet qu'avait lancé René, mais rien n'a fonctionné.

Ironie du sort, René Angélil subit le pire échec de sa vie alors qu'il était si près du but, alors qu'il était sûr d'avoir réussi. Peu après sa rupture professionnelle, Ginette Reno remporte cinq félix au gala de l'ADISQ, prouvant ainsi la qualité du travail d'Angélil. En fait, elle a vécu les plus belles années de sa carrière alors qu'il était son imprésario.

Dans toute cette histoire, elle porte la responsabilité de l'échec de sa percée en France et de la déception qu'a éprouvée René. Mais les choses ne sont pas aussi nettes. Elle avait déjà fait un bon bout de chemin avant de confier sa carrière à René Angélil et elle était déjà une vedette établie. Elle n'a pas été découverte par lui ; au contraire, elle avait déjà travaillé avec une dizaine de managers auparavant. De plus, elle avait déjà présenté des spectacles à l'étranger, enregistré des disques en anglais et connu de grands succès qui avaient fait sa renommée au Québec. Elle possédait déjà sa compagnie de disques et menait sa carrière à sa guise. Les managers devaient être à son service. Elle les tenait d'ailleurs en bien piètre estime :

«Les imprésarios exposent trop leurs vedettes et ne songent qu'à multiplier les engagements pour faire le plus d'argent possible. C'est comme ça qu'ils brûlent les artistes et raccourcissent des carrières», avait-elle déjà déclaré à un journaliste.

Pour sa part, René avait déjà confié à des amis : «Parfois, j'ai l'impression qu'elle m'a engagé pour que je porte ses valises.»

Et puis comment une femme de trente ans, amoureuse de surcroît, peut-elle vivre une si grande promiscuité avec un imprésario qui envahit littéralement sa vie ? Bon nombre d'artistes ont épousé leur imprésario, telles Petula Clark et Mariah Carey, entre autres. Ginette Reno n'avait pas tort d'intéresser Alain Charbonneau à la gérance de sa carrière, même s'il ne connaissait rien à ce métier. Comment peut-il en être autrement lorsqu'une femme veut prouver sa fidélité à l'homme qu'elle aime ? N'a-t-on pas souvent demandé à Ginette Reno ou à René s'ils étaient amoureux, ou s'ils avaient couché ensemble, comme si la chose allait de soi ? Or, il n'en fut jamais rien.

De plus, Ginette se plaignait de ne pas être informée de toutes les démarches d'Angélil. N'oublions pas que celui-ci est un homme aimant à exercer tout le contrôle sur ses activités et que Ginette est également, à sa manière, une femme dominatrice, surtout en ce qui concerne sa carrière.

Avec le recul, il faut bien se rendre à l'évidence : l'association Reno-Angélil n'aurait pas fonctionné pendant très longtemps, même si la chanteuse québécoise avait enregistré ce fameux album à Paris.

René tirera de cette expérience une grande leçon, celle de ne jamais laisser une tierce personne infiltrer les relations qu'un imprésario entretient avec l'un des artistes qu'il représente, notamment lorsqu'il s'agit du domaine décisionnel. L'artiste étant souvent un être très sensible souffrant d'une insécurité parfois maladive, l'imprésario doit le protéger des mauvaises influences, le cloisonner dans un cocon auquel ni les membres de la famille de l'artiste ni ses amis n'auront accès. Ces personnes, complètement extérieures au milieu artistique, ne pourront pas conseiller habilement l'artiste ni avoir une vision aussi large du milieu que l'imprésario. Par contre, l'artiste, dans ce cas de figure, doit avoir une confiance aveugle en son imprésario, comme ce fut le cas de Céline pour René. Elle a abandonné sa personne aux soins de René, qui avait déjà vingt-trois ans de métier derrière lui et qui ne faisait pas partie de cette jungle d'imprésarios et de nouveaux mécènes qui improvisent davantage leur rôle qu'ils ne le maîtrisent.

Dans les années soixante, il n'existait pas encore d'école pour apprendre le métier d'imprésario et l'on trouvait peu de références, de modèles en la matière. Le destin a donc voulu que deux grands artistes se rencontrent.

32

La découverte de Céline Dion

On dit que les natifs du Capricorne réussissent tard dans leur vie. En regardant la pluie frapper la fenêtre de son petit bureau de Laval, René Angélil ne croit plus à sa réussite dans ce métier. Il pense avoir joué sa dernière carte et avoir perdu la partie. Il réalise subitement qu'il pratique un métier ingrat qui n'a pas récompensé ses efforts. Pendant cette période de sa vie, qui durera quelques mois, il touche le fond et ne voit pas comment il pourrait s'en sortir. Il a trente-neuf ans, se retrouve sans artiste, sans le sou, et il n'est intéressé par aucun des artistes populaires du Québec. Après Ginette Reno, qui pourrait aspirer à une carrière internationale ? Ils ne sont pas légion au Québec. De plus, la montée nationaliste, le gouvernement péquiste et la tenue du référendum sur la souveraineté en 1980 ont donné beaucoup de place aux auteurs-compositeurs tels Gilles Vigneault, Félix Leclerc, Robert Charlebois, Jean-Pierre Ferland et Claude Dubois, ainsi qu'aux interprètes comme Pauline Julien, Diane Dufresne, Fabienne Thibeault, qui chantent le pays. Finies les chansons populaires et faciles, et le rêve américain. Le Québec est bien chez lui. De quoi décourager Angélil, qui n'a aucune affinité avec les chanteurs nationalistes ou élitistes. C'est la chanson populaire qui l'intéresse et, au début des années quatre-vingt, celle-ci est considérée par plusieurs comme un art mineur.

Il le sait, mais il pense toujours qu'elle a sa place dans le monde et que, grâce à elle, on peut réussir une véritable carrière.

Quelques mois dans toute une vie, c'est bien peu. Mais nous sommes en 1981, et René n'est pas très excité à l'idée de retourner aux études à son âge pour recommencer à zéro, avec trois enfants à charge. Il a bien pensé à faire fortune au casino, mais là non plus, rien ne va. Il repense sa vie, fait un bilan des dernières années et constate qu'il s'est beaucoup amusé, que tout lui a été facile mais que les beaux jours sont désormais révolus. Rien ne sera aussi facile. Il sait qu'il devra travailler d'arrache-pied et qu'on ne lui fera pas de cadeaux. Il comprendra l'attitude de Ginette Reno beaucoup plus tard, mais, à ce moment précis, il nourrit à son endroit une profonde rancune. Il est blessé, humilié et se sent victime d'une terrible injustice parce qu'il avait déployé tous les efforts pour elle. Il avait la certitude qu'il possédait les ressources voulues pour bien gérer une carrière dans la chanson. Mais à quoi bon ?

Il n'a pas de revenus, il s'endette et s'enfonce dans la paranoïa quand le téléphone sonne subitement. Un certain Gilles Cadieux veut le rencontrer afin de discuter de la production d'un album. Il s'agit d'une jeune fille de Charlemagne qui a, paraît-il, une voix extraordinaire. René n'est pas en mesure de refuser quoi que ce soit et il accepte de rencontrer son interlocuteur. Cadieux et Paul Lévesque se rendent donc au bureau de René quelques jours plus tard et lui font entendre une cassette qui comprend deux chansons originales écrites par la mère de la jeune fille, une certaine Céline Dion. Toujours aussi calme, René semble cependant intéressé et demande à voir la jeune fille avant de prendre une décision.

Quand il apprend qu'elle n'a que douze ans, il a d'abord un doute. Une jolie voix, certes, et de jolies chansons en dépit des maladresses qu'il a remarquées dans cet enregistrement. Mais y a-t-il encore de la place au Québec pour une chanteuse de cet âge ? En 1980, une jeune chanteuse de douze ans vend des milliers de disques et a conquis les enfants du Québec. Nathalie Simard a pris la relève de son frère, dont la voix a mué et qui oriente maintenant sa carrière vers la comédie musicale. Nathalie a supplanté son frère au niveau de la vente de disques et c'est évidemment Guy Cloutier qui gère sa carrière. La popularité de Nathalie Simard lui permet de se produire à la Place des Arts, de multiplier les albums et de paraître à de nombreuses émissions de télévision. Après avoir rompu ses liens professionnels avec Guy Cloutier, René Angélil allait-il le retrouver à titre de compétiteur ? C'est une possibilité à laquelle il songeait après avoir entendu cette voix d'ange.

Paul Lévesque l'informe qu'il est l'imprésario de la jeune chanteuse, mais qu'il préfère s'en remettre à un producteur d'expérience pour l'enregistrement de son premier album. René est ravi d'apprendre qu'on pense encore à lui et s'interroge sur la personnalité de cette chanteuse. La jeune fille de douze ans ne tarde pas à se présenter au bureau de René. On a raconté un peu partout dans le monde que, ce jour-là, il lui demande de prendre un crayon comme s'il s'agissait d'un micro et de chanter comme si elle était à la Place des Arts. Céline Dion chante avec toute la puissance vocale qu'elle possède et l'homme qui est devant elle lève la tête et est secoué par des frissons qui parcourent son échine.

Céline l'interroge du regard et René semble perdu dans ses pensées.

Une voix merveilleuse, une passion contenue, une rage de chanter… mais il s'agit d'une enfant de douze ans écrasée par une timidité maladive qui ressort quand elle cesse de chanter et qui l'empêche de s'exprimer et de se mettre en valeur. De plus, elle n'a ni le look ni l'élégance d'une chanteuse. Mais cet homme instinctif est ému. Il sait qu'il vient de trouver une pierre brute, un véritable joyau qu'il faudra polir et repolir. Qu'à cela ne tienne, il y mettra le temps, l'argent qu'il n'a pas et qu'il se fait fort de trouver. Qu'importe si sa dentition est affreuse, si elle est maigre, modeste, pauvre, inculte, il en fera une reine.

– Et alors, monsieur Angélil ?

– J'aimerais connaître ta famille.

Peut-être a-t-il versé une larme. Peut-être a-t-il été ébloui, chaviré, estomaqué. L'important, c'était le joyau qu'il découvrait et la magie de cette jeune fille qui venait panser la pire blessure de sa vie.

Il ne tarde pas à se rendre chez les parents de Céline, à Charlemagne, en compagnie de son épouse. La famille Dion, qui est réunie au grand complet, n'en demandait pas tant. Angélil, l'ancien chanteur des Baronets, producteur de disques, et Anne Renée, la vedette de l'émission *Les Tannants*, dans leur maison, c'est tout un honneur.

René le séducteur se met à l'œuvre et charme tous les membres de la famille, surtout la mère, Thérèse, qui a composé les chansons de la cassette. Il fraternise avec tous les membres de la famille, le père, Adhémar, les frères, dont Michel, qui fait partie d'un ensemble musical. Pendant ce temps, Anne Renée s'entretient avec les sœurs de Céline, qui la considèrent encore comme le bébé de la famille.

Pendant la soirée, René parle affaires au coin de la table avec Mᵐᵉ Dion.

René, en conférence de presse, fait découvrir un nouveau prodige de la chanson, Céline Dion, en 1982.
(Photo : *La Presse*.)

33

Paul Lévesque

Ce personnage a été inconnu du grand public jusqu'à la publication de plusieurs biographies de Céline en 1997. Jusque-là, on croyait que René Angélil avait découvert Céline Dion et avait accompagné ses premiers pas dans le monde du show-business. Ce n'est pas tout à fait exact. Il a sciemment omis de mentionner que Paul Lévesque a été le premier imprésario de Céline et qu'il avait signé avec sa mère une entente d'une durée de cinq ans. Lévesque avait une autre conception de la carrière de Céline, qui ne convenait ni à Mme Dion et ni à René, évidemment.

À l'origine, Paul Lévesque gère la carrière de Mahogany Rush et de Luba, qui connaissent beaucoup de succès au Québec et à l'étranger. Il s'intéresse également à un autre groupe moins connu, du nom d'Éclipse, devenu par la suite Le Show. Michel Dion, grand frère de Céline, fait partie de ce groupe et insiste auprès de Lévesque pour qu'il se rende au *Vieux Baril*, une petite boîte de Legardeur, afin d'entendre sa petite sœur qui a une voix exceptionnelle. Lévesque finit par céder et admet que Michel avait raison; il signe un contrat avec Mme Dion.

Thérèse Tanguay-Dion est ambitieuse et impatiente. Elle harcèle constamment Lévesque pour qu'il lance le plus rapidement possible sa fille dans le show-business. Les semaines, les mois passent et Lévesque ne donne pas souvent signe de vie. Finalement, il communique avec elle pour lui annoncer qu'il a trouvé un studio à Longueuil, dans la banlieue de Montréal, et que Céline va enregistrer un *demo*. Il demande l'aide de Michel pour trouver des musiciens et réclame des chansons originales. Musicienne depuis son enfance, maman Dion n'hésite pas à proposer ses services. En deux temps, trois mouvements, elle écrit, dans un grand cahier sur le coin de la table, *Ce n'était qu'un rêve*. Quelques jours plus tard, les musiciens de la famille accompagnent Céline qui enregistre, un dimanche, cinq chansons au studio Pélo, à Longueuil.

«Ils n'étaient pas venus le samedi parce que, ce jour-là, un incendie avait détruit l'édifice du *Vieux Baril*, où Céline chantait, et qui appartenait à ses parents, se souvient-il. Ils étaient sept dans le studio, se rappelle le producteur Luc Lavallé. Jacques, le frère de Céline, jouait du piano. Parfois, ça jouait et chantait faux, mais, dans l'ensemble, c'était assez réussi.

«En très peu de temps, Céline a enregistré *Je ne suis qu'une chanson*, *Ce n'était qu'un rêve*, *Grand-maman*, *Je m'envole* et *Chante-la, ta chanson*. J'ai conservé quatre chansons puisqu'on a coupé *Je ne suis qu'une chanson*. Il n'existe que deux copies de cet enregistrement, que j'ai remises à Paul Lévesque et au producteur Michel Bélanger. J'ai conservé le master, sans y toucher, pendant de nombreuses années.»

En 1997, Lavallé songe à vendre l'enregistrement, qui a sûrement une grande valeur pour les fans et pour les collectionneurs puisqu'il s'agit du tout premier de Céline.

«J'ai d'abord songé à donner cet enregistrement à René Angélil, puis j'ai décidé de lui demander 300 000 $, confie-t-il. Sony a refusé et je n'ai pas eu de nouvelles par la suite. Des Japonais semblent intéressés mais, pour l'instant, l'enregistrement n'est toujours pas vendu. Je possède également 116 négatifs de la session d'enregistrement. Évidemment, tout cela est du matériel inédit.»

Paul Lévesque estime que René Angélil est le producteur le mieux qualifié pour enregistrer le premier album de Céline, une étape importante dans la carrière de celle-ci. Il demeure son imprésario, cependant. Il veut prendre tout son temps et protéger l'enfant de douze ans.

«Je voulais gérer la carrière de Céline, mais pas au détriment de sa vie personnelle. J'estimais qu'à son âge il fallait qu'elle poursuive ses études. Ce qui ne semblait pas préoccuper sa mère, qui poussait sa fille vers le show-business. Ça ne me paraissait pas normal. J'ai donc insisté pour que Céline retourne à l'école et elle a repris ses cours à la polyvalente Paul-Arsenault.»

René sait fort bien que Céline ne manifeste aucun intérêt pour ses études et ne pense qu'à chanter. Ce qui lui convient parfaitement puisqu'il pourra ainsi former une artiste naissante à son image, exercer un contrôle absolu sur sa carrière et ne plus jamais subir l'intervention d'amants ou d'époux possessifs. Nous frôlons le fantasme de bien des hommes d'un certain âge qui rêvent de préparer, d'éduquer, et de modeler une toute jeune fille pour en faire leur chef-d'œuvre. Un rêve qui a hanté Arnold, le personnage de Molière dans la pièce *L'École des femmes*, George Bernard Shaw qui a fabriqué une lady dans la pièce que l'on a transposée au cinéma dans *My Fair Lady* avec Audrey Hepburn, et même Elvis Presley, l'idole de René, qui a «éduqué» la jeune Priscilla Beaulieu, âgée de quatorze ans, dans son domaine de Graceland.

Paul Lévesque avait raison de s'inquiéter de la formation intellectuelle de Céline, qui se plaindra un jour de son ignorance des simples choses de la vie. Strictement sur le plan professionnel, dans ce show-business que l'on compare souvent à une jungle, René a raison de ne songer qu'à l'enregistrement du premier album, au look de la jeune fille, qu'il faut modifier de toute urgence, et à tout l'argent qu'il faut investir. Son éducation, il s'en occupera plus tard ; en attendant, son épouse, Anne Renée, lui enseigne les bonnes manières, le maintien ainsi que l'art de se vêtir et de s'exprimer en public.

L'humiliation qu'a subie René Angélil au terme de son association avec Ginette Reno a laissé des traces. Cet homme n'entend plus vivre les mêmes frustrations avec une autre artiste ; il devient impitoyable dans ses négociations et dans son attitude envers la concurrence. Céline est une artiste vierge qui ne traîne pas un lourd passé. À ce moment, elle n'a qu'une voix exceptionnelle et une passion de la scène ; lui possède tout le reste.

René, imprésario et gérant du stade.
(Photo : *La Presse*.)

34

Le métier d'imprésario

Jean Beaulne était un hommes d'affaires prospère impliqué dans de nombreuses entreprises, ici et aux États-Unis, surtout au début des années quatre-vingt. Depuis sa rupture avec les Baronets, il demeurait en contact avec René, sans toutefois avoir la chance de le croiser régulièrement. Il suivait cependant avec beaucoup d'intérêt l'évolution de son ancien partenaire. Malgré les années et la dissolution du groupe, les Baronets n'ont jamais cessé d'être des Baronets, après tout.

Beaulne, mieux que tout autre, a su apprécier le grand changement qui s'est opéré dans la vie de René : « René s'est réveillé à trente-huit ans. À ce moment-là, il était acculé au pied du mur. Il avait perdu Ginette, il était endetté de 200 000 $ et il n'avait plus personne pour l'aider. Il avait toujours pu compter sur quelqu'un dans sa vie, et voilà qu'il était complètement seul. Pour autant que Beaulne se souvienne, René avait davantage agi comme un parieur que comme un homme d'affaires à l'époque des Baronets. La vie était un jeu et il fallait en profiter au maximum. Beaulne se souvient même qu'à l'époque il lui disait souvent qu'il était trop paresseux et qu'il ne réussirait jamais dans la vie, une remarque qui le fait bien sourire aujourd'hui, vu le magnifique destin que René a eu par la suite.

« René n'avait plus le choix et, subitement, il a fait quelque chose d'extraordinaire : il s'est pris en main. J'ai été le gars le plus heureux de voir évoluer quelqu'un que j'ai tellement connu, et de le voir franchir toutes les étapes pour finalement être reconnu partout sur la planète. Je connais assez ce métier, l'un des plus difficiles et les plus ingrats qui soient, pour apprécier tout ce qu'il a réussi avec Céline Dion. Mais Céline a également été une grande source de motivation depuis leur association.

«Brian Epstein, l'imprésario des Beatles, s'est suicidé. Paul Vincent, l'imprésario de Roch Voisine, une des grandes stars de la francophonie, est mort d'une surdose. René a subi trois crises cardiaques et a souffert d'un cancer. Ce n'est pas sans raison. Être imprésario, ce n'est pas un métier, c'est mille métiers. Il faut être administrateur, promoteur, relationniste, diplomate, organisateur, rédacteur, artiste soi-même, planificateur, conseiller en toutes choses, conciliant, entreprenant, compréhensif, visionnaire... Tout ça et encore plus, en très peu de temps parce que c'est un monde qui évolue rapidement. À la vitesse de l'éclair.

«Quand l'artiste que l'on dirige obtient du succès, le monde entier téléphone à ton bureau. Certains jours, René a dû faire face à plus de deux cents messages à son bureau. Parmi eux figuraient des urgences, des demandes de sommités, des rendez-vous impossibles à reporter. De plus, c'est la pression qui s'exerce de tous côtés. Tu te retrouves parmi les journalistes, les producteurs de spectacles, les parents et amis de l'artiste, son conjoint, et l'imprésario est continuellement coincé. Sans parler des désirs, des besoins, de la santé et des contraintes de l'artiste lui-même. En peu de temps, la PME devient une multinationale. Imaginez une petite compagnie qui, en l'espace de quelques mois, obtient tant de succès qu'elle devient rapidement une chaîne prestigieuse de calibre international. C'est ce qui est arrivé à René, du jour au lendemain, avec comme seule assistance une secrétaire et cinq lignes téléphoniques... N'ayant pas eu le temps de préparer une structure dynamique et cohérente et ne pouvant confier son travail à personne d'autre que lui, il a vécu un stress incommensurable, sachant que tout faux pas pouvait lui être fatal et qu'une seule petite erreur pouvait détruire l'image de Céline. Imaginez le travail qu'il a abattu! Ce stress, René l'évacue dans le jeu et la nourriture, comme d'autres se jettent dans l'alcool ou la drogue, ce qui fut le cas de Brian Epstein, le manager des Beatles, mort d'une overdose.

«Je connais Ginette Reno et j'estime que c'est la plus grande chanteuse. Mais, encore là, on peut voir la difficulté du métier d'imprésario quand on connaît le caractère de la femme. René a été humilié lorsqu'elle l'a laissé tomber. C'était terrible pour lui. Je me rappelle un incident particulier. Ginette Reno était invitée au talk-show de Johnny Carson ; elle se rend donc à New York pour l'enregistrement de l'émission. Finalement, les autres invités s'attardent et Ginette n'a pas le temps de passer. On s'excuse auprès d'elle et on lui propose, pour faire amende honorable, de participer non pas à une mais à trois autres émissions de Carson. Offusquée de s'être déplacée pour rien, Ginette refuse la proposition. Qu'est-ce qu'un imprésario peut faire dans ce cas-là ? C'est ça, le métier. »

Jean Beaulne a dirigé la carrière de nombreux groupes et d'artistes pendant des années et il connaît le tempérament de ceux qui aspirent à devenir des vedettes : « Généralement, les artistes de grand talent, ceux qu'on remarque rapidement et à qui on peut prédire une carrière internationale, sont des êtres hautement émotifs. Le talent va de pair avec les émotions. Et ces artistes sont influençables. Leur entourage devient important. Combien de fois ai-je vu des carrières se briser à cause de la drogue ? J'ai dirigé la carrière de France Castel, qui avait le talent voulu, elle aussi, pour faire une carrière internationale. On connaît les problèmes qu'elle a eus dans le passé ; elle les a racontés elle-même. Elle avait toutes les chances de gagner au festival d'Athènes, en Grèce, mais ça ne s'est pas produit, parce qu'elle n'était pas en état de participer au concours. J'avais pourtant travaillé plus de six mois pour l'envoyer à cet événement, qui était à l'époque l'un des plus prestigieux du monde.

« Quand Céline arrive dans la vie de René, c'est l'exception qui confirme la règle. C'est encore une enfant de douze ans qui n'a pas de passé, de mauvais plis, qui ne demande qu'à être dirigée et qui est saine. Avec une voix extraordinaire, évidemment. René, qui veut tout contrôler, a reconnu une mine d'or. Céline n'était pas et n'est pas une artiste à problèmes. Elle est équilibrée, elle a les pieds sur terre et elle a de l'ambition. Effectivement, c'était à lui de jouer. »

DES JAPONAISERIES

Lors d'un voyage au Japon qu'il a effectué avec Céline et Ben Kaye, l'un de ses proches collaborateurs, René remarqua, affichée sur un mur extérieur non loin d'un poste de police, la photo d'un dangereux criminel que l'on recherchait. L'idée lui vint alors de faire un gag à un policier en lui montrant ladite photo tout en désignant du doigt son ami Ben qui ne ressemblait en rien à l'individu en question. Le policier, qui ne parlait pas un traître mot de français ni d'anglais, tenta d'expliquer à René qu'il ne le croyait pas. Une fois le groupe rendu au poste de police, un préposé qui maîtrisait la langue de Shakespeare lui dit textuellement qu'il devrait mettre des lunettes car Ben n'était pas la personne qu'ils recherchaient. Céline, qui attendait patiemment le retour des deux hommes, pouffait de rire sur le trottoir.

JEAN BEAULNE

35

Premier album

«Donnez-moi cinq ans, et je ferai de votre fille une vedette au Québec et en France», promet René Angélil à sa mère, totalement ravie. C'est exactement ce qu'elle espérait.

Fort de cet appui, il se met à l'œuvre et décide d'éliminer le seul obstacle qui se dresse sur son chemin : Paul Lévesque. Celui-ci détient un contrat avec la famille Dion et n'hésite pas à réclamer ses droits.

Il traînera Angélil en justice et il faudra des années avant que cette affaire ne soit finalement réglée à l'amiable. René ne s'en inquiétera jamais outre mesure. Il sait fort bien qu'il a les pleins pouvoirs et il se comporte dès le départ comme le manager exclusif de Céline. Il considère Paul Lévesque avec un souverain mépris, comme un accident de parcours, et il ignorera jusqu'à son nom dans l'histoire officielle de sa protégée. Mais René n'est pas indifférent, loin de là. Il a appris à ne jamais accorder de publicité à ses rivaux.

Pour lancer définitivement la carrière de Céline Dion, il sait fort bien qu'il doit préparer l'enregistrement d'un premier album de qualité, composé de chansons originales. Il est déjà loin, le temps où les jeunes Baronets n'avaient qu'à enregistrer quelques versions françaises de tubes américains ou anglais, à toute vitesse, pour casser la baraque à l'émission de télévision *Jeunesse d'aujourd'hui*.

Il faut désormais présenter du matériel original et jouer des coudes avec toutes les musiques pop du monde. René fait d'abord appel à Eddy Marnay, qui a oublié Ginette Reno et qui a remisé les chansons qu'il avait composées pour elle. Il accepte, dans un premier temps, de venir rencontrer la famille Dion après que René lui eut parlé d'un talent exceptionnel. Marnay a confiance en René, en son jugement, et estime déjà que la jeune artiste canadienne doit valoir le déplacement.

Marnay est ravi de rencontrer toute la famille Dion à Charlemagne et promet d'écrire des chansons correspondant aux rêves d'une fille de son âge. René n'est pas surpris de sa réaction. Ce fin renard sait fort bien qu'Eddy Marnay avait écrit les plus grands succès de Mireille Mathieu, la jeune merveille d'Avignon, qui avait entrepris une carrière à l'âge de quatorze ans et qui devait succéder à Édith Piaf dans le cœur des Français. Elle était l'aînée d'une famille de treize enfants. Son gérant, Johnny Stark, se comportait comme un véritable empereur dans le monde du show-business et avait fait d'elle la plus grande vedette de son époque en France. Marnay se retrouve donc en terrain familier.

En acceptant de se joindre à son équipe et d'écrire des chansons pour lui, Marnay devient le complice de René et l'un des principaux architectes de la carrière internationale de Céline Dion ou du moins de sa carrière européenne. Non seulement est-il un auteur renommé, mais il connaît fort bien le milieu artistique et ouvrira les portes de l'Europe à René.

De plus, Marnay est un homme attachant et aimant le Québec. En effet, en 1979, il fait la rencontre de Mia Dumont lors d'un colloque sur l'avenir de la chanson française où il représentait la France. Mia Dumont faisait la promotion d'un coffret rassemblant cent une chansons québécoises. Ils firent rapidement connaissance et ce fut le coup de foudre entre deux êtres sensibles et romantiques. Ce ne sont pas un océan et une différence d'âge de vingt-cinq ans qui les sépareront. Déjà en 1981, ils forment l'un des couples les plus sympathiques et les plus authentiques de la colonie artistique. Mia Dumont est relationniste à Montréal et deviendra la première attachée de presse de Céline Dion. Elle a été l'attachée de presse la plus agréable avec qui il m'ait été donné de travailler à l'époque où je débutais dans le secteur des variétés au journal *La Presse*.

Avec l'appui de Marnay, René Angélil pense n'éprouver aucune difficulté à trouver 50 000 $, la somme qu'il estime nécessaire pour financer le premier album de Céline. On racontait qu'il avait hypothéqué sa maison pour obtenir ce montant et il a laissé la légende grandir. J'ai déjà expliqué avec force détails dans un autre ouvrage consacré à Céline Dion (*Céline Dion, une femme au destin exceptionnel*) qu'il ne pouvait en être ainsi, puisque sa maison était déjà lourdement hypothéquée. Pis encore, la banque estime qu'il est insolvable et qu'il ne peut obtenir l'argent dont il a un urgent besoin. L'homme est profondément ulcéré par cette situation, d'autant plus que ses créanciers s'impatientent. Pour la première fois de sa vie, il songe à déclarer faillite, ce qui pourrait le libérer.

Il est désemparé, anéanti pendant un certain temps alors qu'il redoute le pire : perdre la gérance de Céline Dion parce qu'il n'a plus un sou. Perdre la face, en plus, auprès de sa famille, de ses amis. Non ! c'est impensable ! Il rencontre l'animateur d'un populaire talk-show de l'époque, Michel Jasmin, et lui confie : « Si tu ne passes pas Céline Dion à ton émission, je laisse tout tomber. On prépare un album et il nous faut de la visibilité. »

Jasmin l'a cru. René, qui n'aurait jamais laissé tomber Céline, même pour tout l'or du monde, avait appris de Ben Kaye qu'il fallait souvent apprêter la vérité pour vendre son produit.

Après avoir cogné à plusieurs portes sans résultat, René rencontre finalement un homme qui aurait mérité d'être mieux connu du grand public. Denys Bergeron, directeur de la compagnie de disques Trans-Canada, est celui qui débloque l'argent nécessaire à l'enregistrement de l'album. Il n'aura pas la tâche facile, cependant, puisque la politique de la maison veut qu'on limite à 25 000 $, le coût de production d'un album. Bergeron propose alors d'enregistrer deux albums pour couvrir les frais. Un premier, constitué surtout des chansons d'Eddy Marnay, et un autre regroupant des chansons de Noël. On sait, dans le milieu, que ceux-ci se vendent généralement bien au Québec.

Céline chantera donc Noël avant même d'entreprendre sa carrière, et René n'a aucune objection. À vrai dire, il jubile et n'oubliera jamais l'homme qui lui a permis de lancer définitivement la carrière de Céline, qui enregistrera d'ailleurs cinq albums chez Trans-Canada.

« Il est vrai que René Angélil vivait une période difficile sur le plan financier, raconte Denys Bergeron. Il n'a pas hypothéqué sa maison puisque c'est moi qui lui ai fourni l'argent pour produire l'album de Céline. Il n'avait aucune entreprise à son nom et il était si démuni qu'il a fallu que je lui paye une paire de jeans quand il est allé en France avec Céline. Mais j'ai cru à son projet, d'abord parce qu'il est un génie du marketing, et puis il avait un as dans sa manche : Eddy Marnay. C'est un auteur de grande réputation. En Europe, les auteurs sont beaucoup plus puissants qu'ici, et je savais qu'il pouvait réellement favoriser la carrière de Céline en Europe. Je le connaissais bien, puisqu'il avait déjà composé une chanson pour ma femme, Christine Lamer. À cette époque, il voyait déjà Céline comme une future Barbra Streisand. »

Pendant qu'Eddy Marnay achève d'écrire les chansons du premier album de Céline, Michel Jasmin invite la jeune chanteuse à son émission du 20 juin 1981. Céline n'a que treize ans et ce sera sa première apparition à la télévision. Jasmin ne veut pas rater l'occasion de présenter une future grande vedette et l'annonce comme telle. Maîtrisant son trac, elle interprète *Ce n'était qu'un rêve* avec le talent qu'on lui connaît et tout se déroule comme prévu jusqu'au moment où l'animateur l'invite à prendre place à ses côtés. Cette fois, Céline ne parvient pas à se maîtriser et cette native du Bélier fonce tête baissée. À Jasmin qui lui demande si elle suit des cours de chant, elle répond fermement que non et affirme qu'elle n'en a aucun besoin. On la dirait presque arrogante alors qu'elle a une peur bleue. L'émission a été enregistrée durant la journée et, le soir venu, c'est toute la famille Dion, réunie autour du téléviseur, qui regarde la performance de la petite Céline.

Celle-ci n'aime pas ce qu'elle voit. Les dents sont trop longues, les sourcils trop épais, le nez trop gros, et l'image qu'elle projette n'est pas particulièrement chaleureuse. René l'écoute sans rien dire et demande à Anne René de changer l'image de Céline pour les entrevues à la télévision. Ce sera le début d'une longue transformation. La véritable école de Céline Dion.

Pendant l'émission de Jasmin, on trouvait parmi les invités Rodger Brulotte, le relationniste des Expos, qui demande à Céline si elle accepterait de chanter les hymnes nationaux avant un match de base-ball, au Stade olympique.

Gentille proposition, mais ce n'est pas exactement ce qu'elle avait imaginé pour amorcer sa carrière. René lui explique la situation : « C'est une grande chance qu'on te propose. Tu seras vue par près d'un million de personnes au Québec et même à l'extérieur. Et il ne faudra jamais oublier l'homme qui t'a donné cette chance. Dans ce métier, il ne faut jamais oublier ceux qui nous aident, et quand Rodger Brulotte nous demandera quelque chose plus tard, il faudra accepter. »

Il s'agit d'une première leçon de René et il y en aura beaucoup d'autres.

Les deux albums, *La Voix du bon Dieu* et *Céline Dion chante Noël*, sont enregistrés en quatre jours au studio Saint-Charles, à Longueuil, et Eddy Marnay, ainsi que René Angélil, participe à toutes les étapes de la production. Le lancement de *La Voix du bon Dieu* a lieu le 9 novembre dans une chic salle de l'hôtel Bonaventure. Tous les médias sont invités, même si Céline demeure encore relativement peu connue du grand public. Déjà, René donne le ton à la carrière de Céline en l'entourant de ce qu'il a trouvé de mieux. De la classe, comme disait maman Dion. De la grande classe !

Quelques semaines plus tard, René lance l'album de Noël. Les ventes sont satisfaisantes et, rapidement, le producteur fait ses frais et enregistre même des profits. L'album de Noël et *La Voix du bon Dieu* se portent bien, avec des ventes croissantes qui atteindront la barre des 100 000 copies.

C'est la chanson qui fait la chanteuse, et non la chanteuse qui fait la chanson, a compris René lors de son séjour à New York. Cette prise de conscience lui sera des plus utiles au cours de sa carrière d'imprésario, et Céline en bénéficiera plus tard. Si la qualité d'interprétation est importante, le pouvoir d'attraction des textes, la dynamique mélodique et une équipe de professionnels participent également au succès d'une chanson. D'ailleurs, les plus grands vendeurs de disques de l'histoire, dont les Beatles, les Bee Gees, Elvis Presley ou encore Michael Jackson, étaient des compositeurs talentueux ou bien étaient entourés de compositeurs de haut calibre. Il ne faut néanmoins rien enlever au talent et au charisme des interprètes. De nombreux chanteurs sans dimension ont obtenu du succès grâce à un produit de bonne qualité, mais n'ont jamais pu se bâtir une véritable carrière. Voilà pourquoi René a choisi Céline. Elle réunissait, par sa personnalité, des qualités vocales et humaines que tout grand artiste doit posséder.

Mais la chanson demeure malgré tout l'élément central de tout succès. Combien d'artistes, d'ailleurs, sont encore reconnus internationalement grâce à une seule chanson ? On l'a vu dans le cas de Bing Crosby. Il n'avait au premier abord rien pour attirer les foules – il était chauve et avait les oreilles très décollées – mais la chanson *White Christmas* l'a rendu célèbre. En peu de temps, il en a vendu 25 millions de copies et, depuis, de nombreux artistes l'ont reprise. Sa voix charmante ainsi que son talent d'acteur lui ont permis de poursuivre sa carrière. Bing Crosby n'est pas le seul exemple que l'on pourrait donner lorsque l'on parle de chanteurs à une seule chanson. Rappelez-vous Frankie Avalon, avec la chanson *Why?* Ou Paul Anka, qui n'avait pas, lui non plus, une personnalité extraordinaire. Lorsqu'il est arrivé avec la chanson *Diana*, il a établi un record de ventes de neuf millions de copies, ce qui, à l'époque, était énorme. Grâce à son manager, Anka a amélioré son image – il était un peu gros et se coiffait de manière inadéquate –, et son talent de compositeur lui a permis de continuer sa carrière avec des chansons comme *Put Your Head on My Shoulder*, *Lonely Boy* et *My Way*, interprétée entre autres par Frank Sinatra.

René Angélil a compris cette dynamique depuis le début, et c'est pour cela que Céline obtient succès après succès. Parmi ses auteurs fétiches figurent en effet des paroliers comme Eddy Marnay et Luc Plamondon. Lorsqu'elle est arrivée sur le marché américain avec des textes de l'auteur-compositeur et producteur David Foster, de Diane Warren et d'Aldo Nova, son succès était quasiment assuré. Mais Céline est aussi tellement talentueuse et elle possède une personnalité si sympathique et une détermination si grande qu'elle rend parfaitement justice aux magnifiques chansons qui lui sont offertes. Elle est donc devenue une vraie star sur le continent américain. Rares sont les artistes, à l'exception des Beatles, des Bee Gees ou d'Elvis Presley, qui ont eu de si nombreux succès. Depuis le début, *Where Does My Heart Beat Now*, *Power of Love*, *Because You Love Me*, *My Heart Will Go on* et bien d'autres chansons encore l'ont maintenue en tête des palmarès d'une façon continue. Jean Beaulne nous a raconté qu'elle était surprise lorsqu'il lui a dit, un jour, que plusieurs de ses chansons allaient tourner au moins pendant vingt à vingt-cinq ans, comme cette magnifique *It's All Coming Back to Me*

Now, que l'on considère aujourd'hui comme un classique au même titre que *Yesterday* des Beatles.

René a toujours protégé son interprète et son image. On ne verra jamais Céline annoncer un produit X qui ne correspondrait pas à cette image et pourrait déplaire aux générations qui admirent cette chanteuse. Quand un interprète réalise une bonne chanson, il lui faut en premier lieu un bon producteur, puis une maison de disques qui se chargera de la promotion du produit. Le manager doit donner de la visibilité à son artiste, ce que René a fait avec intelligence et minutie. Dans les premiers temps, il a eu l'idée de la faire chanter en duo avec d'autres artistes comme Clive Griffin pour la chanson *When I Fall in Love*, qui constituait le thème du film *Sleepless in Seattle* de Disney. Ensuite, une des bonnes stratégies de René fut de la mettre en première partie de Michael Bolton, qui s'adressait à ce même genre de clientèle que Céline voulait rejoindre. Cette initiative l'a amenée à effectuer une tournée dans les plus grandes villes américaines et lui a donné la chance de rencontrer les médias et de se faire connaître du public américain. Sa participation également à de grands événements comme la visite du pape au Québec en 1984 et les Jeux olympiques d'Atlanta (plus de trois milliards de téléspectateurs ont suivi la retransmission !) l'ont propulsée vers le succès. Mais ce sont véritablement la chanson-thème du film *Up Close and Personal*, qui mettait en vedette Robert Redford et Annette Bening, *Because You Loved Me*, et la chanson *My Heart Will Go on*, du film *Titanic*, qui lui ont apporté la gloire.

Associée à Sony Records, l'une des plus grandes maisons de disques du monde et sans doute la plus dynamique, avec des éléments comme Bill Rotary, le premier à avoir reconnu Céline comme une grande star internationale en lui faisant signer son premier contrat chez Sony, la chanteuse possède à présent une équipe de promotion très efficace, en plus d'avoir comme « *A & R man* » (Artiste et Répertoire) Vito Luprano. Celui-ci a d'ailleurs joué un rôle majeur dans la carrière de la chanteuse, puisqu'il possède un talent hors normes lorsque vient le temps de choisir des chansons. Rares sont les compagnies internationales qui possèdent des équipes aussi visionnaires. C'est pour cette raison que Sony Records occupe une grande part du marché avec Céline et René. Le destin et leur flair les ont guidés vers cette maison. Comme si la route avait été tracée d'avance.

JEAN BEAUNOYER

En 1983, Céline Dion, Denys Bergeron, Anne Renée et René célèbrent le disque d'or reçu pour le premier album de Céline. (Photo: *La Presse*.)

36

TBS

René Angélil investit tout l'argent que rapporte Céline dans la grande carrière qu'il prépare et il en sera ainsi pendant de nombreuses années. Il n'est donc pas à l'abri du besoin et les dettes s'accumulent. Et puis le marché français n'est pas aussi accueillant qu'il avait escompté. La France tarde à accueillir Céline Dion à bras ouverts. Là-bas, on veut bien lancer le premier album de Céline, mais les choses se compliquent quand Pathé Marconi réclame une part de la gérance de l'artiste en territoire français. Une part, c'est déjà beaucoup pour René, qui n'entend céder en rien ses pouvoirs.

Pathé Marconi accepte finalement de lancer un single en France, *Ce n'était qu'un rêve*. René n'est pas surpris d'apprendre que le disque a été complètement ignoré par le public, pas plus qu'Eddy Marnay, qui pense déjà à un prochain album écrit sur mesure pour Céline.

Pendant ce temps, René Angélil doit mettre de l'ordre dans ses affaires. Et l'affaire la plus pressante, c'est le dossier Paul Lévesque, qui traîne en longueur et qui menace son plan de carrière. Lévesque détient un contrat d'une durée de cinq ans avec Céline Dion et prétend qu'il est toujours l'imprésario officiel de Céline jusqu'à sa majorité. Il considère que la participation de René Angélil dans la carrière de Céline Dion se limite au rôle de producteur. Rôle qu'il remplit à merveille selon lui. Évidemment, René ne l'entend pas ainsi et les deux hommes se retrouvent en compagnie de leur avocat afin de régler cette dispute qui n'en finit plus. Lévesque exige un montant forfaitaire et la moitié de la commission d'imprésario ; René menace de se retirer et, finalement, il offre le quart des 25 % qu'il touche sur les cachets pendant la durée du contrat que Lévesque a signé avec les parents de Céline. Lévesque n'a d'autre choix que d'accepter.

René décide également de clarifier sa situation et fonde avec Anne Renée la compagnie TBS, le 30 mars 1982, jour du quatorzième anniversaire de naissance de Céline Dion. Étrangement, Anne Renée est présidente et unique propriétaire de cette compagnie, alors que René ne sera que salarié. Elle a quitté son poste d'animatrice à l'émission de télévision *Les Tannants* et désire maintenant se consacrer à la production et à la gérance d'artistes. Elle vit d'ailleurs une belle complicité avec Céline Dion et lui enseigne les rudiments de la mode, du maquillage, de l'élégance, tout en la conseillant dans ses rapports avec les gens des médias. Finalement, elle aura eu une grande influence dans la carrière de la chanteuse et lui aura donné confiance en ses moyens.

Mais personne n'a été dupe de la manœuvre de René, qui tenait à mettre sa protégée à l'abri de ses créanciers.

Le troisième album est enregistré à Paris et à Longueuil à l'été 1982, et Eddy Marnay est fier de son travail. Il a longuement observé Céline chez elle avec sa famille, ses amis, et il a même plongé dans ses souvenirs pour composer des chansons faites sur mesure pour elle. Cette fois, le milieu de la chanson française est plus accueillant. On est tellement impressionné par la qualité de la chanson *Tellement j'ai d'amour* qu'on choisit Céline Dion pour représenter la France au fameux concours Yamaha de Tokyo. Angélil a peine à y croire.

Il a été le manager de Ginette Reno, qui a remporté le concours Yamaha en 1972. Il s'est par la suite occupé de la carrière de René Simard, qui a remporté à son tour le concours Yamaha en 1974, et voilà qu'à la fin d'octobre 1982 Céline Dion chante devant un auditoire de 12 000 spectateurs à Tokyo. Jamais elle n'a chanté devant un public aussi nombreux. René attend le verdict. Il est calme, dévorant des yeux, comme il le fait toujours, la jeune fille qui est en train de jouer sa réputation, son avenir, sa vie. À lui ou à elle ? C'est tout comme. Ils sont déjà soudés par le destin. René a demandé qu'on lui apporte le téléphone et, couvrant les applaudissements de la foule en délire, il annonce à Eddy Marnay que Céline a gagné le concours Yamaha, ex-æquo avec le chanteur mexicain Yoshio. En prime, la chanteuse a remporté le prix spécial des soixante-deux musiciens.

Comme le disait souvent Félix Leclerc : « Les artistes québécois ont besoin de la signature de l'étranger. » Voilà que Céline obtient la signature des Japonais, qui l'ont reconnue parmi plus d'un millier de candidats.

Il n'en fallait pas plus pour que le Québec l'adopte instantanément. En novembre 1982, elle fait la manchette de tous les journaux, alors que le Québec la découvre. Même le Premier ministre tient à la rencontrer personnellement. Enfin René a gagné. C'est la première d'une série de victoires.

Il lance le troisième album de Céline, *Tellement j'ai d'amour*, et, en peu de temps, le chiffre des ventes dépasse les 150 000 copies. Mais la France boude. Le premier album, *La Voix du bon Dieu*, n'a jamais été lancé là-bas, les singles qu'on a tenté de faire jouer à la radio n'ont pas tourné et le triomphe de la chanteuse québécoise à Tokyo n'a pas impressionné les Français. Heureusement, elle est choisie pour représenter le Canada au MIDEM en janvier et, par la suite, elle est invitée à l'émission de Michel Drucker, *Champs-Élysées*. Cette fois, René est nerveux. Plus que jamais. Céline doit chanter *D'amour et d'amitié* ; quatorze millions de téléspectateurs la verront et l'entendront pour la première fois.

Céline est encore maladroite, pas tout à fait dégrossie, mais elle séduit Drucker, cet ami des Québécois, qui dit après l'avoir entendue : « Retenez ce nom, Céline Dion. Elle ira loin. » Il n'en fallait pas plus pour qu'elle atteigne le palmarès en vendant 300 000 copies de *D'amour et d'amitié* en France.

Si plusieurs observateurs estiment qu'elle a déjà réussi sa percée en France et que l'argent va pleuvoir sur ses quinze ans, René voit les choses autrement. En refusant de céder une partie de la gérance aux producteurs de là-bas et en investissant lui-même dans l'aventure française, il ne s'est pas enrichi, loin de là. Il a respecté ses engagements en offrant à Céline et à son entourage tout le luxe et le confort dont ils avaient besoin, et il a investi tout ce qu'il avait dans la promotion de son artiste à Paris. Ironie du sort, alors qu'elle est en pleine ascension en France et qu'elle est devenue en moins de deux ans une immense vedette au Québec, René Angélil se voit forcé de déclarer une faillite personnelle de 257 510,46 $ le 23 janvier 1983.

On comprend mieux alors pourquoi il a placé la compagnie TBS au nom d'Anne Renée. Cette compagnie n'a contracté aucune dette et n'est pas liée à René Angélil, qui n'est que l'employé bénévole de son épouse, travaillant symboliquement pour un salaire de 60 $ par semaine.

Au cours de cette même année, les succès de Céline s'accumulent. Elle présente d'abord à la Place des Arts son spectacle, qui sera le premier produit au Québec par l'Association de la fibrose kystique. René tient à ce que la population sache que la nièce de sa protégée, Karine, souffre de cette maladie. Ce drame touche Céline. René veut que les fans de la chanteuse partagent sa douleur et participent à son combat pour la survie de l'enfant.

Elle donne un récital par la suite au lac des Dauphins, au parc d'attractions de la Ronde, à Montréal, devant 45 000 personnes. Elle développe, grâce à cet événement, une grande complicité avec son public. Elle apprend à composer avec les médias et à donner les bonnes réponses, en évitant les pièges des journalistes.

« Je suis des cours privés parce que les études, c'est important. Aussi important que mon métier de chanteuse. » En réalité, Céline est obnubilée par sa nouvelle carrière ; elle ne s'intéresse aucunement à ses études, mais se garde bien de révéler le fond de sa pensée, pour ne pas provoquer de remous. Surtout pas de remous. C'est ce que René lui a appris.

Belle surprise dans le clan Angélil, Pathé Marconi remet à Céline Dion un disque d'or pour la vente de 500 000 exemplaires de sa chanson *D'amour et d'amitié* et un autre disque d'or pour les 50 000 albums de *Tellement j'ai d'amour pour toi*. En septembre, Radio-Canada lui consacre une émission spéciale et l'année s'achève avec quatre félix qu'on lui remet au gala de l'ADISQ, pour le microsillon de l'année, l'interprète de l'année, l'artiste s'étant le plus illustrée hors du Québec et, évidemment, la révélation de l'année.

37

Étrange faillite

Les succès de Céline font le bonheur de sa famille et de son entourage mais intriguent drôlement ses débiteurs, dont la Banque de commerce canadienne impériale. L'inspecteur adjoint au service des créances spéciales de cette banque, Gilles Gaigle, fait parvenir aux syndics Samson Bélair une lettre dans laquelle il fait part des observations suivantes:

«Lors de la première assemblée des créanciers, M. Angélil indiquait qu'il n'était pas à l'emploi des Productions TBS inc. (compagnie appartenant à son épouse), mais qu'il rendait des services bénévoles et qu'il n'avait aucune rémunération. Entre sa cession et la première assemblée, M. Angélil a effectué un voyage en Europe pour soi-disant accompagner son épouse qui serait la gérante de Céline Dion. Et, comme par hasard, cette jeune fille déclarait à une émission de télévision (celle de Michel Jasmin) que René Angélil était son gérant. De plus, tous les frais du voyage ont été à la charge de Productions TBS inc. Actuellement, le salaire de 60 $ par mois de M. Angélil est payé par voie de chèque par son épouse Anne Renée. À notre avis, M. Angélil utiliserait son épouse pour signer les chèques et autres documents, mais serait en fait le moteur des Productions TBS inc., pour frustrer ainsi ses créanciers de sommes importantes. De plus, lors d'un interrogatoire selon l'article 543 C.P.C., qui eut lieu fin octobre et début novembre 1982, M. Angélil déclarait travailler pour les Productions TBS inc., et qu'il ne recevait aucun salaire et lorsque Me Pierre Audet, de l'étude Baker, Nudlmasn et Lamontagne, tenta de faire évaluer par la cour la rémunération de M. Angélil, celui-ci fit cession de ses biens. En novembre 1982, un article de journal indiquait que M. Angélil était le gérant de Mlle Dion et qu'il l'avait accompagnée à un festival de Tokyo.»

Ce document ne laisse plus beaucoup de doutes sur la manœuvre de René Angélil. Et, en toute logique, comment pouvait-il agir autrement? Si la banque estimait qu'il était insolvable alors qu'il désirait effectuer un emprunt de 50 000 $ pour payer les coûts de l'enregistrement du premier album de Céline Dion, comment pouvait-il par la suite investir dans la promotion de l'artiste en Europe et soutenir financièrement l'entourage de celle-ci?

En réalité, René Angélil n'a pas hypothéqué sa maison pour lancer la carrière de Céline Dion, mais il a fait beaucoup mieux : il a investi des sommes qu'il ne possédait pas, et il a surtout hypothéqué sa réputation dans le milieu des affaires. Si Céline n'avait pas réussi aussi rapidement à s'imposer dans le show-business, René Angélil aurait été à l'index de toutes les banques du Québec.

Encore là, il s'entête. Alors qu'on lui propose, en 1983, des contrats lucratifs qui atteignent jusqu'au quart de million de dollars pour une grande tournée de Céline, voilà qu'il refuse. Et pourtant il aurait, à court terme, épongé bon nombre de créances avec une pareille somme. Mais Angélil ne pense qu'au long terme lorsqu'il s'agit de la carrière de sa protégée.

«Elle n'est pas encore prête», tranche-t-il.

Céline participe à quelques émissions de variétés, donne quelques spectacles, mais sa carrière est embryonnaire. La jeune fille de quatorze ans est encore à l'école du show-business. René lui apprend tout ce qu'il sait du monde du spectacle. Non seulement lui raconte-t-il ses propres expériences dans ce milieu, mais il lui fait connaître la vie des grandes stars de la chanson et du cinéma. Il aime lire les biographies des vedettes de son époque et il est toujours doué d'une mémoire remarquable. Il lui livre les détails de la vie intime et professionnelle des Elvis Presley, Frank Sinatra, Barbra Streisand et beaucoup d'autres artistes célèbres que Céline côtoiera plus tard.

Peu à peu, il forme sa protégée par de longues conversations autour de la table des Dion ou dans le salon. René est pratiquement un membre de la famille et se comporte comme s'il était chez lui dans la petite maison de Charlemagne.

La mère de Céline a décidé d'accompagner sa fille dans tous ses déplacements depuis que le *Vieux Baril* a été la proie des flammes.

La compagnie d'assurances lui avait payé un bon montant pour les pertes encourues et Mme Dion s'était retirée des affaires. Elle avait accompagné Céline à Paris et à Tokyo avec un plaisir manifeste. Céline étant mineure, sa mère acceptait avec plaisir de jouer le rôle de chaperon.

La jeune fille confie à sa mère qu'elle a des flirts, entre autres un certain Sylvain, un garçon de son âge un peu timide qui demeurait dans la région de Charlemagne, et le joueur de hockey Gilbert Delorme. René Angélil ne semble pas favorable à ce qu'elle fréquente les garçons, non pas parce qu'il a des intentions secrètes, mais parce qu'il ne peut accepter qu'elle soit distraite de sa carrière par quoi que ce soit.

Inutile de fouiller dans son inconscient et de lui imputer de sombres intentions. Cet homme qui a connu et séduit de très belles femmes ne peut pas être attiré par une fillette de quatorze ans en pleine croissance et fort peu avantagée physiquement. René est cependant obsédé par sa découverte. Il ne parle, ne vit, ne rêve que de sa carrière. Sa ferveur est touchante et, avec les médias, c'est souvent lui qui s'impose devant les journalistes et qui la loue outrageusement. Écrasée par tant de compliments, elle contredit son imprésario, affirme qu'elle n'est pas si phénoménale. Il la gronde : « Écoute, Céline ! Tu ne dois pas te rabaisser devant les journalistes. Il ne faut jamais avoir peur de les éblouir, de les impressionner… Laisse-moi faire et fais comme si tu n'entendais pas ce que je dis. »

La jeune fille a compris et n'intervient plus. Il lui a fait doucement cette remarque. Cet homme qui s'emporte si facilement parfois ne hausse jamais le ton devant elle. Les reproches sont formulés sur le ton de la confidence et il initie sa protégée aux rudiments du show-business avec une patience qu'il ne se connaissait pas. Il sait très bien qu'elle est encore timide, complexée par un physique qu'elle estime ingrat, et qu'elle manifeste toute la bonne volonté du monde. Voilà la perle. Très peu de jeunes artistes résistent aux démons qui accompagnent les premiers succès. Beaucoup deviennent insupportables, capricieux, imbus d'eux-mêmes et sombrent, même à un très jeune âge, dans les abus de toutes sortes, que ce soit la drogue ou l'alcool. Ils deviennent indisciplinés et se révoltent contre leur entourage.

Ce qui n'est absolument pas le cas de Céline, qui est une jeune adolescente simple, saine, ambitieuse, rigoureuse et presque athlétique.

Elle rêve également, seule dans sa chambre. Elle écoute alors de la musique américaine. Elle adore Michael Jackson, les Bee Gees, Boy George et les nouveaux groupes anglais. Elle regarde les émissions de variétés provenant des États-Unis et, même si elle ne parle pas encore anglais, c'est un monde qui l'attire, qui la fascine. En voyant les chanteuses à la remise des oscars ou aux fameux emmys, elle dit à René qu'elle voudrait en être un jour. Elle rêve d'une carrière américaine.

René l'écoute avec plaisir et se demande si elle n'est pas encore plus folle que lui. Bien sûr, lui aussi rêve d'une carrière aux États-Unis, mais ils sont puissants, les Américains, et n'ouvrent pas facilement leur marché.

René pense qu'il est plus sage de concentrer tous les efforts sur l'Europe pour l'instant. D'abord la France, puis l'Allemagne, qui est, selon lui, la clé. Le pays est accueillant, riche – le mark est une devise sûre –, et c'est le pays du show-business européen.

En 1984, elle enregistre à Paris et au studio Saint-Charles, de Longueuil, un autre album, intitulé *Mélanie*, toujours avec la complicité d'Eddy Marnay, qui n'écrit plus que pour elle. On dispose d'énormes moyens pour cet enregistrement. La qualité technique est impressionnante et la popularité de Céline en France ne cesse de grandir.

À Montréal, on prépare un événement important qui aura lieu au Stade olympique. Plus de 60 000 jeunes assisteront à un spectacle grandiose en présence du pape Jean-Paul II.

Pour l'occasion, Paul Baillargeon a composé une chanson de circonstance, sur des paroles de Marcel Lefebvre, qui célèbre l'amour et la paix dans le monde : *Une colombe*. On cherche un ou une interprète qui représente la jeunesse québécoise. On songe d'abord à René Simard, puis à Martine Saint-Clair et à une certaine Martine Chevrier.

Je connais fort bien Martine Chevrier pour avoir assisté à son tout premier spectacle, à l'hiver 1984, au Théâtre Malenfant. Cette jeune artiste de quinze ans est venue me rencontrer dans l'impressionnant édifice de *La Presse p*our me demander de faire la critique de son spectacle intitulé *Noir et blanc*. C'est son père, un ingénieur à l'emploi d'Hydro-Québec qui a produit le premier spectacle de sa fille. Sur scène, elle est étonnante, et je signe une critique dithyrambique, alléguant que cette jeune fille a tout pour réussir. Peu de temps après, elle enregistre un premier album et recevra le félix de la découverte de l'année au gala de l'ADISQ. Je me souviens encore d'une remarque provenant d'une personne de l'entourage de Martine Chevrier après ce fameux spectacle : « On croit savoir que René Angélil est venu espionner le spectacle de Martine et qu'il a, curieusement, fait chanter à Céline les mêmes chansons que Martine. »

Celle-ci interprétait un extrait de l'opéra *Carmen*, ainsi que la chanson *Fame* et, effectivement, j'ai entendu Céline interpréter les mêmes pièces peu de temps après. Une coïncidence ? Pur hasard ? J'en sais rien. Je sais cependant que Céline Dion habite Charlemagne et que Martine habite tout près, à Terrebonne, et que René ne néglige aucun détail de la carrière de sa protégée. Il surveille la concurrence de très près et il s'inquiète même de la popularité de Nathalie Simard, la vedette de son ami Guy Cloutier.

Il est à Paris lorsqu'il apprend qu'on a finalement choisi Céline Dion pour interpréter *Une colombe* au Stade olympique. Intérieurement, il jubile. Extérieurement, il demeure calme et demande à entendre la chanson de Baillargeon et Lefebvre. Quelques jours plus tard, il accepte au nom de sa chanteuse et « reçoit comme un honneur cette invitation pour aller chanter devant le pape ».

Il ne pouvait espérer mieux. Il se souvient de l'une des premières prestations de Céline, qui avait chanté les hymnes nationaux dans ce même stade avant un match des Expos, et voilà qu'elle y retournera, devant le pape et aussi devant des millions de téléspectateurs du monde entier. Quelle vitrine ! pense-t-il.

Lorsque René l'a découverte, la petite fille de Charlemagne venait tout juste de laisser tomber ses poupées. À douze ans, Céline fait ses débuts à la télévision québécoise, à quinze ans, on la choisit pour chanter devant le pape, et à seize ans, elle fait sa première apparition à la télévision française avec Michel Drucker. Mais son destin est bien loin de ressembler à celui de la plupart des enfants stars.

Contrairement à plusieurs vedettes de renommée internationale, Céline est une femme saine et équilibrée qui mène sa vie d'artiste, d'épouse et de mère avec douceur et fermeté. Quant à son régime de vie, c'est celui d'une athlète ! Depuis son plus jeune âge, elle s'impose une solide discipline : conditionnement physique quotidien, nourriture saine, pas d'alcool, pas de cigarettes et encore moins de drogue. Aimée et aidée par son entourage tant familial que professionnel, elle a aussi pu compter sur René Angélil, qui l'a guidée comme un père l'aurait fait avec son enfant. Malheureusement, les jeunes stars n'ont pas toutes été choyées de la sorte !

Shirley Temple

Shirley Temple est née à l'ombre des studios, à Santa Monica, en Californie, le 23 avril 1928. Elle n'a pas encore quatre ans quand elle apparaît dans *Baby Burlesque*, où elle imite Marlène Dietrich et d'autres idoles de l'époque. Bien guidée par sa mère, Gertrude, qui verra à faire fructifier sa fortune, elle signe en 1934 un contrat à long terme avec la 20th Century Fox, qu'elle sauve de la faillite.

C'est la même Fox qui en 1940 lui montre le chemin de la sortie. Elle a douze ans, elle a renfloué les coffres du studio, mais elle est considérée comme une has-been dans une ville réputée pour rejeter ses artistes du jour au lendemain. Pendant son âge d'or, elle devient une institution nationale et reçoit un oscar spécial de l'Académie en reconnaissance de son apport au peuple américain et à la cinématographie.

Divorcée en 1949 de l'acteur John Agar après un mariage difficile, elle épouse l'homme d'affaires Charles Black l'année suivante. Sous le nom de Shirley Temple Black, elle entame une carrière politique, représente les États-Unis auprès de l'ONU en 1968, puis est nommée ambassadrice au Ghana de 1974, chef du protocole en 1976 et ambassadrice en Tchécoslovaquie en 1989. Elle a trois enfants.

Gary Coleman

Le minuscule Gary Coleman n'est pas sans rappeler le regretté Jackie Coogan, dont le personnage du Kid est entré dans la mémoire collective cinématographique. Coogan, une découverte de Charles Chaplin, amassa pendant les années vingt et trente une colossale fortune, rapidement dépensée par ses parents. Il les poursuivit en justice. De ses malheurs naquit le California's Child Actors Bill, communément appelé « The Coogan Act », qui empêche la répétition d'un tel abus.

Pourtant, même avec le Coogan Act, Coleman s'est plaint devant les tribunaux de la mauvaise gestion de ses parents et de ses comptables. Il est aujourd'hui sans le sou et travaille comme gardien de sécurité dans des studios qui refusent de l'engager comme acteur ou alors ne le font que très sporadiquement et dans des rôles essentiellement secondaires.

Né le 8 février 1968 à Zion, dans l'Illinois, Gary Coleman doit sa renommée à la série *Diff'rent*

Strokes (Arnold et Willie). Il y incarnait le sympathique Arnold face à un frère aîné campé par Todd Bridges. La série demeura à l'affiche de 1978 à 1986. À la fin de la saison 1985-1986, Coleman avait en banque un patrimoine de dix-huit millions de dollars. C'est du moins ce qu'il croyait. Il apprit plutôt qu'il était fauché et criblé de dettes. Il se rebella contre ses parents adoptifs et ses managers, qui furent condamnés à lui rembourser 3,8 millions. Il ne reste aujourd'hui plus rien de cette fortune et de cette gloire.

La série ne porta pas plus chance à Todd Bridges et à Dana Plato, ses deux partenaires immédiats. Plato et Bridges connurent des problèmes de dépendance à la drogue. Dana Plato est morte d'une surdose, le 8 mai 1999, à l'âge de trente-cinq ans. Bridges, trente-sept ans, un cocaïnomane repenti, travaille dans l'électronique, loin des studios qui ont failli causer sa perte.

Drew Barrymore

« Elle sera plus célèbre que ses illustrissimes parents », clame Steven Spielberg, son parrain, qui la lance dans son film culte, *E.T.*, et « elle est à n'en pas douter la meilleure actrice de sa génération », renchérit Francis Ford Coppola, qui rêve de la diriger dans un film qui fera d'elle une star à part entière.

Petite-fille du grand John Barrymore et de Dolores Costello, petite-nièce d'Ethel et Lionel Barrymore et fille de John Blythe Barrymore, tous acteurs, Drew Barrymore, née le 22 février 1975 à Culver City, a hérité de la fibre... et des travers des Barrymore, tous (à l'exception d'Ethel) alcooliques notoires.

Son talent, très vite reconnu, lui permet de jouer dans « la cour des grands », et, à leur contact, elle s'étourdit dans les boîtes à la mode et développe une dépendance à l'alcool et à la drogue. Alcoolique à douze ans et cocaïnomane à treize ans, elle publie son autobiographie à quatorze ans. On la retrouve, quelques années plus tard, nue dans les pages du magazine *Playboy*, à un moment où elle reconnaît sa bisexualité. Parallèlement, elle joue dans des films d'une valeur souvent médiocre, sauvés parfois par son talent indiscutable. À sa casquette d'actrice, elle vient d'ajouter celle de productrice. C'est elle qui est à l'origine de *Charlie's Angels* et de *Charlie's Angels 2*.

« La plus fiable des actrices », comme la décrit le réalisateur Mike Nichols, est aussi la plus instable. Le prouvent son premier mariage, avec le cabaretier Jeremy Thomas, qui dura à peine un mois, soit du 20 mars 1994 au 28 avril de la même année, et sa seconde union, avec le fantaisiste canadien Tom Green, qui s'étira seulement du 7 juillet 2001 au 17 décembre 2001 seulement.

Michael Jackson

Que voilà un déclin que personne ne souhaite à Céline Dion! Idole parmi les idoles, Michael Jackson, qui se proclama lui-même « The King of Pop », est aujourd'hui une star déchue. Le plus doué des enfants Jackson et la vedette par excellence des Jackson 5 voit le jour le 29 août 1958, à Gary, dans l'Indiana. Il n'a pas six ans quand son père forme un groupe familial qui aura un immense succès. Mais Michael s'aperçoit très vite que ses frères le briment dans son évolution personnelle.

Il entreprend une carrière de soliste et touche littéralement le sommet avec *Thriller*, un album vendu à plus de 46 millions d'exemplaires, un record de tous les temps, que suivent *Dangerous*

(30 millions) et *Bad* (30 millions). Au milieu des années quatre-vingt, il est aussi populaire que l'était Elvis Presley à son apogée. Au firmament des étoiles, comme l'observait l'un de ses critiques, « il était la plus haute et la plus distante. Ne lui restait plus qu'à descendre... ».

Cette descente aux enfers est amorcée par une poursuite pour grossière indécence sur laquelle tout a été écrit ou presque. Il protestera toujours de son innocence, mais réglera hors cour pour une somme avoisinant les dix-huit millions de dollars. Il reconnaîtra à la même période une accoutumance aux analgésiques qui le mènera dans une clinique londonienne, et il perdra alors la plupart de ses commandites.

Il y aura ensuite son mariage blanc avec Lisa Marie Presley, la fille du King, en date du 18 mai 1994, puis cet autre mariage, avec une infirmière du nom Debbie Rowe, le 15 novembre 1996, qui produira deux enfants. Ils sont divorcés depuis octobre 1999.

L'album *HIStory*, qui vient après un long silence, ne fracasse aucun record, ne dépassant pas le cap des 10 millions d'exemplaires vendus. Un bide cuisant pour lui. Quant à sa dernière production, au titre provocateur et résolument discutable de *Invincible*, elle annonce des chiffres de quatre millions d'exemplaires vendus. Un nouvel échec monumental.

Plutôt que de reconnaître son erreur ou que le goût du public a changé, il préfère imputer le blâme à Sony Music et s'en prendre à son président, Tommy Motolla, qu'il traite de machiavélique, de raciste et de bandit.

En novembre 2002, Michael Jackson n'est plus que l'ombre de lui-même. Il a décidé de mettre sa carrière de chanteur et de performer en veilleuse. La construction de parcs thématiques pour enfants qu'il avait entreprise est interrompue, faute de bailleurs de fonds. Il doit plus de 200 millions de dollars à Sony Music. Il montre de l'intérêt depuis cinq ans pour le cinéma, mais aucun de ses projets n'a abouti pour l'instant. Michael Jackson, l'idole à la main gantée, comme le surnomment ses fans, ou Wacko Jacko, comme l'appellent ses dénigreurs, est sur le déclin. Sa remontée sera difficile, mais elle n'est pas impossible.

Macaulay Culkin

Né à New York le 26 août 1980, Macaulay Culkin doit son succès à un rôle, celui de Kevin McAllister, et sa fortune à un manager impitoyable, son père, Kit Culkin, un acteur raté. C'est en effet en campant l'imaginatif Kevin McAllister (sorte de Denis la Menace) dans *Home Alone* (*Maman j'ai raté l'avion*, 1990) que le jeune Culkin sort de l'ombre et s'impose sous toutes les latitudes.

Il a pour manager son père Kit, qui, conscient de la valeur de son fils, se montre impitoyable avec les producteurs. Il demande cinq millions de dollars pour *Home Alone 2* et finit par les obtenir. Il réclame douze millions pour *Home Alone 3*, qui se fera finalement sans Macaulay.

La guerre est alors déclarée entre Kit Culkin et Hollywood, et c'est Macaulay qui en souffrira le plus. Richie Rich, tourné en 1994, sera suivi d'une éclipse de huit ans.

Que s'est-il donc passé pour que le jeune Culkin soit interdit de tournage pendant huit ans ? Il a souffert, il est vrai, de la tyrannie de son père, mais il a aussi perdu cette pureté, cette candeur et cette naïveté qui avaient tant ravi le public. Pour les producteurs et le public, Macaulay Culkin n'était plus Kevin McAllister. Son cas n'est pas unique.

Les parents de Macaulay se sont séparés en 1997 et il a congédié son père. Il a épousé, le 22 juin 1998, la jeune actrice Rachel Miner, dont il a divorcé le 5 août 2000. Il est revenu à la scène en 2001, dans *Madame Melville*, à Londres, et a repris le chemin des studios en 2002 pour défendre un rôle très antipathique dans la dramatique *Party Monster*, afin de prouver qu'il n'est pas l'homme d'un seul rôle.

JEAN BEAUNOYER

38

1984

Le Québec est en fête et en pleine éclosion en 1984. On parle maintenant affaires, après avoir parlé politique. À défaut d'avoir un pays, on aura à tout le moins la prospérité, et les entreprises se multiplient. «Québec libre!» a fait place à «Québec inc.» et, dans le monde du spectacle, de jeunes entrepreneurs rivalisent d'originalité et d'audace en créant de spectaculaires événements artistiques. Alain Simard fonde le Festival international de jazz de Montréal, Gilbert Rozon va chercher Charles Trenet pour lancer son premier festival Juste pour rire et, à Québec, on célèbre le 350ᵉ anniversaire de la venue de Jacques Cartier. De plus, on attend de la grande visite chez nous alors que, en plus du pape Jean-Paul II, Michael Jackson, la vedette la plus populaire du monde, viendra avec ses frères présenter son spectacle *Mystery Tour*, toujours au Stade olympique.

René Angélil choisit le mois d'août pour lancer l'album *Mélanie*, alors que les festivités vont bon train à Montréal et surtout à Québec.

On a longuement préparé cette grande aventure de Québec 1534-1984. Tout le monde voulait en être : artistes, producteurs, promoteurs, hommes d'affaires et inventeurs. Tous croyaient faire fortune et participer à un événement sans précédent au Québec. Les chanteurs déchanteront, les producteurs y perdront, les hommes d'affaires se feront défaire mais Céline Dion y gagnera. René Angélil a pensé qu'il était temps que sa protégée participe à de grands événements et c'est pourquoi il a accepté de présenter Céline sur la grande scène du Vieux-Port. Le moment est on ne peut mieux choisi pour lancer la jeune chanteuse de seize ans dans l'arène du spectacle. Après la sortie de l'album et avant sa participation à la célébration de la fête de la jeunesse, au stade, Céline est prête pour un premier grand concert, parmi les grands du show-business.

Dans le cadre des festivités du 350e, on a même ressuscité le groupe le plus populaire des années soixante-dix, Beau Dommage. Il s'agit de l'événement le plus attendu des festivités.

Pendant ce temps, des amuseurs publics organisent un spectacle de cirque. Des clowns, des jongleurs et des acrobates provenant du Club des talons hauts de Baie-Saint-Paul ont organisé, dans le cadre des fêtes, une tournée provinciale nommée « Le Grand Tour ». Avec, à leur tête, Guy Laliberté, le groupe d'amuseurs publics visite quarante-huit villes, depuis Gaspé jusqu'à Montréal, en passant, bien sûr, par Québec. Beau succès bien sympathique, mais rien de comparable à la prestance des grands du show-business du Québec. Et c'est ainsi, bien humblement, qu'on assiste à la naissance du Cirque du Soleil. Céline et le Cirque du Soleil n'ont absolument rien en commun. Un jour, ils se retrouveront, au bout de vingt ans, à Las Vegas. Pour l'instant, René n'a aucun intérêt pour ces acrobates qui marchent sur des échasses. Il est préoccupé par un spectacle qui sera le plus important de la jeune carrière de Céline.

Il ne veut absolument pas rater cette occasion de faire valoir sa protégée et il décide d'investir considérablement dans ce spectacle, en retenant les services de vingt-trois musiciens et quatre choristes. Jusqu'ici, il avait refusé les grandes tournées, les grands concerts et les trop longs voyages. Il avait enseigné à la jeune chanteuse les rudiments du métier, il avait critiqué chacune de ses prestations dans de petites salles ou dans des spectacles bénéfices auprès d'un auditoire gagné d'avance. Maintenant, c'est à elle de jouer.

Elle joue si bien qu'elle enflamme une foule record de 40 000 personnes agglutinées dans les estrades du Vieux-Port. Près de 10 000 spectateurs de plus que ceux qui ont assisté au retour de Beau Dommage. La critique parle de sa meilleure performance sur scène.

René Angélil a perdu un bon montant d'argent dans cette entreprise, mais cela lui importe peu. Céline a triomphé, sa popularité a augmenté et son plan a fonctionné.

Cette période est particulièrement fiévreuse et les événements ne cessent de se bousculer. Sortie de l'album, spectacle mémorable au Vieux-Port de Québec, spécial télé sur Céline prévu pour l'automne, le spectacle pour le pape au stade, spectacle à Paris… Tout sourit à

Céline et à René. Il y aura cependant un prix à payer. Une femme hurle au bout du fil et reproche à son mari de la négliger ainsi que ses deux enfants. Anne Renée ne voit pratiquement plus son mari, qui est totalement absorbé dans le travail. Le ton monte entre les deux époux. Elle ne comprend pas que son mari vit les plus beaux moments de sa carrière d'imprésario, qu'il est en train de remporter son pari et de faire connaître Céline au monde entier. Cette femme délaissée ne comprend pas et ne veut pas comprendre. Tout ce qu'elle sait, c'est qu'elle va perdre l'homme qu'elle aime, le père de ses enfants.

Pendant ce temps, René regarde Céline s'avancer sur l'immense terrain du Stade olympique et sa voix s'élève au-dessus de 65 000 jeunes catholiques réunis pour l'occasion. C'est avec des larmes qu'elle interprète *Une colombe*. Vêtue de blanc, vierge, pure, innocente, telle est l'image qui restera gravée dans l'imaginaire des Québécois.

En cette fin d'année 1984, l'image de Céline est associée au pape, à la pureté et au sport. On la voit souvent photographiée avec l'athlète olympique Sylvie Bernier, qui a remporté une médaille d'or en plongeon aux Jeux olympiques de Los Angeles. René est satisfait. Maintenant, il reprend l'offensive sur la France. Céline quitte donc le Québec le 15 octobre pour la plus grande entreprise de séduction de sa jeune carrière alors que René rêve de la propulser au rang des grandes vedettes. Les succès obtenus au Vieux-Port de Québec, sa prestation au Stade olympique devant le pape et la promotion de l'album *Mélanie* en France l'incitent à tenter un grand coup.

Mais il n'y a pas que René qui soit impliqué dans ce projet d'envergure. La maison Pathé Marconi investit son plus gros budget de la saison pour promouvoir l'album et présenter une série de spectacles. La porte est grande ouverte sur Paris et René opte finalement pour la première partie du spectacle de l'humoriste et chanteur Patrick Sébastien à l'Olympia de Paris. Toujours accompagnée de sa mère, Céline devra demeurer en France pendant deux mois.

«On nous a offert de la présenter en vedette principale à Paris, mais nous ne voulons pas brûler les étapes et nuire à sa carrière, explique Angélil aux journalistes. Il s'agit de procéder progressivement afin de ne pas la brûler dès le départ. Pour vous dire la vérité, on nous a offert beaucoup d'argent pour un show en solo ou en compagnie de grandes vedettes mais l'argent, ce n'est pas tout ce qui compte. »

Angélil sait fort bien que les fans de Johnny Halliday ou de Julien Clerc sont impatients de voir leur idole, allant même jusqu'à la réclamer pendant la première partie du spectacle en se fichant complètement de l'artiste qui se trouve sur scène. Jamais René n'aurait accepté une telle humiliation. Patrick Sébastien ne casse pas la baraque et ne provoque pas d'émeutes. Pour sa part, Céline se tire fort bien d'affaire pendant son engagement à Paris et apprend encore patiemment le métier. Toutefois, cette aventure ne sera pas déterminante. On ne peut pas parler d'un échec, mais elle n'est pas encore devenue une vedette en France. Pourtant, on avait misé gros. René tentera de minimiser l'affaire en parlant d'une « étape nécessaire dans sa carrière, d'un apprentissage de la scène parisienne », mais, en réalité, ça ne fonctionnait pas aussi bien que prévu avec les cousins d'outre-Atlantique.

39

La série noire

Sans que personne, de René Angélil ou d'Eddy Marnay, sache exactement pourquoi, la popularité de Céline Dion s'estompe en Europe à la fin de l'année. Elle a vendu près d'un million de disques en Europe jusque-là, puis, subitement, les ventes chutent dramatiquement. Que se passe-t-il? Eddy Marnay, qui touche des droits d'auteur fort appréciables à titre de compositeur, s'inquiète. René fait mine d'ignorer la situation et se concentre sur la première grande tournée qu'on prépare au Québec. Heureusement, la popularité de l'artiste ne se dément jamais dans son pays d'origine.

Mais René est conscient de la situation. S'il peut facilement endormir et contrôler les médias, il sait bien dans son for intérieur que son «plan de match», selon l'expression qu'il aime bien utiliser, a connu des ratés en France, en Suisse, en Belgique et également en Allemagne. Il comptait bien passer par l'Europe pour conquérir le marché américain, mais il n'en sera pas ainsi. Que faire? Rien ou presque. D'abord revenir au Québec et entreprendre une longue tournée, puis attendre.

Il met ainsi en pratique sa philosophie de la vie, qui s'inspire largement de celle qu'il applique au jeu. Il en a d'ailleurs souvent fait état à des journalistes et à son biographe Georges-Hébert Germain.

«Au jeu comme dans la vie, il y a des séquences positives et des séquences négatives. Lorsqu'on se retrouve dans une passe positive, il faut miser gros, investir, travailler et profiter au maximum de la chance. Au contraire, lorsqu'on traverse une mauvaise passe, il faut miser peu ou pas, se retirer et attendre la fin de la tempête. Un malheur ne vient jamais seul, ni un bonheur.»

Cette théorie est défendable, mais il s'agit de déterminer quand débute une séquence positive, ou négative, et quand elle s'arrête. C'est peut-être là que se situe le talent de René, qui sait reconnaître le moment où le vent tourne.

Les incidents qui suivent la «tiédeur» européenne annoncent clairement une séquence négative dans la vie de René, qui durera quelques années. Une série noire, en quelque sorte, qui donnera l'occasion de saisir l'ampleur du personnage.

40

Encore Paul Lévesque

Comme la plupart des Québécois, Paul Lévesque a assisté à l'ascension fulgurante de la carrière de Céline Dion. En moins de trois ans, elle a conquis le Québec, elle s'est produite à Paris, a raflé de nombreux félix, a vendu plus d'albums que quiconque au Québec, et elle promet évidemment pour l'avenir.

Son premier contrat avec elle remonte à 1980, et il avait conclu une entente avec René Angélil en 1982 qui lui permettait de toucher 6,5 % des cachets en cédant son droit de gérance. Il se demande subitement, en novembre 1984, s'il n'a pas commis l'erreur de sa vie en abandonnant ses droits sur la chanteuse la plus prometteuse du Québec.

Lévesque se sent lésé par cette entente qu'il a signée sous une certaine contrainte et il décide, le 9 novembre 1984, de faire parvenir, par l'entremise de son avocat, Jean-Jacques Beauchamp, une mise en demeure à la compagnie TBS et à son président René Angélil.

L'avocat exige tous les documents confirmant les engagements de Céline Dion depuis l'entente de 1982 entre les Productions TBS et Paul Lévesque, et met en doute l'authenticité du contrat liant TBS et la corporation des Fêtes du 350e anniversaire. Le cachet de 7 500 $ accordé à Céline Dion ne satisfait pas l'avocat, qui ajoute qu'il n'a pas reçu copie de contrats de nombreux engagements à la télévision et dans des centres commerciaux. Il va encore plus loin en contestant le droit de gérance de René Angélil. Une injonction est émise et les parties se retrouvent devant les tribunaux.

Étrangement, aucun média ne fait état de cette poursuite judiciaire. Paul Lévesque demeure inconnu du public, qui ignore toujours qu'il a été le premier imprésario de Céline Dion et qu'il conserve un lien étroit avec la chanteuse, puisqu'il touche un pourcentage sur tous ses cachets. Mais, justement, il estime qu'on lui ment au sujet des cachets et qu'on trafique les rapports financiers qu'on lui remet. En d'autres termes, il s'inquiète du fait que Céline, devenue une véritable star de la chanson au Québec, ne touche pas les cachets d'une vedette.

Avant la comparution de Paul Lévesque, le 4 janvier 1985, Thérèse Tanguay-Dion, sa fille Céline et René Angélil remettent des déclarations sous serment à la cour les 28 et 29 décembre 1984.

En résumé, Mme Thérèse Dion-Tanguay déclare : « [Paul Lévesque] n'a pratiquement rien fait suite à notre première rencontre et à la signature du contrat pour faire avancer la carrière de ma fille. […] Si Paul Lévesque devait reprendre la responsabilité de gérant de ma fille, j'ai à craindre que la carrière menée de main de maître par M. Angélil ne soit mise en péril. […] J'ai une totale confiance en M. Angélil qui a magnifiquement réussi là où M. Lévesque a échoué. »

Au sujet des cachets, Mme Dion ajoute : « Je confirme que les Productions TBS me font, sur une base régulière, rapport de toutes les activités professionnelles de ma fille Céline Dion, que ces rapports sont soumis par moi à mon comptable et que ce dernier prépare le rapport requis par la Curatelle publique afin que je les soumette à cet organisme à titre de tutrice de ma fille. »

La déclaration de Céline va dans le même sens que sa mère en précisant que « sans la présence de M. Angélil qui tient l'équipe autour de moi, cette équipe se déferait et, par le fait même, ma carrière en souffrirait ».

La déclaration de René Angélil est évidemment beaucoup plus détaillée et plus longue que celles de Thérèse et Céline alors qu'il répond point par point, en 87 articles, aux allégations de Paul Lévesque.

Retenons de ce document certaines précisions sur les montants consentis pour l'engagement de Céline Dion au Vieux-Port de Québec : « On a accordé aux Productions TBS 50 000 $ pour présenter les deux spectacles de Céline Dion dans le cadre de Québec 1534-1984. Ce spectacle a coûté aux Productions TBS inc. la somme de 46 954,60 $, incluant le cachet de Céline Dion (7 500 $), laissant un solde de 3 045,40 $. Après avoir payé les redevances sur 50 000 $ à Paul Lévesque, soit 3 125 $, TBS se retrouve avec un déficit de 79,60 $. »

Angélil poursuit en précisant qu'« un changement de gérance serait désastreux pour toutes les personnes intéressées » et, plus loin, il rassure Paul Lévesque en déclarant : « Les Productions TBS ont l'intention de respecter les engagements vis-à-vis de Paul Lévesque jusqu'à l'expiration du contrat, le 5 décembre 1985. »

Le 4 janvier 1985, Louis Crête, le brillant avocat choisi par René Angélil, défend si bien les Productions TBS qu'il réussit à confondre Lévesque, s'il faut en croire la transcription. Mais cela importe peu à René Angélil, qui tient absolument à mettre un terme à cette affaire. Il invite Lévesque à conclure un entente finale. Un arrangement à l'amiable, comme il a coutume de le faire, sans qu'aucun montant soit divulgué publiquement. Il tient d'abord et avant tout à éviter la mauvaise publicité qui pourrait entourer ce litige qui est demeuré secret.

Céline Dion en spectacle en décembre 1996.
(Photo : *La Presse*).

41

La tournée

Après avoir réglé définitivement ses problèmes contractuels avec Paul Lévesque, René Angélil respire un peu et s'attaque à une autre étape de la carrière de Céline : la grande scène et les tournées. Jusqu'à maintenant, elle a défendu des causes en chantant sur scène, par exemple celle de la fibrose kystique, dont est atteinte sa jeune nièce, et celle des employés de Québecair. Elle a aussi fait la promotion de la paix, de la liberté et de la jeunesse devant le pape. Maintenant, elle ne défendra plus qu'elle-même sur les scènes du Québec alors qu'elle entreprend une tournée le 26 mars 1985, qui la mènera dans vingt-quatre villes de la province pour se terminer dans la salle Wilfrid-Pelletier de la Place des Arts de Montréal, considérée aujourd'hui comme la salle de spectacle la plus prestigieuse du Québec.

Toujours aussi disciplinée, saine et énergique, elle se prépare soigneusement à cette astreignante tournée en suivant des cours de chant et de danse avec Peter George, et en menant une vie monacale. À seize ans, on ne la voit jamais dans les discothèques, dans des soirées avec des amis de son âge, sauf en de très rares occasions, et on remarque qu'elle est complètement subjuguée par son imprésario.

Aux journalistes qu'elle rencontre lors de la conférence de presse annonçant sa tournée, elle confie candidement : « J'avoue que j'aurais aimé faire vraiment de la scène pendant les quatre dernières années. Ça a été pour moi, un sacrifice incroyable de ne pas donner de spectacles, mais je suis consciente aujourd'hui que je n'avais pas tous les atouts nécessaires et je comprends mon gérant qui m'a imposé cette restriction. »

René, qui n'était pas très loin tandis qu'elle tenait ces propos, ajoute sans retard, toujours avec la même conviction, la même ferveur : « Jusqu'à maintenant, tous nos efforts ont été consacrés à la réalisation de ses disques. Nous cherchions une qualité unique et nous l'avons obtenue. Nous passons aux spectacles et, là aussi, nous visons la même qualité. Il y a deux ans, un producteur nous avait offert 350 000 $ pour cette tournée et nous avons refusé. Céline n'était pas prête. »

Un journaliste lui demande si elle poursuivra sa tournée en France. Il répond : « Il n'est pas question de présenter des spectacles en France pour le moment. Elle n'est pas encore prête pour la France et il faudra attendre un an, un an et demi. Ici, elle a sept microsillons alors que, là-bas, elle n'en a que deux. Mais ne vous impatientez pas. D'ici deux ou trois ans, elle sera l'une des grandes chanteuses du monde. »

Et voilà ! la grande prévision est lâchée en pâture aux journalistes ! Elle sera l'une des grandes chanteuses du monde. Plus tard, il dira qu'elle sera la plus grande chanteuse du monde. Et pourtant René n'a pas un sou. Il investit tout ce qu'il possède dans la carrière de son artiste fétiche sans penser à économiser. Qu'importe, elle demeure son atout majeur qui prend constamment de la valeur. C'est ainsi qu'un joueur raisonne en doublant constamment la mise. Bien sûr qu'il a acheté une maison à Laval pour loger convenablement sa femme et ses deux enfants et qu'il n'est plus à la merci de ses créanciers, mais il n'est pas question de faire fortune avec la carrière de Céline. Pas pour l'instant. Il veille sans cesse sur sa protégée comme s'il s'agissait d'un trésor. Il est ambitieux mais les proches de la jeune femme affirment qu'ils ont parfois l'impression qu'elle l'est encore plus que lui.

Déjà elle pense aux États-Unis et rêve d'une carrière comme celle de Michael Jackson, son idole. Elle veut faire du rock, de la musique un peu plus *heavy* en 1984. René prétend qu'il faut y aller plus doucement pour séduire tous les publics. Et il a raison, évidemment.

Entourée de huit musiciens et deux choristes sous la direction de Paul Baillargeon, elle entreprend une tournée qui remporte beaucoup plus de succès que prévu. On ajoute des supplémentaires et, plutôt que vingt-quatre représentations, elle en est à son quarante-deuxième spectacle en mai. La jeune chanteuse a changé. Des soins ont corrigé sa dentition et elle sourit maintenant franchement devant les photographes. Elle prend soin de son corps car elle veut être belle et elle dit pour la première fois à un journaliste qu'« une femme doit être sexy ». Ce n'est plus la jeune fille timide, fragile, trop pure qui chantait devant le pape.

L'expression ne lui a pas échappé. Céline ne s'échappe d'ailleurs jamais devant un journaliste, puisque René n'est jamais très loin et contrôle les entrevues. Avant les tournées médiatiques, le maître et l'élève discutent longuement et l'élève apprend ce qu'il faut dire et ne pas dire.

En spectacle, elle se démène, mord dans la musique et s'adresse maintenant à un public adulte.

René se souvient des succès de la précédente année, bien sûr, mais il se souvient aussi du mépris de l'intelligentsia québécoise à l'endroit de la chanteuse. En 1984, elle pleurait trop souvent, chantait trop fort, interprétait des chansons trop faciles, trop mièvres et, admettons-le bien franchement, elle était identifiée, par les gens branchés – les mêmes qui la célébreront une dizaine d'années plus tard –, au monde des chanteuses populaires, voire kitsch.

Étrangement, ce n'est pas tant Céline que René Angélil qui en souffre. Malgré les succès de sa protégée, il sait fort bien qu'elle ne fait pas l'unanimité, qu'on la juge trop commerciale et qu'il faut changer progressivement son image.

Il pense à sa carrière jour et nuit. Il est indéniablement obsédé par ce talent qui se développe devant lui, comme il peut l'être devant une mise gagnante lorsqu'il s'installe à une table de jeu. Il oublie tout le reste, c'est-à-dire sa femme et ses enfants.

42

Anne Renée déchante

Entièrement dévoué à la carrière de Céline Dion, René Angélil ne mentionne jamais, ou très rarement, le nom de sa femme, Anne Renée, pendant les entrevues. Et pourtant elle est officiellement présidente des Productions TBS et a travaillé très fort à forger l'image de la jeune chanteuse et à former sa personnalité. Avec le temps, les deux femmes sont devenues complices, amies, liées comme si elles étaient des sœurs. En 1985, cependant, Anne Renée a pris ses distances et se consacre à une autre vedette montante, Peter Pringle.

Canadien d'origine, Pringle atteint le sommet de sa popularité en 1985 grâce au travail acharné d'Anne. On le voit partout et ses albums se retrouvent sur la liste des meilleurs vendeurs au Québec. Homme de grande culture, il se distingue des autres vedettes de la musique pop en jouant de la harpe ou du luth en spectacle, et en s'exprimant en sept langues dont le japonais. L'homme cuisine à l'orientale, fréquente les musées d'art et pratique la méditation.

Tout comme René et Céline, Peter et Anne sont toujours ensemble. Déjà, les rumeurs courent dans le milieu alors qu'on insinue qu'ils sont amoureux.

Anne Renée a souvent réclamé à son époux un peu plus d'attention et surtout une plus grande présence à la maison. Mais il est pris dans un tourbillon incessant et sa femme réalise qu'elle n'a plus d'emprise sur lui. Elle s'accroche, le harcèle, lui fait des remontrances, mais l'homme n'entend rien : il joue, avec Céline, la carte la plus importante de sa vie.

Seule, négligée, elle se confie, non pas à Peter Pringle, mais à l'un de ses musiciens, Michel Fauteux, et tombe amoureuse de lui.

Michel Fauteux est batteur dans la formation qui accompagne Peter Pringle, mais il fait également partie du groupe de musiciens de Céline Dion. Fauteux est de cette race d'hommes libres, très souvent nomades, bons vivants et particulièrement charmeurs. Il est flamboyant, très jet-set, et Anne Renée éprouve une forte attirance pour lui.

J'ai rencontré Michel Fauteux alors que j'écrivais la biographie non autorisée de Céline Dion. Il n'était plus musicien et ne semblait pas en très bonne santé. Ce jour-là, il éprouvait le besoin de se débarrasser de souvenirs douloureux. J'avais l'impression d'être le thérapeute qui arrivait providentiellement dans sa vie.

« Je me souviens de la date, me dit-il, c'était le 21 février 1985, un soir après le spectacle de Peter Pringle. Nous étions en tournée dans une petite ville tranquille et Anne Renée, qui semblait déprimée, m'a fait des confidences et puis des avances. Elle se disait négligée par son mari. Pour parler bien franchement, je dois vous dire qu'elle ne m'intéressait pas à ce moment-là. Je sais que j'aurais pu résister, l'éviter, mais elle avait envie de s'envoyer en l'air, moi aussi, et puis... vous voyez ce que je veux dire.

« Nous nous sommes revus, aimés avec passion, et un jour, Peter Pringle nous surprend au lit. Je ne l'avais jamais vu dans cet état. Il hurlait comme un fou et je suppose qu'il pensait à René Angélil.

« Moi aussi, j'y pensais, et j'ai voulu jouer franc jeu avec lui. Je lui ai donné rendez-vous au mois de mars pour l'informer de la situation. D'abord, il n'a pas voulu me croire, pensant que c'était un mauvais gag, puis, constatant que c'était sérieux, il m'a dit que c'était fini à jamais entre lui et moi. Je voulais être honnête avec René, parce que c'est un homme que j'admirais et que j'ai toujours admiré. Il est un homme loyal, d'une grande droiture, extrêmement fidèle, en amour comme en amitié ».

Anne Renée, de son vrai nom Anne-Renée Kirouac, dépose une requête en divorce le 11 mars 1985. Elle demande d'abord la garde légale des enfants, Jean-Pierre et Anne-Marie. Elle veut une pension alimentaire de 1 800 $ par mois « que l'intimé est en état de payer » et une prestation compensatoire de 75 000 $ « en compensation de mon apport tant en biens qu'en services au patrimoine de l'intimé ».

Angélil est stupéfait, assommé, anéanti en prenant connaissance du document. Il ne comprend pas. Il a été trompé, trahi, et c'est elle qui veut le quitter ; c'est écrit noir sur blanc. Son univers s'écroule subitement : sa femme en aime un autre et c'est sérieux. Elle ne s'en cache pas, d'ailleurs, et confie même ses problèmes à la journaliste Claire Cyril : « Je ne pouvais être à la fois la femme et l'associée de mon mari. René ne voyait en moi que sa partenaire professionnelle. Les enfants n'ont jamais été habitués à être avec nous deux en même temps, car nous voyagions à tour de rôle pour affaires. »

Le principal intéressé n'est plus le même. Il est tellement préoccupé par ses problèmes de couple qu'il n'a plus le cœur ni l'esprit à son travail. L'album *C'est pour toi* n'est pas produit avec la même attention ni la même ferveur que les autres enregistrements de Céline. Cet album ne connaîtra d'ailleurs pas beaucoup de succès.

La tension monte et l'orage éclate entre les deux époux. La déchirure est vive et René n'accepte pas la situation. En plus d'être menacé de perdre son épouse et ses enfants, il craint de perdre aussi la compagnie TBS et… Céline Dion. N'oublions pas que TBS appartient à 100 % à Anne Renée et qu'elle dispose légalement de tous les pouvoirs. Il n'est qu'un employé qu'elle peut congédier à sa guise. Rien n'indique, sur papier, qu'elle nourrit cette intention, mais il redoute les réactions d'une femme amoureuse. Il n'a pas oublié qu'il a perdu Ginette Reno à cause d'un autre homme. Et puis il va perdre les enfants.

Que s'est-il donc passé le 12 mars 1985 ? Anne Renée le racontera, un peu plus tard, dans sa demande officielle de divorce.

« Après ma journée de travail, vers 15 h 30, je suis revenue à la maison, où se trouvaient la gouvernante et mes deux enfants. Ce n'est que vers minuit que l'intimé est entré, alors que j'étais couchée. Il m'a réveillée et a commencé une violente scène de ménage, en refusant totalement de me laisser dormir.

« Devant le harcèlement de plus en plus soutenu de l'intimé, j'ai dû téléphoner aux policiers, car je craignais des voies de fait perpétrés sur ma personne.

« Après une première visite des policiers, qui semblait avoir rétabli la situation, je suis retournée me coucher. Mais l'intimé a recommencé son harcèlement et sa violence, et s'est livré à des voies de fait sur ma personne en me frappant à plusieurs reprises, de telle manière que j'ai dû à nouveau faire appel aux policiers.

« J'ai donc dû quitter le domicile conjugal sous la protection des policiers vers 2 h 30, avec mes enfants, pour aller me réfugier au domicile de ma mère.

« Le 13 mars 1985, l'intimé s'est présenté, sans droit, au domicile de ma mère, pour tenter d'aller chercher les enfants. Ma mère, inquiète, a fait appel aux policiers peu de temps avant que j'arrive moi-même pour reprendre les enfants.

« J'ai réintégré, avec ceux-ci, le domicile conjugal, où se trouvait également la gouvernante, et ce, après que l'intimé m'eut promis de ne plus me harceler ou discuter avec moi.

« Or, malgré ces promesses, il n'a cessé de m'injurier, de me menacer, de m'intimider et de me faire subir de la violence psychologique, de telle manière que la vie commune était complètement impossible. »

Anne Renée déclare par la suite qu'elle était l'unique propriétaire des actions de la compagnie Les Productions TBS inc. Et, par une résolution du 30 mars 1984, elle avait engagé l'intimé, René Angélil, comme gérant à un salaire net de 500 $ par semaine.

« En mai 1984, stipule la demande, j'ai transféré, sans compensation monétaire, 51 % des actions ordinaires de la compagnie à l'intimé. »

Et nous voilà au 14 mars, alors que René Angélil connaît les véritables intentions de son épouse.

« Le 14 ou 15 mars, poursuit-elle, l'intimé, après m'avoir menacée de me faire perdre mes enfants, ma carrière et de détruire ceux avec lesquels je travaillais, m'a déclaré qu'il me retirerait unilatéralement le droit de signer des chèques de la compagnie et qu'il me retirait mon salaire.

« L'intimé m'a déclaré que, si je continuais les procédures de divorce, je me retrouverais à la rue, avec les enfants, car il était très simple pour lui d'incorporer une nouvelle compagnie, de s'octroyer un faible salaire et d'être ainsi incapable de payer une pension alimentaire.

« Après avoir demandé à mon procureur de suspendre les procédures, j'ai donc été m'établir ailleurs, sans mes enfants, qui ont continué à vivre avec une gouvernante et l'intimé dans l'ancien domicile conjugal qui était notre copropriété.

« Par la suite, l'intimé m'a forcée, sans aucune compensation monétaire, à transférer mon nom, par acte notarié, ma moitié indivise dans l'ancien domicile conjugal, alors que ledit immeuble avait été acquis peu de temps après que l'intimé eut fait une faillite personnelle.

« De plus, l'intimé a exigé que je lui transfère toutes les actions de la compagnie Les Productions TBS inc., sans aucune compensation monétaire, et ce, malgré le fait que ladite compagnie avait un contrat de gérance avec l'artiste québécoise Céline Dion et, en conséquence, produisait des revenus considérables. »

Après la tournée de Peter Pringle au printemps, Anne Renée vit sa nouvelle passion amoureuse dans son appartement de l'île des Sœurs durant l'été de 1985. Pendant ce temps, Céline Dion présente le plus important spectacle de sa tournée à la salle Wilfrid-Pelletier de la Place des Arts à Montréal, le 31 mai. Un spectacle qui annonce une nouvelle Céline Dion, plus confiante en ses moyens, plus mordante sur scène, plus « rockeuse ». La critique, dont je fais partie en ce printemps 1985, ne tarit pas d'éloges à l'endroit de la jeune chanteuse, qui se permet même d'interpréter un pot-pourri des chansons de Michel Legrand. Décidément, la jeune Céline a bien changé.

Les feux de la passion se sont éteints à la fin de l'été 1985 et Anne Renée ne tient plus en place. La vie familiale lui manque et elle se demande si elle n'a pas eu tort de quitter son mari et ses enfants. Elle réalise subitement qu'elle était surmenée après cette longue tournée avec Peter Pringle, tout comme son mari d'ailleurs. Et puis elle est une femme dominatrice à sa manière. Une femme de cœur mais aussi une femme de tête, qui sait organiser une carrière et imposer ses idées. Elle peut tenir tête à n'importe qui. Elle peut provoquer, rendre coup pour coup lorsque la tempête gronde.

Après avoir été pendant treize ans l'épouse de René Angélil, elle ne peut accepter l'idée que leur relation se soit détériorée aussi rapidement. Elle croit sincèrement que tout peut changer si elle y met l'énergie nécessaire et si elle fait preuve de bonne volonté. C'est ainsi qu'elle décide de renoncer à sa carrière d'imprésario afin de se consacrer uniquement à sa famille. René lui fait savoir que les choses vont changer si elle revient à la maison. Le couple se réconcilie après une période de longues et pénibles disputes.

Anne prépare son retour à la maison pendant que Céline et René retrouvent le pape en octobre 1985.

Les Baronets se retrouvent près de trente ans après leur séparation,
en compagnie de Céline et de son père, Adhémar.
(Photo : Pierre Yvon Pelletier.)

43

La rose du pape

C'est Gilles Champagne, président d'un parc commémoratif et homme d'affaires bien connu de la Mauricie, qui offre à René Angélil un voyage à Rome en compagnie de Céline Dion et de la mère de celle-ci afin de rencontrer le pape.

Propriétaire d'un cimetière, Champagne a conçu, avec l'aide de ses botanistes, une rose destinée au pape et qu'il tient à lui remettre en main propre. Homme d'envergure, il a décidé d'emmener avec lui des gens des médias et l'interprète d'*Une colombe* afin d'obtenir une grande couverture médiatique.

René ne résiste pas longtemps devant la perspective d'obtenir des photos de sa vedette à la une des journaux. Et puis, après ses disputes conjugales, il pense que ce voyage à Rome pourra lui faire le plus grand bien. Il vit une certaine accalmie pendant le voyage alors que Champagne remet au directeur des jardins du pape, le docteur Ponti, la fameuse rose *Jean-Paul II*.

Céline serre la main du pontife, qui se souvient du Stade olympique et de toutes les cérémonies. Les caméras suivent Céline partout.

« Malgré les apparences, cette démarche à Rome n'a rien de mercantile, précise René Angélil aux journalistes québécois. D'autant plus que le dernier disque de Céline a atteint son plafond de vente sur le marché québécois. Voir le pape, pour moi et Céline, aura été une expérience mystique et humaine extraordinaire. »

44

Retour à la maison

Anne Renée regagne finalement le domicile conjugal le 21 octobre 1985. C'est la joie des retrouvailles qu'elle partage avec René. Elle reprend sa place dans la petite famille et retrouve ses enfants, qui lui avaient tellement manqué. Avec son conjoint, elle espère vivre une nouvelle relation de couple.

Pour cela, elle a consenti à de nombreux sacrifices sur le plan personnel. Elle a longuement réfléchi à la question et a réalisé que deux agents d'artistes, c'était peut-être trop à l'intérieur d'une même famille et qu'il valait mieux qu'elle renonce à sa liberté financière et à sa carrière. Elle tient également à faire la preuve devant lui qu'elle tient vraiment à reprendre la vie de couple. Elle espère évidemment qu'il est animé de la même intention.

Au début, il semble répondre aux attentes de son épouse et le couple semble ressoudé, heureux et paisible. Les journaux annoncent même leur réconciliation.

C'est bien beau, bien touchant, tout cela, mais il ne faut pas négliger la carrière de Céline pour autant. René doit se rendre à Paris pour la promotion de l'album *C'est pour toi*. Anne n'est pas du voyage, puisqu'elle doit s'occuper des enfants. René retrouve Michel Drucker, Eddy Marnay, et le tourbillon reprend… comme avant.

Il s'imagine que son épouse est revenue définitivement à la maison et qu'il n'y aura plus aucune menace. Il s'attarde à Paris, tandis qu'Anne, qui n'a plus d'autre occupation que celle de l'attendre, s'ennuie plus que jamais. De retour à la maison, il veut repartir mais cette fois-ci pour Las Vegas, pour une tournée des casinos avec des amis. Et il invite sa femme à se joindre à eux. Elle refuse.

Elle n'en croit pas ses oreilles et, en ce 14 décembre 1985, elle n'a plus aucun espoir de reprendre la vie de famille paisible et tranquille dont elle avait rêvé. Les affaires, les fêtes avec les amis, les mensonges du show-business, les tournées, les nuits blanches et la vie sans les enfants lui semblent insupportables. Elle déteste subitement ce métier qui détruit les couples.

Elle se retrouve donc seule à la maison alors que son mari entreprend sa tournée des casinos. Elle quitte finalement leur domicile et reprend la procédure de divorce, le 5 décembre 1985. Cette fois-ci, il n'y a plus de retour possible.

Dans sa requête déposée en Cour supérieure, Anne-Renée Kirouac raconte la suite des événements.

« Vers le 21 octobre 1985, je suis revenue vivre avec mes enfants à l'ancien domicile conjugal et j'ai décidé de mettre un terme à ma carrière d'imprésario, et plus particulièrement de ne plus continuer à m'occuper de la carrière de Peter Pringle avec lequel je possédais un contrat, et ce, afin de me consacrer entièrement à mes enfants.

« Dès lors, j'ai effectivement cessé de travailler et, vu ma présence régulière et constante auprès des enfants, j'ai remercié la gouvernante dans la dernière semaine de novembre 1985.

« L'intimé, de son côté, m'a clairement indiqué qu'il était heureux et satisfait que je prenne en charge la garde des enfants, qui ne pouvaient avoir meilleure mère.

« Lorsque je suis revenue vivre avec les enfants au domicile conjugal, vers le 21 octobre 1985, nous avons, l'intimé et moi-même, tenté une réconciliation, mais la situation s'est détériorée en quelques jours à cause de l'attitude, du comportement et du harcèlement de l'intimé à mon égard, et la vie commune est devenue intolérable.

« En effet, l'intimé voyage régulièrement et est appelé par ses fonctions à se déplacer à l'extérieur de la ville et du pays sur une base mensuelle, et il est capable de s'installer ailleurs sans aucune difficulté.

« De plus, l'intimé, qui est rentré d'un voyage d'affaires à Paris le 9 décembre 1985, m'a informée qu'il repartait pour aller jouer au casino à Las Vegas avec des amis le 14 décembre 1985 ; il m'a demandé de l'accompagner, mais j'ai refusé. »

La requérante ajoute au trente-neuvième article de sa requête :

« De plus, l'intimé n'a cessé de me répéter, en mars 1985 et durant les dernières semaines, que si je réglais à l'amiable, sans me faire représenter par les avocats, je ne manquerais de rien, mais si je retenais les services d'un avocat, il prétendrait qu'il n'a pas d'argent. »

C'est une femme en plein désarroi qui retrouve l'amant qu'elle croyait avoir laissé pour toujours, Michel Fauteux. Elle a tout perdu dans cette histoire. Sa famille, sa maison, son mari, son emploi et sa liberté financière, et elle craque littéralement.

« J'ai retrouvé une femme troublée et profondément instable, se souvient Michel Fauteux. J'ai vécu avec elle une passion qui allait du meilleur au pire, comme des montagnes russes. J'ai tenté de mettre fin à notre relation, mais elle me tenait en otage par des menaces et des tentatives de suicide. Au moins à deux reprises : une fois devant l'hôpital de Verdun et l'autre fois dans le Maine, à Ogunquit. Les ambulanciers l'ont trouvée cachée dans un placard. Elle ne savait plus ce qu'elle faisait.

« En octobre, j'étais content qu'elle retourne auprès de son mari et de ses enfants. Elle est revenue par la suite parce que sa tentative de réconciliation n'a pas marché. Et puis, après un certain temps, elle a décidé de partir en vacances pour remettre ses idées en place, sans moi. Pendant son absence, j'ai subitement réalisé que j'étais amoureux d'elle. Mais c'était trop tard, parce qu'elle a rencontré dans un Club Med un pilote d'avion d'American Airlines qui l'a invitée à s'installer chez lui en Californie. C'était fini entre nous et j'ai eu très mal. Nous sommes restés tout de même amis pendant un certain temps et le couple m'a même invité à passer mes vacances sur leur voilier, mais j'ai décliné. »

Et c'est ainsi que Mark McClellen entre dans la vie d'Anne Renée et lui permet de retrouver son équilibre et la sécurité dont elle a désespérément besoin. Le couple vivra de nombreuses années en Californie.

Michel Fauteux quitte l'appartement où il a vécu une folle passion avec Anne, au moment où il m'accorde une entrevue. Une dernière réflexion avant de quitter les lieux : « J'ai été responsable de bien des choses et, finalement, j'ai facilité l'union de Céline et René. Si sa femme ne l'avait pas laissé, lui, il ne l'aurait jamais quittée pour Céline. C'est un homme de principes, de fidélité, et je dis ça en sachant qu'il me hait pour le reste de ses jours. »

45

1986 : le renouveau

Anne Renée commence une nouvelle vie en 1986. À la fin du mois de janvier, son mariage est officiellement dissout alors qu'elle prend connaissance du jugement de divorce. C'est avec une certaine sérénité, et sûrement une grande lassitude, que les intéressés conviennent de ce qui suit :

«Les deux parties auront la garde légale conjointe des deux enfants nés du mariage ;

«La requérante aura la garde physique des deux enfants ;

«Les parties conviennent de mettre en vente l'ancien domicile conjugal, dans les plus brefs délais possibles, et elles conviennent de partager le produit de la vente ;

«Les parties conviennent de se partager à l'amiable les meubles et les effets immobiliers qui garnissent l'ancien domicile conjugal.

«De plus, l'intimé convient de payer à la requérante, pour elle-même et les enfants, jusqu'à la vente du domicile conjugal et jusqu'au déménagement de la requérante, une pension hebdomadaire de 300 $.

«À compter du moment où la requérante aura un emploi rémunérateur, la pension alimentaire sera établie pour les deux enfants seulement à 750 $ par mois, l'intimé devant de plus assumer directement les soins médicaux et dentaires.

«En conséquence de la présente convention, les parties se donnent quittance générale et finale de toute réclamation. Et les parties ont signé à Montréal ce 30 janvier 1986.»

Anne Renée a perdu six kilos et admet avoir vécu une période dépressive, mais elle retrouve graduellement ses énergies au printemps 1986 et entreprend une carrière de productrice à la nouvelle section vidéo de J.P.L. Productions, une filiale de Télé-Métropole. À aucun moment elle n'a songé à reprendre le tourbillon de la gérance d'artistes. Le show-business, c'est fini pour elle. Sa relation avec René Angélil est sereine alors que l'amitié a remplacé graduellement le sentiment qu'elle éprouvait pour un homme qui ne lui convenait pas. Elle le réalise subitement alors qu'elle est comblée par un nouvel amour. Elle habitera à Laval pendant une bonne partie de l'année 1986, tandis qu'elle travaillera chez J.P.L. Productions et produira même un vidéo de Céline Dion. Ce qui prouve indubitablement qu'Anne René et René Angélil ont mis fin à leurs querelles et qu'ils tiennent à maintenir de bonnes relations pour le plus grand bien de leurs enfants. Elle quittera le Québec pour s'installer avec Mark McClellen en Californie, où elle demeurera pendant plus de quinze ans. En mai 1988, elle épouse McClellen à l'église Marie-Immaculée-Conception. Elle tenait à ce mariage célébré dans une église catholique en raison de ses croyances religieuses. Ce n'est qu'en 2002 qu'elle effectuera un retour au Québec.

46

René s'interroge

La série noire de René se poursuit. Le dernier album de Céline Dion, *C'est pour toi*, n'a pas connu le succès espéré. Au début de l'année 1986, il songe à un prochain album. Il sait fort bien que le dernier microsillon n'est pas son meilleur. Il ne s'illusionne jamais. S'il est en mesure de raconter d'incroyables histoires et de contourner habilement la vérité pour promouvoir la vente de son produit, il ne perd jamais conscience de la réalité. Il sait fort bien que Céline Dion a épuisé tous les sentiments de sa jeune adolescence en musique. C'est la période de transition qui s'amorce. Mais il lui faut définir comment cette transition s'opérera en ce début de 1986. La première étape consiste à négocier une nouvelle entente avec la compagnie de disques Trans-Canada.

Dans ce milieu très compétitif, on ne pardonne pas facilement une baisse de régime. Chez Trans-Canada, on sait fort bien que les ventes du dernier disque de Céline n'ont pas été très fortes et on refuse d'investir dans un prochain enregistrement. Pourtant, René ne demande que 50 000 $. Après avoir vendu des millions d'albums, il ne comprend pas.

« Elle sera, un jour, la chanteuse la plus populaire du monde », clame-t-il. Peine perdue. Trans-Canada n'a plus confiance. René perçoit cette attitude comme une véritable insulte. Non pas à son égard, mais à l'égard de l'artiste la plus prometteuse du Québec. Jamais il ne pardonnera à la compagnie Trans-Canada le mépris affiché à l'endroit de Céline. L'homme est humilié, atterré.

Il repense à sa carrière et décide encore une fois de jouer le tout pour le tout. Dans son bureau, il relit les coupures de presse, consulte les critiques des journaux, repasse mentalement toutes les étapes de la carrière de sa protégée et conclut qu'il faut changer radicalement son image. Il faut faire oublier aux gens *Une colombe*, les chansons naïves et larmoyantes, la voix nasillarde et les histoires de famille.

Céline aura dix-huit ans le 30 mars et il souligne l'événement en fondant la compagnie Feeling. La chanteuse, qui a maintenant atteint sa majorité, termine son engagement contractuel avec Paul Lévesque et n'est plus sous la tutelle de sa mère. René signe un nouveau contrat de gérance avec sa protégée – 50 % chacun, comme l'a fait avant lui le colonel Parker avec Elvis Presley – et la compagnie Feeling veillera désormais à ses intérêts.

Mais pour présenter au grand public une nouvelle Céline Dion, il faudra procéder à de nombreux changements. Certains seront douloureux. René sait fort bien que les chansons d'Eddy Marnay ne peuvent plus servir dans le cadre de cette transformation. Pourtant, l'amitié entre cet homme attachant et délicat que demeure Eddy Marnay et Angélil subsiste. Il serait tentant de poursuivre cette complicité avec l'homme qui lui a ouvert les portes du marché européen, mais la carrière de Céline impose une nouvelle orientation. Il ne veut pas blesser Marnay en rompant définitivement tout lien professionnel avec celui-ci et le laisse écrire encore quelques chansons, mais ce ne seront que des chansons de transition qui feront le pont entre l'ancienne et la nouvelle Céline Dion. La période Marnay s'achève ainsi en 1986 alors que la chanteuse quitte la scène et s'efface progressivement.

47

Année sabbatique

Angélil n'est pas riche à cette époque, mais rien ne paraît. Il faut protéger l'image du succès et de la réussite. Depuis le début de la carrière de Céline, il n'a cessé de jeter de la poudre aux yeux en investissant dans des lancements fort coûteux, en entourant la chanteuse des meilleurs musiciens, des meilleurs techniciens, et en voyageant dans les meilleures conditions. Il n'a jamais lésiné sur les dépenses.

«Depuis notre première rencontre, René s'est toujours comporté comme un millionnaire avec de la classe, de l'élégance et une grande intelligence qui plaisait tant à ma mère», racontait Céline Dion.

Cependant, elle ne génère plus autant de revenus à la fin de 1985. La stratégie est échelonnée sur le long terme. Mais à court terme, la situation est passablement précaire sur le plan financier.

René le stratège sait fort bien que la nouvelle orientation de la carrière de Céline ne doit pas se limiter à des changements superficiels. C'est un virage majeur qu'il entreprend avec elle et il décide de mettre le temps nécessaire à la transformation de la jeune chanteuse et à la prise de contact avec de nouveaux artisans. Au début de l'année 1986, il décide d'abord de laisser venir, et de se consacrer au jeu.

Il devient joueur à plein temps à Las Vegas, gagne beaucoup et remporte même des tournois de black-jack. Mais il perd aussi. Il se trouve bientôt endetté de 200 000 $, somme qu'il réussira avec beaucoup de chance à regagner un peu après. Cette aventure a été une autre source de stress pour lui.

«Il fallait bien que je gagne ma vie pendant l'année sabbatique de Céline», dira-t-il plus tard.

Céline Dion, Pierre Labelle et Jean Beaulne, peu avant un spectacle de Céline. (Photo : Pierre Yvon Pelletier.)

48

Le jeu

René Angélil a toujours été fasciné par le jeu. C'est dans ses gènes, dans sa culture. Il ne s'est jamais excusé de s'adonner à des jeux de hasard, il ne s'en est jamais caché. Bien au contraire, il aime discuter des hasards de la vie, des séquences de chance de notre existence, comme si la vie était une grande roulette avec ses jours pairs et impairs, rouges ou noirs ; parfois tout va ou rien ne va plus. Il raconte déjà à des journalistes, dans les années 1980, ses bons et mauvais coups dans les casinos de Las Vegas sur le ton de la blague, comme s'il s'agissait des histoires les plus drôles de sa vie. Jamais il n'a dramatisé lorsqu'il s'agissait de gambling. Perd ou gagne, cela fait partie du jeu, selon lui, et il n'y a pas lieu de s'apitoyer sur ses pertes, parce qu'il y aura toujours une prochaine fois.

Même Céline l'appuie, publiquement du moins : « René est un parieur et je suis heureuse qu'il le soit. C'est justement parce qu'il est parieur que j'ai réussi ma carrière. Au début, il a tout misé sur moi et il a finalement gagné. Je sais qu'il joue encore, mais de façon raisonnable. Chaque jour, lorsqu'on séjourne à Las Vegas, on se fait de petites enveloppes et on glisse quelques centaines de dollars dont disposera René pour jouer. »

En réalité, René n'a rien d'un être raisonnable. Il a toujours été excessif et a frôlé les extrêmes dans toutes ses entreprises. Depuis sa première visite d'un casino à Porto Rico, il fréquente régulièrement les maisons de jeu et tout particulièrement le *Caesar's Palace* de Las Vegas. Habituellement, ses voyages dans la cité du jeu sont discrets et il s'inscrit à l'hôtel sous des noms d'emprunt. Pierre Sara est le nom qu'il utilise le plus souvent.

Jean Beaulne et Pierre Labelle n'ont jamais partagé la passion du jeu de leur compagnon à l'époque des Baronets. Les trois hommes vivaient dans une telle promiscuité, cependant, qu'ils se connaissaient aussi bien que s'ils étaient membres d'une même famille. Ils ont tout partagé, même les humeurs et les rêves de René.

«J'ai rapidement découvert que le jeu était important pour lui quand je le voyais s'exercer avec une roulette, tous les jours, dans sa chambre pendant que nous étions en tournée, raconte Jean Beaulne. Il pouvait rire de bien des choses mais jamais de tout ce qui pouvait concerner le jeu. Je lui disais qu'avec tout l'argent qu'il allait faire, j'espérais qu'il allait penser à moi, m'acheter plein de trucs, mais il me regardait comme si je venais de commettre un sacrilège.

«Par la suite, j'ai bien compris que son véritable but dans la vie était de faire sauter la banque. Il était obsédé par cette idée. J'ai fréquenté les casinos sans jamais être un vrai joueur. J'avais le détachement pour comprendre comment ça fonctionne.

«Je l'ai déjà vu à une table de black-jack à Las Vegas. Il avait décidé de jouer seul à cette table en remplaçant les sept joueurs qui devaient miser 3 000 $ chacun. Donc, il misait 21 000 $ du tour, et chaque tour dure à peine cinq minutes. Ce n'est pas long avant de perdre beaucoup d'argent pendant une soirée à un rythme pareil.

«René participait à des tournois en 1986, et il faut savoir que ces tournois réunissent des joueurs qui viennent de toutes les parties du monde. Ça excitait beaucoup René, qui pouvait ainsi se mesurer à l'élite. Il a toujours été attiré par les défis. On joue gros dans les tournois et on peut exiger un minimum qui se situe entre 10 000 $ et au-delà de 100 000 $. Certaines machines à sous sont même conçues pour accepter des jetons de 1 000 $, ce qui veut dire que l'on peut perdre la somme astronomique de 100 000 $ en moins de trente minutes. La tension est grande. Ce sont de gros montants qui se trouvent sur la table et des fortunes se sont perdues pendant ces tournois. On raconte souvent, à Las Vegas, l'histoire d'un riche homme d'affaires chinois qui avait perdu la fortune qu'il possédait, près de trois cents millions de dollars. Pour l'aider à se remettre de cette catastrophe, le casino l'a engagé afin de faire du recrutement. Il devait ramener de Chine d'autres hommes d'affaires très riches dans leur établissement de jeu. C'est ainsi que ça se passe à Las Vegas.

« J'estime qu'après avoir vu jouer René pendant toutes ces années, et connaissant le système des casinos, qui ne perdent jamais d'argent, il doit avoir perdu, à mon avis, un total de dix millions de dollars aux tables de jeu. Il est têtu, tenace et n'abdique pas facilement. Pour son travail, c'est une qualité, mais dans le cas du gambling, cela peut être un grand défaut. Un jour, j'ai demandé à un croupier quelle était la meilleure méthode pour gagner au casino et il m'a répondu : "Restez chez vous !" Et c'est ce que j'ai fait par la suite. »

Mais René prétend qu'il gagne fort bien sa vie en fréquentant les casinos de la capitale du jeu pendant des mois, et c'est probablement vrai... pendant un certain temps. Il n'oublie pas cependant Céline. Celle-ci se refait un look et un style pendant la première année sabbatique de sa carrière. On ne l'oublie pas tout à fait, bien au contraire. Les rumeurs circulent. On la dit mariée secrètement avec Angélil à Las Vegas. D'autres affirment qu'elle aurait accouché, toujours aussi secrètement, en Égypte, aidée par la mère de René. Et, évidemment, un grand classique dans les circonstances, elle serait dépendante de la cocaïne, ce qui expliquerait sa maigreur. Beaucoup d'autres rumeurs ont circulé durant cette période, et même après, accablant la pauvre femme de tous les péchés et de tous les vices.

La réalité est beaucoup plus simple et beaucoup plus romantique. Elle est follement amoureuse de l'homme qui bâtit sa vie depuis des années et qui veut la porter jusqu'au sommet.

Elle est une femme reconnaissante. Elle ne pense pas aux stratégies, aux magouilles, au marketing et aux beaux mensonges du show-business. Elle pense à la petite fille de Charlemagne, maigre, pas très attirante, rejetée par ses amis, sans instruction, qui est devenue en quelques années l'idole de toute une population. Elle pense à la vie qu'elle aurait connue sans lui. En fait, c'est tout ce à quoi elle pense et elle veut lui prouver sa reconnaissance en devenant une femme désirable, sexy et fascinante, à laquelle il ne pourra résister.

Pendant qu'il prépare la seconde phase de la carrière de Céline Dion, celle-ci se prépare à vivre son premier amour. Si elle met tant d'énergie à refaire son look, à s'assouplir avec les cours de danse, à parler l'anglais en prenant des leçons chez Berlitz, ce n'est pas tant pour le public que pour l'homme de sa vie. Pendant cette année sabbatique, elle prépare une entreprise de séduction. D'abord pour René; le reste du monde suivra.

«Elle se transformait physiquement et je ne la regardais plus de la même manière», avouera plus tard René Angélil.

Mais, en 1986, René chasse ces pensées et entreprend une lutte contre lui-même. Il est maintenant âgé de quarante-quatre ans, son divorce vient d'être officiellement déclaré par la Cour supérieure et on ne lui connaît pas d'aventures sentimentales. Son premier fils, Jean-Pierre, a le même âge que Céline et il se voit mal annoncer à la presse qu'il est amoureux d'une fille de dix-huit ans. Et puis, après cette pénible séparation d'avec Anne Renée, c'est un homme écorché, humilié, qui n'a aucune envie de vivre une histoire d'amour et encore moins sous le regard des médias. Dans sa tête, le moindre semblant d'une éventuelle relation amoureuse entre lui et Céline signifierait la fin pour sa protégée et sa ruine personnelle.

Mais est-il au courant des sentiments qu'entretient Céline à son endroit? Fort probablement, puisque Eddy Marnay a facilement sondé les états d'âme de la jeune femme et a écrit des chansons pour le moins révélatrices pour l'album *C'est pour toi*, mais René feint d'ignorer et se concentre sur la prochaine étape.

49

CBS

Après des mois d'attente et de réflexion, René rencontre Bill Rotari, le grand patron de CBS. On ne peut pas parler d'une rencontre provoquée par le hasard. Il cherchait depuis belle lurette à retrouver Rotari, qu'il avait connu à l'époque des Baronets. Son plan était tracé depuis longtemps : il voulait enregistrer le nouvel album de Céline chez CBS. Cette multinationale était nettement la plus dynamique au Québec et regroupait les plus grands de l'industrie du spectacle, dont Michael Jackson, qui avait fortement impressionné Céline et René à son dernier passage à Montréal.

Il s'acharne à convaincre Rotari, avec tout le bagout qu'on lui connaît, qu'il doit mettre sous contrat la chanteuse la plus populaire du Québec.

– Écoute, Bill, je n'ai pas les moyens de produire les prochains albums de Céline. Elle est devenue trop *big* et elle doit maintenant enregistrer avec une grosse compagnie, avance René.

– Mais tu n'as pas un contrat avec Trans-Canada ? lui demande Rotari.

– Non ! Ça, c'est de l'histoire ancienne. Céline doit passer à autre chose, changer d'atmosphère, de milieu. Et Trans-Canada, c'était pas assez pour elle. On voit grand, tu comprends, et Céline, c'est la meilleure, insiste Angélil.

– Je vais voir ce que je peux faire et je t'en reparle…

Et René ne lâche pas le morceau. Très souvent, il s'informe des développements. Il téléphone à Rotari à la moindre occasion et s'accroche. Il n'a en tête aucune autre compagnie que CBS et il se croise les doigts.

Rotari consulte son directeur artistique, Vito Luprano, qui, dans un premier temps, ne veut rien savoir de Céline Dion. Pas étonnant puisqu'il est particulièrement branché sur la nouvelle musique. Il fréquente les boîtes de Montréal, celles de New York, écoute la musique que les jeunes préfèrent et observe les nouvelles tendances. Il connaît les succès de la chanteuse et n'est pas intéressé par cette musique mièvre, naïve et dépassée, selon lui. Mais René insiste et presse Vito d'aller voir Céline en spectacle. Bonne idée, parce que celle-ci maîtrise fort bien la scène et interprète *What a Feeling* comme une véritable rockeuse. Surpris, étonné même, Luprano accepte de travailler avec elle et songe déjà à faire appel au compositeur Aldo Nova pour lui écrire des chansons.

René trépigne. Maintenant, il doit franchir une autre étape : convaincre l'auteur le plus populaire du Québec d'écrire pour sa protégée. Et René n'avait pensé à personne d'autre que Luc Plamondon.

50

Luc Plamondon

Étrange rencontre que celle de René Angélil et de Luc Plamondon. À l'été 1986, ces deux hommes semblent n'avoir rien en commun. On dirait qu'un monde les sépare. René le gambler, l'amateur de fast-food, le golfeur et le champion de marketing se retrouve en face de Luc Plamondon, homme de lettres, raffiné, sensible et cultivé.

Mais Plamondon connaît bien les artistes et repère facilement le talent. Non seulement est-il l'auteur le plus recherché par les interprètes du Québec, mais il est également l'homme qui a dépoussiéré les carrières de Julien Clerc, Catherine Lara, Barbara et Robert Charlebois.

Depuis 1980, la comédie musicale qu'il a écrite avec Michel Berger, *Starmania*, a littéralement transformé la musique francophone. Avant lui, on disait que le rock ne pouvait être chanté en français. Avec *Starmania*, la musique française entrait dans l'ère moderne et, depuis, la jeunesse swingue, rock, se balance en français avec *Cœur de rocker*, *Je t'aime comme un fou*, *Oxygène*, *Nuit magique*, pour ne citer que quelques succès connus autant en France qu'au Québec.

Dans sa maison d'Outremont, Plamondon reçoit et héberge souvent des artistes français de passage au Québec, dont France Gall, Julien Clerc, Renaud, Fred Mellan des Compagnons de la chanson. Une véritable ambassade que cette maison meublée de style Art déco qui donne sur le parc d'Outremont. Un véritable havre pour les gens qui vivent et parlent musique pendant de longues soirées.

Céline et René ont rencontré Plamondon à plusieurs reprises dans cette maison et ont appris à le connaître. Ils ont assisté à une représentation de *Starmania* et elle rêve de jouer un jour dans une comédie musicale.

«Évidemment, ajoute René, on pourrait présenter une comédie musicale dans les grandes villes du monde.»

Certains traitent Angélil d'illuminé en 1986. Prétendre que sa protégée deviendra la plus grande chanteuse du monde, qu'elle sera une star internationale, qu'elle triomphera dans une comédie musicale, en tenant le premier rôle de surcroît, n'est pas évident pour plusieurs. Elle n'a encore rien prouvé aux États-Unis et n'est pas considérée comme une star en France ni ailleurs en Europe. Mais Luc Plamondon ne fait pas partie de ces sceptiques. Il découvre peu à peu chez Céline un talent exceptionnel et une passion qui ne demandent qu'à éclater.

«Jamais je n'ai entendu chanter de cette manière en français. Elle deviendra l'une des grandes chanteuses du monde», dira Plamondon, qui n'a jamais été l'homme du mépris ou du snobisme. Il a été très touché également par la détermination de René, qui a multiplié les rencontres avec lui et qui tenait absolument à sa collaboration pour le prochain disque.

Plamondon a finalement accepté d'écrire des chansons pour la jeune interprète, à condition de pouvoir discuter à quelques reprises avec elle afin de mieux cerner son personnage. En l'écoutant, il a découvert la sensualité nouvelle, le besoin d'aimer et de s'affirmer. Et c'est ainsi que, sur une musique de Daniel Lavoie, il écrit *Lolita* puis *Incognito*, chanson-titre de l'album.

Deux œuvres qui tranchent nettement avec toutes les chansons qu'a déjà enregistrées ou interprétées la jeune chanteuse jusqu'à présent. *Lolita* va très loin dans le désir profond d'une jeune femme qui «dévore son corps jusqu'au bout de ses doigts» et qui «n'est pas trop jeune pour se donner». En relisant le texte de la chanson, pour mieux le «digérer», l'imprésario ne bronche pas et n'exige aucune modification. Il voulait du changement dans l'image de Céline Dion, il l'a eu par ce texte de Plamondon.

«René Angélil m'a donné carte blanche et a fait preuve de beaucoup de respect et de courtoisie à mon endroit», confie Plamondon après avoir fignolé son travail.

René conclut un accord avec la compagnie CBS, en exigeant un important investissement dans la production du disque et une dernière petite chose. Presque rien. Juste une clause stipulant qu'on disposerait d'un budget de 30 000 $ pour l'enregistrement d'un disque en anglais. On accepte et, encore une fois, René jubile. Pourtant, ça ne signifie pas grand-chose pour les gens qui connaissent l'industrie du disque. Il sait très bien ce qu'il fait et il répétera souvent sa stratégie à qui voudra l'entendre : « Il s'agit tout simplement de mettre le pied dans la porte du marché anglophone. Peu importent le montant et l'interprétation de CBS, je savais que cette clause allait être renégociée, un jour… »

René, Pierre, l'éditeur Pierre Péladeau, et Jean Beaulne.
(Photo : Pierre Yvon Pelletier.)

51

La mécanique se brise

Enfin un peu de répit pour René Angélil alors que cet accord contractuel avec CBS lui permet de rêver. Déjà cinq ans de travail en compagnie de Céline. Cinq ans à s'investir dans tous les domaines. Combien de voyages à Paris, en Suisse, en Belgique, en Californie et en province ? Il ne les compte plus. Combien de spectacles en tournée ? Combien de démarches, de négociations, de promotions ? Et tout ça pour le peu d'argent qui lui reste dans son compte en banque. Il ne roule toujours pas sur l'or. Il voit grand, exige les meilleurs musiciens, les meilleurs techniciens, les meilleurs producteurs, les meilleurs hôtels, et il entoure Céline des meilleurs soins. En somme, il dépense tout ce qu'il gagne.

Sur le plan personnel, il a été durement éprouvé depuis un an. Il a vécu sa rupture avec Anne Renée comme l'un des événements les plus dramatiques de sa vie et cette déchirure a laissé des traces. Ajoutons l'épuisante tournée de Céline et les difficultés à percer le marché européen, et on comprendra sa lassitude.

Le joyeux luron de l'époque des Baronets a fait place à un homme écrasé par les responsabilités. Un homme qui hypothèque sans cesse sa vie dans l'espoir d'un avenir fabuleux. Un homme qui vit sans cesse bien au-dessus de ses moyens.

« René a toujours vécu comme à la limite, au maximum. Il n'a jamais compté son temps ni son argent. C'est un être généreux », répète souvent Céline Dion, qui le connaît mieux que quiconque.

Cet homme cherche parfois l'évasion, que ce soit à Las Vegas ou sur un terrain de golf, une passion qu'il a développée sur le tard.

À l'automne 1986, alors que l'été lui accorde un sursis, René Angélil se retrouve justement sur un terrain de golf à Sainte-Adèle en compagnie de ses amis de toujours, Marc Verreault et Guy Cloutier. Il a renoué avec ce dernier depuis plusieurs années déjà. Ses enfants, Jean-Pierre et Anne-Marie, l'accompagnent également pendant cette journée de vacances qui s'annonce joyeuse. Les amis ricanent, se taquinent sur les coups ratés, et on se promet du bon temps. Cloutier remarque subitement que René rate tous ses coups, marche péniblement et semble avoir du mal à respirer. Sans attendre, il décide d'emmener son ami à l'Hôtel-Dieu de Saint-Jérôme, à cinquante kilomètres de Montréal, où on le garde pendant deux jours. Les médecins jugent son état assez sérieux pour qu'on le conduise à l'Institut de cardiologie de Montréal. Le test au thallium indique qu'il n'a pas les artères obstruées et que son cœur tient le coup, mais il lui faudra du repos et des vacances.

Il s'agit de la première alerte quant à son état de santé et il est manifestement secoué. En sortant de l'Institut, il a déjà pris un tas de bonnes résolutions : «Je me considère chanceux de m'en être tiré ainsi. Il faut maintenant que je prenne soin de ma santé et surtout de mon alimentation, raconte-t-il aux journalistes. De nature, je suis gourmand et je mange à des heures irrégulières. Dernièrement, j'ai engraissé de vingt-cinq livres et je sais qu'il faut que je perde du poids. Je ne fume pas, je ne bois pas, mais ma faiblesse, c'est la nourriture.»

Inquiets et désemparés lorsque leur père a été conduit à l'hôpital, Jean-Pierre et Anne-Marie n'ont pas tardé à prévenir leur mère, Anne Renée, qui est venue s'occuper des enfants et de l'ex-époux.

«J'ai eu très peur, confie-t-elle à la presse. René est un gars que j'aime beaucoup et je suis contente que tout soit finalement rentré dans l'ordre. J'ai passé deux jours à ses côtés et j'ai tenté de faire de mon mieux pour l'aider.»

Une fois rassuré sur son état, René décide de perdre du poids. Il fond à vue d'œil et se repose à… Las Vegas, naturellement.

52

Incognito

On enregistre *Incognito* au début de l'année 1987, au Studio Saint-Charles-sur-Richelieu. Pour rejoindre tous les publics et pour diversifier les couleurs musicales de l'album, on fait appel à trois réalisateurs, Jean-Alain Roussel, Aldo Nova, Pierre Bazinet, et trois auteurs, Eddy Marnay, Luc Plamondon et Isa Minoke. L'enregistrement est particulièrement soigné et tous les moyens sont mis à la disposition de la chanteuse pour qu'elle amorce le plus important virage musical de sa carrière.

Le lancement a lieu en avril 1987 et c'est alors que les médias découvrent la nouvelle Céline Dion. René avait attisé la curiosité des journalistes en parlant d'une nouvelle étape, d'un virage, d'une nouvelle image et d'un nouveau son. La presse écrite était à l'affût, mais il n'en était pas de même pour les gens de la radio, qui boudaient les disques de Céline. Les jeunes stations branchées, comme CKOI ou CKMF, ne passaient jamais ses disques, qui n'avaient pas le « son » voulu. Toute l'équipe de relationnistes d'Angélil et de CBS entreprend alors une vaste campagne pour les convaincre d'assister d'abord au lancement de l'album et d'en faire tourner certains extraits à la radio. En voyant et en entendant la vedette chanter *Incognito* ou *Lolita* lors du *showcase* présenté au lancement, plusieurs disques-jockeys sont médusés. Ils ont peine à en croire leurs oreilles. Encore une fois, René a gagné son pari. À partir de ce moment, les chansons commencent à tourner dans toutes les stations branchées du Québec. De plus, les chansons plus romantiques, plus traditionnelles continuent à tourner dans les autres stations.

L'image de Céline a changé également. Avant, elle faisait pleurer les mères et les personnes âgées. Maintenant, elle fait danser les jeunes avec *Incognito*, et elle dérange avec *Lolita* ou *On traverse un miroir*. L'image de chanteuse populaire kitsch et le mépris ont fait place à l'admiration pour une surprenante artiste qui a eu le courage de changer, de risquer sa carrière et d'explorer une autre musique, le rock et la dance, et surtout d'aborder d'autres thèmes.

Au Québec, les chiffres de vente de l'album montent en flèche et dépassent rapidement les 100 000 copies. René se retrouve donc en mesure de négocier un nouvel enregistrement en anglais.

Mais auparavant, il doit orchestrer la promotion du nouvel album en France. Eddy Marnay veille au grain et voilà qu'un producteur français suggère fortement qu'on retire de l'album les chansons *Incognito* et *Lolita*, jugées trop suggestives. C'est évidemment Marnay qui est à l'origine de cette décision que René accepte tout en étant conscient des conséquences. Il sait fort bien que Luc Plamondon réagira mal. Il faut savoir que le prolifique parolier perdra ainsi d'importantes redevances et sûrement le prestige d'un succès au palmarès.

Marnay ne voit pas les choses ainsi. Il connaît le public français et prétend que celui-ci n'acceptera pas aussi bien le virage musical qu'a entrepris Céline Dion. On la connaît moins en France, où on préfère conserver intacte l'image des chanteurs et chanteuses. On se souvient de la quatorzième enfant d'une brave famille québécoise et on aime sa fraîcheur, son accent et sa timidité. Marnay a peut-être raison, mais il ne tient pas compte de la carrière de Céline. Et c'est justement le style et le genre musical qu'elle doit adopter pour préparer sa percée aux États-Unis. René le sait fort bien, mais sa vieille amitié avec Marnay, la reconnaissance pour tout ce qu'il a fait, l'empêche de s'imposer. Même ses plus durs détracteurs admettent que René a toujours été fidèle dans ses amitiés et qu'il n'oublie jamais les services rendus.

L'album obtient un succès moyen au chapitre des ventes en France. Il n'équivaut en rien à l'immense succès remporté au Québec, alors qu'on atteint rapidement les 200 000 copies vendues.

53

Céline en anglais

René oublie la France pour le moment. Le public français aime toujours une Céline qui n'est plus, qu'ils voyaient succéder à Mireille Mathieu. Une colombe qui allait grandir sagement dans l'ombre d'Eddy Marnay, répétant et rechantant les mêmes rengaines. Ce qui n'était pas dans les intentions de Céline ni de René. Celui-ci a compris et ne s'obstine pas. Et puis le public québécois lui fait le plus beau des cadeaux : on accepte d'emblée la nouvelle Céline. Un énorme soulagement pour René, qui a vécu l'angoisse de la transformation de sa protégée. Cette mutation était pour le moins périlleuse. Le public, il faut bien le reconnaître, est conservateur de nature et n'accepte pas facilement qu'on change l'image, le style, le look et surtout le répertoire de son interprète préférée. René savait fort bien qu'il prenait un énorme risque en transformant Céline. Il a procédé avec toute la diplomatie dont il est capable. Un peu de Plamondon, un peu de Marnay. Une Céline un peu rock, un peu sentimentale. Un peu rebelle, un peu sage. Et les résultats prouvent qu'il a eu raison. Le public de Céline est plus vaste que jamais et René en profite pour organiser une tournée dans tout le Québec. Claude Lemay, dit Mégo, devient le nouveau chef de l'orchestre qui entoure Céline. René l'a choisi non seulement parce qu'il est un excellent musicien mais surtout parce qu'il a la foi. Il croit aux extraordinaires possibilités de la chanteuse québécoise. C'est exactement ce que René voulait.

En préparant la tournée de Céline avec une imposante équipe dirigée sur scène par Jean Bissonnette, un des meilleurs metteurs en scène du Québec, René songe constamment au prochain album. Il prépare une autre étape importante dans la carrière de la chanteuse pop : un disque enregistré en anglais. Une idée fixe dans la tête de René, qui fraye maintenant avec les gens de CBS. Il n'attend que la bonne occasion. Cette occasion se présente au congrès national de CBS, qui a lieu en juin 1987, à L'Estérel, dans les Laurentides. Céline est invitée à interpréter des chansons de son dernier album, *Incognito*, mais René estime que ce n'est pas suffisant. Il insiste pour qu'elle interprète *Can We Try* avec Dan Hill. Surprise parmi les gens de l'industrie présents dans la salle, qui sont renversés par l'interprétation de Céline.

René n'en restera pas là. Lorsqu'on invite Céline au prestigieux gala du disque canadien, les fameux junos, à Toronto, il pose une condition : elle devra chanter en anglais. L'entourage de Céline s'affaire donc à préparer une chanson originale et ce sera *Have a Heart*, que Céline interprète avec tout son cœur et toute son âme.

René éclate en sanglots dans la salle. Céline est ovationnée. On parle dans les médias anglais de la meilleure performance de la soirée et c'est un nouveau monde qui s'ouvre à Céline et... à René, en novembre 1987.

Ce soir-là, le grand public du Canada anglais, les médias et les gens de l'industrie ont célébré la jeune Québécoise.

René Angélil a réussi un coup de maître et il faut rendre hommage à son astuce. Il connaît bien les deux solitudes de ce pays. Il sait très bien que Céline aura beau se surpasser, atteindre les sommets de son art, donner la meilleure interprétation de sa vie, tout ça s'avérera inutile si elle ne chante qu'en français. Il tenait à cette chanson interprétée en anglais parce qu'il savait que la barrière allait être ainsi définitivement franchie. Ce qui fut le cas.

Le lendemain du spectacle, René se retrouve dans le bureau de Berni diMatteo, le grand patron de CBS. Il n'y a plus d'hésitation : Céline Dion enregistrera son premier disque en langue anglaise.

« J'ai commencé à 30 000 $, raconte souvent René Angélil. Puis, après le *showcase* de Céline à L'Estérel, le montant alloué pour le disque anglais a grimpé à 100 000 $, puis le budget a atteint 300 000 $ après les junos, et finalement, il n'y avait plus de limites. »

La série noire semble terminée. René le stratège savoure son triomphe. Le talent n'aurait pas suffi. Il lui a fallu jouer de ruse, négocier habilement, respectueusement, tout en s'imposant. Nous sommes loin des maladresses commises à New York, des fanfaronnades de René et de Guy Cloutier qui exigeaient un million pour les services de René Simard. Loin de l'échec des Baronets, à l'affût du marché américain, toujours à New York. Cette fois, ça y est! Bien sûr que la chance a joué, mais peut-être pas autant qu'on le croit. René a déjà payé ce succès par le prix de ses échecs.

Et il n'entend pas «lâcher le morceau» et laisser à CBS le soin de gérer la carrière de Céline. Déjà, il a en tête le nom du réalisateur de l'album de Céline: David Foster. Il sait fort bien que Foster, d'origine canadienne, est le compositeur de l'heure aux États-Unis. Il a travaillé avec Barbra Streisand, l'idole de Céline, Nathalie Cole, Neil Diamond et bien d'autres artistes établis. Encore là, René entreprend une autre étape de la carrière de Céline, en courtisant les meilleurs éléments de l'industrie. Après Eddy Marnay, Michel Drucker à la télévision française, la compagnie CBS, Luc Plamondon, c'est maintenant David Foster. Celui-ci est installé à Los Angeles et René lui fait parvenir tout le matériel de Céline et surtout une bande vidéo de son passage au gala des junos. Foster se laisse convaincre.

54

Tournée *Incognito* en marche

Pendant ce temps, Céline entreprend la tournée *Incognito* au Québec. Encore une fois, René n'a pas lésiné et ne compte pas rentabiliser cette entreprise. Pas moins de quinze musiciens autour de la chanteuse, dont le très rocker Breen Lebœuf, ex-membre du groupe Offenbach. Nous sommes loin de la chanteuse fleur bleue et de la colombe papale. Céline a bien l'intention de se démener et d'électriser les foules partout au Québec. Mieux encore, elle veut faire rire son public élargi, et l'auteur préféré des humoristes, Jean-Pierre Plante, est engagé pour écrire les textes d'enchaînement.

Il faut savoir que l'humour triomphe au Québec dans les années 1980. Depuis les mémorables Lundis des Ha! Ha! animés par Serge Thériault et Claude Meunier, au *Club Soda*, les Québécois ne jurent plus que par les humoristes, qui sont devenus plus populaires que les chanteurs et chanteuses du Québec. Pas étonnant que René ait retenu les services de Jean Bissonnette, qui a réalisé de nombreuses émissions d'humour à Radio-Canada, pour signer la mise en scène du spectacle.

À l'été 1988, je me retrouve à Québec à titre de journaliste de *La Presse* à l'occasion d'un festival international de théâtre. Déambulant rue Saint-Jean, juste en face du Palais Montcalm, René Angélil m'accroche par le bras et me demande d'assister au spectacle de Céline qui sera présenté dans quelques minutes. Il m'a même réservé une place à ses côtés. Je lui explique que je dois voir une pièce de théâtre et que j'ai fort à faire mais finalement je me laisse convaincre. Il est vrai qu'il est difficile de résister à René Angélil.

J'avais aimé le dernier spectacle de Céline, présenté au Saint-Denis, et René s'était souvenu de ma critique élogieuse. Il me dit que celui-là est encore meilleur et que je ne dois pas le rater.

Le spectacle débute et j'observe, comme tout bon critique, les moindres gestes de Céline, la projection de sa voix, les éclairages, son entourage sur scène, puis je tourne la tête et je remarque l'attitude de René. Il a pourtant vu des centaines de spectacles de sa protégée et je le vois, silencieux, subjugué, presque recueilli pendant la prestation de Céline. Jamais je n'ose lui adresser la parole, tant il est concentré. Ce n'est pas de la frime, il est vraiment fasciné.

Évidemment qu'il me demande ce que je pense de la performance de Céline après le spectacle, qui a fait salle comble.

En général, la critique a été dithyrambique, mais pas la mienne. À vrai dire, je ne comprends pas pourquoi Céline se livre à une foule d'imitations. Entre autres, celles de Michael Jackson, Marjo, Julien Clerc, Édith Butler et même Mireille Mathieu. En plus, il y a beaucoup trop d'humour dans ce spectacle alors que Céline se permet même de se moquer d'elle-même, de ses pleurnichages et de sa vieille image. Je fais remarquer à René que Céline a une trop belle voix pour imiter celle des autres. Je ne comprends pas. Étrangement, René ne semble pas offusqué par mes propos et j'en arrive même à croire qu'il est du même avis que moi. Il m'explique qu'elle n'a pas encore suffisamment de chansons originales pour meubler son nouveau répertoire et il insiste pour que j'aille rencontrer Céline dans sa loge. Honnêtement, je regrette encore d'avoir refusé cette invitation.

En bon stratège et fin diplomate, René n'ose pas contredire et indisposer le représentant d'un média important, mais il est fort conscient de la portée du spectacle de Céline. C'est une artiste complète, en rupture avec l'image du passé, qu'il veut présenter au public québécois. Il utilise l'humour pour annoncer une nouvelle chanteuse de son temps, branchée, polyvalente, qui s'attaquera bientôt au marché anglophone du Canada et irrémédiablement à celui des États-Unis. C'est déjà écrit dans le ciel. Dans le ciel de Céline et celui de René. Ce qui revient au même. De plus, Céline apprend son métier de *performer*, fait ses classes sur scène et se commet dans tous les genres de musique. Un véritable *work in progress* où elle se transforme continuellement. En coulisse, René cache bien mal sa satisfaction et rêve déjà aux grandes scènes du monde pour Céline.

L'entente finale n'est pas encore signée avec la compagnie CBS même si René se comporte comme si l'affaire était conclue. En fait, il n'y a plus de doute possible dans son esprit et ce n'est plus maintenant qu'une question de temps avant de mettre toute une équipe de collaborateurs en place. Parallèlement à cette tournée, un événement va changer la vie et la carrière de Céline en avril 1988.

55

Eurovision

On sait que la carrière de Céline Dion n'a pas démarré très fort en Allemagne et que ce fut là un des échecs de René, qui n'a jamais été bavard sur le sujet. Mais les beaux jours sont revenus en 1988. Même les échecs prennent la saveur du succès. Un producteur que René avait rencontré en Allemagne l'informe que l'auteur à succès Nella Martinelli, une Suisse, a écrit une chanson expressément pour Céline et qu'elle veut la soumettre au concours Eurovision.

L'événement aura lieu à Dublin, en Irlande, le 30 avril 1988. Peu connu au Québec, ce concours a pris au cours des années la dimension d'une olympiade de la chanson, un événement retransmis par toutes les télévisions européennes et regardé par plus de cinq cents millions de téléspectateurs. Conscient de l'ampleur de cet événement qui arrive au bon moment dans la carrière de Céline, René raconte à sa protégée l'histoire d'Eurovision. Il lui apprend que le groupe Abba a gagné le concours avec *Waterloo* en 1977, que France Gall est devenue une véritable star en gagnant l'Eurovision avec *Poupée de cire poupée de son*, et que Julio Iglesias et Nana Mouskouri ont participé également à ce concours.

Céline interrompt sa tournée et se rend en Europe en compagnie de René pour participer aux différentes étapes du concours. Elle se retrouve parmi les finalistes et les parieurs de Dublin la classent parmi les trois meilleurs candidats. Faites vos jeux !

L'ironie du sort ramène René à la table des parieurs. Lui qui a toujours séparé sa carrière professionnelle et sa passion du jeu se retrouve devant un étrange dilemme. À Dublin, ville de parieurs, on peut miser légalement sur les chances des candidats à l'Eurovision.

Pressé par les organisateurs, qui connaissent sa passion du jeu, René mise quelques centaines de livres, à son corps défendant.

La chanson *Ne partez pas sans moi* que doit défendre Céline ne lui plaît pas particulièrement et n'enchante pas René non plus. Mais il faudra faire avec, et Céline se défonce en y mettant tout son cœur. Et jusqu'à la toute dernière minute, le match est serré. Finalement, elle l'emporte par une seule voix et René gagne littéralement son pari. La chance est au rendez-vous.

L'Eurovision peut changer une carrière et René le savait. Il possède maintenant un atout majeur en main. Une véritable chance. Jean Beaulne n'a pas eu cette chance. Alors qu'il était l'imprésario de la chanteuse la plus prometteuse du pays, France Castel, dans les années soixante-dix, il espérait lui aussi effectuer une percée internationale avec sa protégée. Elle avait été invitée au Festival d'Athènes, qui était à l'époque le festival musical le plus prestigieux d'Europe. Alors qu'il avait soigneusement préparé la participation de la chanteuse québécoise à ce festival, celle-ci lui fit faux bond en se disant indisposée et malade. En réalité, France Castel, qui est aujourd'hui une comédienne accomplie et une femme saine, était à cette époque dépendante de l'alcool et de la drogue. Comme si le succès remporté au tout début de sa carrière l'avait écrasée.

L'histoire retiendra sans doute que Céline Dion a su éviter à un très jeune âge et tout au long de sa carrière jusqu'à présent les pièges et les tentations du show-business. Lorsqu'on compare son cheminement à celui des chanteuses qui ont rivalisé avec elle, Mariah Carey et Whitney Houston, entre autres, on peut mesurer l'étendue de sa discipline personnelle. Comment René ne pouvait-il pas l'admirer dès le début ? Et comment ne pouvait-il pas l'aimer ?

56

L'amour pour de vrai

Après des années de mystère et de rumeurs sur l'origine de sa relation amoureuse avec Céline Dion, René Angélil a finalement levé le voile sur ce secret qui était très mal gardé dans l'entourage du couple et même parmi les gens des médias. Tout ce petit monde qui gravitait autour de Céline savait qu'elle était amoureuse de René depuis 1986 et peut-être même 1985. Elle avait été d'abord attirée par un homme malheureux, seul, désemparé à la suite de sa séparation d'avec Anne Renée. Son instinct maternel l'incitait à se rapprocher de l'homme meurtri, à le couver, à le protéger, à ne jamais le blesser davantage. À dix-sept ou dix-huit ans, Céline vit ce qu'on a déjà appelé le complexe de l'infirmière et est attirée par René Angélil, l'enfant. L'enfant de quarante-six ans qui joue les hommes mûrs devant les médias. Céline ne croit plus à cette image. Elle préfère l'homme qu'elle découvre, qu'elle imagine et qu'elle désire. Mais quand et comment lui dire qu'elle l'aime ?

René situe exactement là où nous en sommes dans notre histoire le moment précis où ils ont avoué et consommé leur amour. C'est au biographe officiel de Céline, Georges-Hébert Germain, en 1997 et à Stéphan Bureau, quelques années plus tard, qu'il a raconté le début de sa relation amoureuse avec sa protégée. L'événement a lieu dans un hôtel de Dublin, alors que le couple se retrouve dans la chambre de Céline, vivant encore l'euphorie de la victoire à l'Eurovision.

« Depuis son changement physique en 1986, je ne regardais plus Céline de la même manière. Je la trouvais sexy mais… je me retenais, j'essayais de ne plus y penser. Je pensais que j'allais nuire à la carrière de Céline, que j'étais trop vieux et qu'on allait m'en vouloir. »

Georges-Hébert Germain donne la version officielle de l'événement dans la biographie qu'il a écrite sur Céline.

« Chaque soir, depuis la première tournée qu'ils avaient faite ensemble en 1985, il lui posait un baiser sur chaque joue et lui souhaitait bonne nuit… Et voilà qu'en ce soir de gloire et de victoire, il allait partir sans l'avoir embrassée. Il avait déjà ouvert la porte. Il souriait. Elle s'est approchée, collée à lui : "Tu ne m'as pas embrassée, René Angélil." Elle gardait la tête et les yeux baissés…

« Il n'a pas compris ce qui s'est passé, même si, depuis quelques semaines, il avait mille fois pensé à cette scène, l'avait cent fois imaginée. Il s'est penché vers elle et l'a embrassée sur les lèvres, dans le cou, et l'a serrée dans ses bras très fort. Puis il a brusquement défait son étreinte et il s'est enfui dans sa chambre. Elle est restée un moment interdite, le cœur battant.

« C'est elle qui le rappela :

« Si tu ne viens pas, je vais frapper à ta porte. »

Voilà la version officielle du principal intéressé et qui demeurera à tout jamais, foi de René Angélil.

Il faut bien admettre que le scénario est parfait et ressemble à un véritable conte de fées alors que le triomphe de Céline se conjugue à l'amour en un soir de fête.

Qu'en est-il exactement ?

René a été à ce point obsédé par son image auprès des médias, mais également auprès de Céline, qu'il est fort probable que les événements se soient déroulés ainsi… ou à peu près ainsi. À quelques mois ou à quelques années près, si on prête foi aux quelques témoignages aujourd'hui sans importance.

Depuis le début de leur association, la relation entre Céline et René a toujours été équivoque et il ne pouvait en être autrement. La relation entre un imprésario et « sa » chanteuse est en tous points semblable à une relation amoureuse.

Jean Beaulne m'a expliqué longuement la promiscuité inévitable et souvent nécessaire qui existe entre l'imprésario et l'artiste : « Ils travaillent ensemble. Ils mangent ensemble. Ils voyagent ensemble. L'agent doit veiller à l'image, à la santé, à l'humeur de son artiste, et la protéger contre les dangers du métier et surtout les mauvaises influences. La tension est énorme, la responsabilité écrasante et, de plus, il vit constamment avec la menace de perdre son artiste. Il était difficile à René et à Céline, dans ce contexte, de ne pas tomber amoureux. D'autant plus que René représentait aux yeux de Céline un véritable héros, et qu'en retour l'interprète devenait de plus en plus époustouflante d'une performance à l'autre. Ils s'admirent beaucoup mutuellement, et se font confiance. »

Ce que René s'est bien gardé de faire pendant les années d'adolescence de Céline, mais on ne peut nier qu'il était possessif et qu'il n'a jamais voulu partager sa protégée avec qui que ce soit. Céline n'a eu que très peu d'amoureux. D'abord, un certain Sylvain, à Charlemagne, qui lui a fait vivre une amourette sans conséquence, puis il y a eu le hockeyeur Gilbert Delorme. Céline l'a rencontré lors du tournage de son premier vidéoclip et ce fut le coup de foudre. Elle était éblouie par l'allure de cet athlète qui savait lui faire du charme.

Quand René a eu vent de cette idylle, il a littéralement explosé. Il s'est permis une véritable crise qui ressemblait à une crise de jalousie. Jamais il n'a accepté qu'un autre homme vienne contrecarrer ses plans. Jamais il n'a admis que Céline puisse aimer et vivre une grande passion pendant qu'il s'acharnait à lui bâtir une carrière. Ni Delorme ni Paul Lévesque, son premier agent, ni ses fans masculins trop entreprenants ne pouvaient s'approcher trop intimement. Pas étonnant que Céline n'ait vécu aucune relation amoureuse avant de s'unir à René : il a fait le vide autour d'elle et éloigné sciemment tout prétendant.

Encore là, on se trouve devant une situation pour le moins équivoque. René se souvenait d'Alain Charbonneau, qui lui avait ravi Ginette Reno. Jamais plus il ne voulait revivre cette humiliation. Mais était-il un Pygmalion inconscient qui préparait une union totale avec sa protégée, à l'heure venue ? Possiblement, mais il ne l'avouera jamais ou il ne se l'avouera jamais.

Avant de baisser les bras et de se laisser aimer par Céline, René a vécu des mois d'angoisse et on le comprend. En l'aimant ouvertement, il allait gâcher son œuvre, effilocher sa carte maîtresse. Même en cachant cet amour, il redoutait la spontanéité de Céline, les confidences de Céline, la griserie de Céline.

« Rien de pire pour un imprésario, que ce soit René ou quelqu'un d'autre, que de voir son artiste tomber amoureuse, explique Jean Beaulne. À ce moment-là, l'agent perd le contrôle qu'il exerce sur sa protégée. Dans certains cas, ça peut être catastrophique. L'artiste devient moins disponible, prend ses distances, et un certain lien de confiance est rompu avec l'agent. L'amour fait souvent perdre la tête, et l'artiste, qui est par définition un être particulièrement sensible, réagit beaucoup plus aux appels de l'être aimé qu'aux exigences de l'imprésario, qui tente de la ramener à l'ordre. »

René, qui connaît ses classiques du rock, avait relu la triste histoire de Jerry Lee Lewis, qui a tout perdu en épousant une fille de quatorze ans. C'était en 1959, pendant le service militaire d'Elvis Presley. Lewis, qui avait obtenu les premières places du hit-parade américain avec *Whole Lotta Shakin' Going on* et *Great Balls of Fire*, devait succéder à Elvis. Lors d'une tournée en Angleterre, un journaliste apprend que la jeune fille est en réalité son épouse de quatorze ans. Interrogé à ce sujet, Lewis ne nie pas et s'affiche fièrement en compagnie de sa très jeune épouse. Le lendemain, la nouvelle fait le tour du monde et les salles sont vides devant lui pendant sa tournée. Aux États-Unis, on fracasse ses disques sur les ondes de la plupart des stations radiophoniques et Jerry Lee Lewis ne remplacera jamais Elvis Presley. Parvenu à un âge avancé, il court encore le cachet.

Pourtant Elvis aime également une jeune adolescente de quatorze ans qu'il a su bien cacher chez sa grand-mère à Memphis, pas très loin de sa maison. Jamais il n'a été éclaboussé par le scandale. Jamais non plus il n'a fait connaître Priscilla Beaulieu avant de l'épouser.

René n'est ni Presley ni Lewis et Céline n'a plus quatorze ans, mais il craint les rumeurs, les sous-entendus, la détérioration de son image et de celle de Céline. Ce lecteur de biographies se souvient également de Charlie Chaplin, qui a épousé la fille du dramaturge Eugene O'Neil, qui n'était âgée que de dix-huit ans lors de leur première rencontre. Peu de temps après, Chaplin avait été chassé des États-Unis lors de la fameuse chasse aux sorcières à l'époque du maccarthysme. Le grand public n'apprécie pas toujours la grande différence d'âge dans les amours de ses idoles. René en est conscient et s'interroge pendant des mois. Il se confie à Eddy Marnay, qui demeure son ami et confident, et à ses enfants. La mère de Céline n'est plus tenue de suivre le couple durant les voyages mais, comme toute bonne mère, elle a remarqué la fièvre amoureuse de sa fille et n'accepte pas cette relation au début. Elle souhaitait un homme plus jeune pour sa fille. Un homme sans enfants. Un homme sans passé. Elle voyait René comme un homme d'affaires, un producteur ambitieux, le meilleur élément pour propulser sa fille au sommet, mais surtout pas son amoureux.

Mme Dion savait, comme toutes les mères en pareilles circonstances, que sa fille était amoureuse de René. Elle a eu avec celui-ci une franche et vive discussion, lors d'un voyage à Paris, et s'est retrouvée devant un homme fortement ébranlé. Lui-même père de famille, René a compris la résistance de Mme Dion. Les parents n'apprécient guère, généralement, de voir leur fille s'éprendre d'un homme beaucoup plus âgé qu'elle.

Jean Beaulne, qui a participé à l'écriture de cette biographie,
et Céline Dion, la femme qui a changé René.
(Photo : Pierre Yvon Pelletier.)

57

Premier disque en anglais

L'amour doit donner des ailes puisque Céline et René s'envolent vers le succès au printemps 1988. C'est une énergie folle qu'ils déploient, et ce, dans tous les secteurs. René négocie une entente avec la compagnie Chrysler, une autre avec la chaîne de magasins Simpson. Dans chacun des cas, Céline touchera plus de 300 000 $ et on la dit déjà millionnaire. On ne parle pas de ce que touchera René, qui obtient une bonne part des gains de sa protégée. À compter de ce moment, on peut parler d'un partage moitié-moitié entre les amoureux toujours secrets qui investissent dans la carrière internationale de la chanteuse.

En mai, René se rend à New York en compagnie de Vitto Luprano afin de rencontrer le directeur artistique de CBS, Richard Zucherman. Le succès remporté par Céline à Dublin a sûrement impressionné les gens de CBS mais Zucherman fait montre de prudence et évite de précipiter les choses. Il faudra du temps avant de rassembler une équipe autour de Céline. Il faudra du temps également pour trouver les bonnes chansons et la bonne stratégie de marketing.

René n'a pas commis l'erreur de s'imposer. C'est en toute humilité qu'il a écouté les directives du grand patron de CBS et qu'il accepte de s'en remettre à ses décisions.

Le budget est illimité et à la discrétion du grand patron.

L'approche de René est stratégique. Il a compris que, dans de pareilles circonstances, il valait mieux se méfier de son ego. Il n'a jamais oublié l'arrogance qu'il avait manifestée dans cette même ville de New York quinze ans plus tôt en négociant avec un des majors de l'industrie du disque. Cette erreur de jeunesse avait littéralement bousillé la carrière internationale de René Simard. Mais certains observateurs s'interrogent encore aujourd'hui. René n'a-t-il pas renoncé à ses pouvoirs en négociant avec CBS ? A-t-il perdu son emprise sur la carrière de Céline ? S'est-il sacrifié pour permettre à Céline Dion d'effectuer une percée sur le marché international ?

Jean Beaulne ne peut même pas imaginer que le *control freak* qu'a toujours été René Angélil ait pu céder ne fût-ce qu'une partie de son pouvoir à l'intérieur de cette entente qui le liait à CBS.

C'est bien mal comprendre comment fonctionne cette industrie aujourd'hui.

« René n'a rien perdu. Il a évidemment inclus dans le contrat une clause mentionnant qu'il avait le dernier mot sur le choix des chansons ainsi que du style de musique qui convient à l'artiste. C'est le rôle de l'agent de protéger, à court et à long terme, la carrière de l'artiste dont il s'occupe. Des compagnies ont déjà "brûlé" des artistes en effectuant un mauvais choix de musique. Imaginez par exemple si on imposait à Michael Jackson d'enregistrer du cha-cha-cha. »

Pendant ce temps, Céline poursuit sa tournée au Québec et présentera plus de cent cinquante spectacles dans la province. La partie est gagnée et la critique reconnaît les qualités de la chanteuse, qui habite littéralement la scène.

58

Le professeur Foster

À l'automne, CBS – déjà la propriété de Sony – propose, mais, en fait, impose, trois réalisateurs pour la production de l'album de Céline. René avait pensé que David Foster était le maître d'œuvre mais Sony en a décidé autrement et René devra se plier aux exigences de la puissante compagnie de disques. En plus de Foster, Andy Goldmark et Christopher Neil réaliseront d'autres pièces de l'album.

Foster entreprend le travail en compagnie de Céline à la fin de l'année et corrige inlassablement la voix de la chanteuse pendant des semaines et des mois. L'homme qui a travaillé si longtemps avec Barbra Streisand adoucit la voix de Céline, lui donne encore plus de couleur, la débarrasse de certaines intonations encore nasillardes et améliore sa technique vocale. Foster se comporte tel un professeur particulièrement exigeant et, étrangement, Céline, la chanteuse la plus disciplinée du monde, en est ravie. Elle a rencontré son maître musical et elle progresse constamment. C'est dans la ville de Los Angeles qu'elle travaille en compagnie de son producteur et René en profite pour reprendre son souffle, s'amuser et évidemment jouer dans les casinos de Las Vegas.

L'amour se marie avec la musique et Céline enregistre finalement les chansons de Foster dans une atmosphère de grande douceur. Pas très connue dans ce coin des États-Unis, Céline peut vivre son amour plus librement. René est heureux.

Céline enregistre également à New York avec Andy Goldmark et à Londres avec Christopher Neil. René ne tient plus en place. Il presse la compagnie Sony de sortir l'album. Il lui tarde de plonger dans ce marché américain dont il a tant rêvé. Les chansons sont bonnes, il en est convaincu. Il a pleuré en écoutant *Where Does My Heart Beat Now*. Le compositeur Neil était euphorique, Céline a ébloui tout son monde. Mais qu'est-ce qu'on attend? Les gens de Sony ne sont pas complètement satisfaits. Il faudrait ajouter quelques chansons pour accrocher l'auditoire.

René est hors de lui. L'homme qui avait fait preuve d'humilité dans les bureaux de Sony à New York retrouve sa véritable nature et menace même d'aller enregistrer chez un concurrent, la compagnie Atlantic Records qui a déjà manifesté son intérêt. René bluffe évidemment mais on remarquera qu'il n'a pas abandonné Céline à la toute-puissante Sony.

Vitto Luprano le calme et lui fait savoir que Sony a peut-être raison. En réalité, David Foster, le professeur de Céline, n'a pas écrit ses meilleures chansons pour cet album et on s'en est aperçu dans les bureaux de Sony. Et finalement Céline retourne en studio pour enregistrer *Any Other Way* et *If Love Is Out of Question*.

L'année passe et la sortie du disque se fait attendre. C'est finalement le 2 avril 1990 que l'album *Unison* est lancé, à la discothèque la plus populaire de Montréal, le *Metropolis*. Selon son habitude, René a organisé un événement monstre qui attire des milliers de fans qui bloquent la rue Sainte-Catherine. Les stations de radio les plus branchées de la ville participent à l'événement et font tourner pendant toute la journée des plages du premier album en anglais de Céline. En soirée, celle-ci interprète sur la scène de la gigantesque discothèque six chansons de l'album. René a invité Paul Burger, le président de Sony, et c'est la langue anglaise qui prédomine dans la musique et la vie de Céline en ce jour.

L'album est d'abord bien accueilli, bien médiatisé en ce sens qu'il tourne un peu partout à la radio, mais par la suite on ne peut pas parler d'un véritable engouement, d'un raz-de-marée chez les disquaires. Certains critiques manifestent de sérieuses réserves, alléguant que l'album porte la marque de René, que certaines chansons ne correspondent pas à l'âge de Céline. On déplore également le manque d'unité de cet enregistrement. Cependant, tous s'accordent à reconnaître l'impressionnante qualité de la voix de Céline, qui a encore progressé. L'intervention de trop de réalisateurs, de trop de studios explique, à mon avis, l'étrange mélange que constitue cet album très attendu. Mais c'est la voix de Céline, qui triomphe par-dessus tout et René utilisera cet enregistrement comme carte de visite dans sa conquête du marché international. On connaît main-tenant Céline Dion au Canada anglais et c'est ce qui importe pour l'instant. René se sert en effet du Québec comme tremplin pour chaque lancement de disque parce qu'ainsi il attire l'attention des dirigeants de Sony à New York et à Los Angeles. Après tout, sa protégée vendant déjà beaucoup de copies dans son pays, elle constitue une valeur sûre.

Les ventes de ce disque plafonnent un peu partout et même au Québec, à 125 000 copies, mais René songe déjà à la scène pour relancer les ventes. Il détient maintenant un autre atout. Céline est devenue une artiste de scène accomplie, à la suite de sa tournée *Inco-gnito*, et il entend bien utiliser sa présence physique pour vendre des disques. Un atout qu'il ne possédait pas auparavant.

DAVID FOSTER

David Foster est l'un des plus grands auteurs, compositeurs et producteurs des années 2000.

Le plus grand compliment que l'on puisse faire à un créateur musical est bien de lui dire qu'il a de bonnes oreilles. Et, dans le cas de Foster, il possède aussi de bons yeux ! David a le don de pouvoir reconnaître le potentiel d'une musique et de créer l'identité visuelle qui va exprimer l'essence de sa création.

Quatorze fois gagnant d'un grammy, incluant le titre de producteur de l'année à trois reprises et quarante et une mises en nomination, Foster est arrivé sur la scène musicale de Los Angeles en 1971. Avec son groupe rock Skylark, il obtient son premier succès en 1973. Rapidement, il s'est établi comme l'un des meilleurs claviéristes de l'industrie. Il est alors devenu un musicien de studio fort recherché, travaillant avec John Lennon, Diana Ross, George Harrison, Rod Stewart et Barbra Streisand, entre autres.

Puis il s'est appliqué surtout à l'écriture et à la production de chansons. Il a travaillé avec Hall & Oats et Boz Scaggs. En 1979, il remporte son premier grammy, pour la chanson *After the Love Has Gone*, enregistrée par Earth, Wind & Fire. Il passe ensuite à la production de comédie musicale et de trame sonore de films, dont celles de *Ghostbusters* et *Footloose*. Et tous les styles lui vont à merveille : rock, R & B, pop, soul, country, jazz et même le classique.

Il poursuit son ascension fulgurante avec des succès comme *Somewhere* (Barbra Streisand) et *We've Got Tonight* (Kenny Rogers). À la fin des années quatre-vingt, il donne naissance à une série fabuleuse de succès radiophoniques chantés par des monstres sacrés tels que Michael Jackson, Paul McCartney, Chicago, Neil Diamond, Alice Cooper, Manhattan Transfer, Phil Collins, The Pointer Sisters, Aretha Franklin et bien d'autres.

En 1993, Foster est nommé le producteur Top Singles et Top R & B # 1 par le magazine *Billboard*. Un grammy pour la trame sonore du film *The Body-guard*, mettant en vedette Whitney Houston, lui est aussi accordé ! Durant les années suivantes, il a produit des chansons mondialement acclamées, interprétées par des artistes mégastars comme Céline Dion avec *Falling Into You*, *Because You Loved Me* et *To Love You More*.

Entre 1994 et 1997, quatre de ses productions atteignent le sommet du palmarès, dont celle de Céline Dion, *Because You Loved Me*, et ce pendant une durée record de 42 semaines. En 1994, il devient le vice-président d'Atlantic Records, et l'année suivante il fonde son label, 143 Records Inc., dont les disques sont distribués par Atlantic. En 1997, il devient vice-président senior de Warner Music Group, avec lequel il s'associe.

Par la suite, les amateurs de musique de la planète ont été charmés par les plus récentes créations de ce Canadien. *It's Your Song* par Garth Brooks, *Let Me Let Go* par Faith Hill et *Tell Him* par Céline Dion et Barbra Streisand. Pour *The Prayer* par Andrea Bocelli et Céline Dion, il a obtenu le Golden Globe Award en janvier 1999. Au Canada, il a aussi remporté de nombreux prix, dont deux gemini et cinq junos. Il fait partie du Canadian Hall of Fame depuis 1997.

Depuis fort longtemps, il milite en faveur des droits des enfants. Il a établi la David Foster Foundation pour venir en aide aux familles avec des enfants en attente d'organes. Jusqu'ici, la fondation a recueilli plusieurs millions de dollars et aidé d'innombrables enfants d'Amérique du Nord. Il fait aussi partie de l'André Agassi Fondation, de Race to Erase MDS, de Malibu High School Scholarship et de plusieurs fondations pour le cancer.

Natif de la ville de Victoria, en Colombie-Britannique, la province la plus à l'ouest du Canada, Foster habite actuellement Los Angeles avec sa femme, Linda Thompson, et leurs six enfants. Linda Thompson est aussi sa collaboratrice et, fréquemment, elle coécrit des chansons avec lui.

À cinq ans, il est déjà considéré comme étant en avance sur les jeunes de son âge qui jouent du piano. À treize ans, il étudie à l'université de Washington. À seize ans, il est déjà sur la route avec le légendaire Chuck Berry. En 1971, il fonde son propre groupe : Skylark ! Dans les années qui suivent, son remarquable talent fera de lui l'un des plus grands musiciens et producteurs de toute l'histoire musicale de la planète. Du Québec, lieu de naissance de Céline, à Tokyo, au Japon, ses créations ont marqué la vie de milliard de gens qui se sont reconnus dans l'une de ses magnifiques chansons !

Jean Beaunoyer

59

Céline la comédienne

En 1990, Céline s'affirme. Elle réalise un grand rêve en acceptant de jouer dans une minisérie télévisée québécoise intitulée *Des fleurs sur la neige*. Elle avait été touchée en lisant le scénario, dont le titre original était *Élisa T.*, l'histoire vécue d'une jeune fille misérable, pauvre, battue par ses parents et qui finit par s'en tirer, à force de courage et de détermination. René n'a pas aimé le scénario et croit que Céline n'a rien à gagner en jouant le personnage d'une pauvre jeune fille de campagne, mal habillée, courbée, écrasée et mal-aimée. Il redoute surtout que les gens puissent confondre Élisa T. avec Céline D., de Charlemagne, qui était beaucoup plus vigoureuse, beaucoup mieux aimée et sûrement moins misérable. Il pensait que ce rôle ne convenait plus à son image. Une image qu'il avait mis des années à bâtir.

Mais Céline voit les choses autrement. Elle a toujours rêvé de jouer la comédie et son récent séjour à Los Angeles a ravivé ce vieux rêve. Malgré le désaccord de René, elle accepte avec enthousiasme de tourner cette série. René a beau lui dire que cette aventure n'aidera en rien à sa carrière internationale puisque cette minisérie ne sera jamais montrée à l'extérieur du Québec, Céline s'obstine. Elle veut justement apprendre un nouveau métier et elle ne tient pas à faire ses classes sur les grands écrans d'Amérique.

Pour l'une des rares fois de sa carrière, René se replie et laisse la femme de sa vie s'exprimer, en espérant qu'elle ne subira pas trop de dommages.

Le monde des comédiens n'est pas celui des chanteurs et Céline l'apprendra très vite. Disciplinée comme toujours, elle arrive très tôt sur le plateau de tournage, maîtrise parfaitement son texte et se comporte en véritable professionnelle. Le réalisateur Jean Lepage est impressionné par la disponibilité et la souplesse de la chanteuse, qui fait preuve de plus d'humilité que les comédiens qui l'entourent. On remarque également la fragilité et la sensibilité de Céline, qui s'investit totalement dans le rôle.

« Je ne joue pas, dit-elle aux journalistes. Je suis Élisa et je souffre et je pleure pour de vrai, comme si je vivais les émotions de mon personnage. »

Céline ne se ménage pas. Elle travaille douze heures par jour sur le plateau, poursuit sa carrière de chanteuse, rencontre les journalistes, participe à de nombreuses promotions et sans se plaindre. Elle est trop excitée par sa nouvelle expérience de comédienne.

On imagine facilement la réaction de René Angélil quand il lit dans les journaux : « Je suis Élisa, qui est totalement différente de moi. Toute son attitude est différente de la mienne. Par exemple, la démarche, le maintien. Je suis habituée à marcher de manière dégagée, à beaucoup regarder autour de moi pour atteindre tout le monde en spectacle. Or, Élisa ne s'aime pas, donc elle se rapetisse tout le temps et ça doit passer dans son comportement.

« Elle ne se maquille pas. Elle est très maigre et elle veut occuper le moins de place possible. Je dois y penser tout le temps et faire oublier Céline. »

Des propos qui diffèrent totalement de ce qu'on entend quand son manager est auprès d'elle. On comprend que René ne soit pas d'accord puisque son mandat consiste justement à ne pas faire oublier Céline et à garder son image intacte. Celle-ci lit le livre *La Méthode de Stanivlasky* et vit intensément son trip de comédienne.

Le colonel Parker, l'idole de René, a déjà vécu une situation semblable avec son protégé, Elvis Presley. On avait offert au colonel un rôle pour Elvis qui allait lui rapporter, à coup sûr, un oscar.

Le colonel a lu le scénario et a refusé net de poursuivre les négociations. Il s'agissait du rôle du prostitué texan dans le film *Midnight Cowboy*. Le rôle fut confié par la suite à John Voight, qui partageait la vedette de ce film avec Dustin Hoffman. Parker a également refusé pour Elvis le rôle du chanteur déchu dans *A Star Is Born*, où il aurait donné la réplique à Barbra Streisand. Pis encore, il n'a jamais voulu que son protégé tourne le rôle principal dans *West Side Story*, rien de moins, alléguant que le personnage d'un jeune délinquant faisant partie d'un gang de rue de New York allait encore une fois ternir la réputation du gentil garçon de bonne famille qu'avait son poulain. Elvis aurait peut-être été reconnu par l'industrie du cinéma en acceptant de tourner dans tous ces films, mais le colonel Parker préférait protéger l'image du chanteur.

René pensait également à l'image.

Le soir du 9 juillet, Céline s'endort au volant de sa Laser de Chrysler alors qu'elle se trouve sur l'autoroute des Laurentides. Elle se réveille et s'aperçoit qu'elle roule du mauvais côté de la route. Elle lâche le volant et ferme les yeux. L'auto zigzague, fait plusieurs tonneaux avant de s'immobiliser dans le fossé. Plus de peur que de mal.

« J'ai été marquée profondément par ma première expérience de comédienne, racontera plus tard Céline. C'est l'événement le plus intense que j'aie vécu dernièrement. Je me suis laissé prendre au jeu et j'ai aimé vivre mon personnage jusqu'à la limite de mes moyens, mais ça a été très éprouvant moralement et émotivement. Je suis certaine que l'accident de voiture était lié à la fatigue et à la tension que j'ai ressentie à la fin du tournage. »

René n'a jamais commenté le tournage de Céline. Devant les médias, il a complètement ignoré *Des fleurs sur la neige*. Un silence éloquent. Lorsqu'on lui propose de faire enregistrer par Céline la chanson-thème de cette minisérie de quatre heures, il refuse carrément. Il a accepté qu'elle vive son trip de comédienne, mais pas question qu'elle entache son image de jeune chanteuse saine et pleine d'énergie.

Bien avant de travailler avec Céline, René Angélil admirait l'œuvre du colonel Parker, le manager d'Elvis Presley.

Du temps des Baronets, il en parlait déjà comme d'un exemple à suivre. Influencé par les stratégies de marketing du colonel mais aussi par Brian Epstein, le manager des Beatles, et Johnny Stark, l'imprésario de Mireille Mathieu, René a appliqué des stratégies promotionnelles inspirées par ces personnes sans toutefois suivre les traces du colonel, dont la réputation n'était pas sans tache.

Tous les deux étant des mordus du jeu, René a eu maintes fois l'occasion de rencontrer Parker à Las Vegas. Ils se sont retrouvés à la même table à plusieurs reprises. Quand ils furent devenus de bons copains, René est même allé le visiter chez lui ! Celui que l'on surnommait à l'époque « le colonel » s'appelait Andreas van Kujik. Il a vu le jour à Breda, en Hollande, le 28 juin 1909. Enfant, il étonne ses frères et sœurs avec ses différents trucs pour faire de l'argent, achetant et revendant toutes sortes de choses. Très jeune, il installe même un petit cirque dans sa cour et demande une modique somme à chaque jeune voisin qui veut y entrer !

À seize ans, il quitte la maison familiale, et à dix-sept, il traverse l'océan sur un paquebot pour se rendre aux États-Unis. Sans papiers, il réussit à joindre les rangs de l'armée et emprunte le nom de Tom Parker, un officier qui lui est sympathique. Après l'armée, il travaille pour un cirque ambulant et en fait la promotion en se promenant déguisé en homme-sandwich tirant un éléphant. En 1940, il se fait kidnappeur de chiens errants dans la ville de Tampa, en Floride. En retour, on lui offre gratuitement un appartement équipé d'un bureau, des pneus et de la gazoline! Il inonde les journaux locaux de photos et d'histoires d'animaux abandonnés et lève une campagne pour leur venir en aide. Pour la première fois, la Human Society fait un peu de profit! Il ouvre ensuite un des premiers cimetières pour animaux et se met à vendre des pierres tombales. Parker offre aussi le service d'entretien des tombes en les décorant avec des fleurs que jetaient les fleuristes. Pour gagner encore plus d'argent, il produit un spectacle où il fait danser des poulets sur une plaque chauffante. Lorsqu'il désire que la danse soit plus rythmée, il en augmente simplement la chaleur...

Se tournant ensuite vers la promotion et la production musicale, il gère la carrière d'un dénommé Eddy Arnold. Travailleur acharné, il parvient à mener ce dernier au sommet de la musique country vers le début des années cinquante. S'associant ensuite avec l'agence William Morris, il réussit à faire signer un contrat de film à son poulain. Cette association sera fort utile pour la gérance d'un certain Elvis Presley qui, en 1954, commence à enregistrer pour la compagnie Sun Records de Sam Philips. C'est par l'entremise d'Oscar Davis, le partenaire de Parker, qu'il fait la connaissance de Presley, dont il constate rapidement le grand potentiel. Abasourdi de voir la réaction des spectateurs lors ses spectacles, il lui offre de le faire connaître à la grandeur du pays. Mais Elvis, qui a déjà comme manager Bob Neal, veut qu'il lui démontre ses talents d'imprésario.

Parker réussit alors à convaincre la plus grosse compagnie de l'époque, RCA Victor, de racheter le contrat d'Elvis avec Sun Records et il le fait signer avec Hill and Range, la meilleure compagnie d'édition de musique. On connaît la suite. Elvis devient la plus grande vedette américaine et un symbole majeur de l'après-guerre. Après la mort du King en 1977, Parker s'installe à Las Vegas, où il devient un client régulier des casinos. Vers la fin de sa vie, il pesait plus de cent trente kilos. Il est décédé d'une attaque cardiaque le 21 janvier 1997, à l'âge de quatre-vingt-sept ans.

JEAN BEAUNOYER

60

Nickels

Le début des années quatre-vingt-dix marque une nouvelle prospérité chez le couple Dion-Angélil. Ce n'est pas encore la fortune mais les affaires vont bien. Céline a participé à des campagnes publicitaires avec Chrysler et Simpson, qui lui ont rapporté près d'un million de dollars. La tournée *Incognito* a fini par rapporter des dividendes, les ventes de disques sont appréciables, les spéciaux de télévision, les spectacles corporatifs rapportent également d'intéressants cachets qui engraissent le portefeuille de l'économe Céline. René ne délaisse jamais très longtemps les tables de jeu mais, en 1990, il décide d'investir dans la restauration. C'est la première fois que Céline et René investissent dans une entreprise autre que celle du show-business.

Amateur de bonnes tables, le rusé Angélil fait d'une pierre deux coups en se portant acquéreur, en compagnie de Céline, d'actions de la chaîne de restaurants *Nickels*. D'une part, il s'agit d'une entreprise qui s'annonce rentable, et d'autre part cet investissement pourra satisfaire et ressouder les liens familiaux des familles Dion et Sara.

Paul Sara, cousin maternel de René Angélil, avait été caissier tout comme René dans sa jeunesse, puis directeur de banque avant de se lancer dans la restauration. Après avoir éprouvé des difficultés financières, il avait cédé ses actions du restaurant *Le Chalet suisse*, situé rue Sainte-Catherine, et avait finalement conclu une entente avec René afin de l'impliquer financièrement dans l'aventure des restaurants *Nickels*.

Le premier restaurant ouvre ses portes le 5 décembre 1990 à Saint-Laurent, en banlieue de Montréal, et c'est le succès immédiat.

Un an plus tard, on ouvre un deuxième restaurant *Nickels* à Laval, une autre banlieue de Montréal, et un millier de fans de Céline assistent à l'événement. Le décor de ces restaurants est résolument rétro, avec des affiches d'Elvis Presley, Marilyn Monroe, James Dean et les idoles de jeunesse de René. Le nickel, c'est la fameuse pièce de cinq cents qui porte chance à Céline. C'est elle-même qui a dessiné le costume des serveuses et c'est sa mère qui a en confectionné les premiers modèles avant qu'ils ne soient manufacturés.

Plus tard, une bonne partie de la famille Dion trouvera un emploi chez *Nickels*. Dominique et Paul Sara font partie des actionnaires, de même que Peter et Lawrence Mammas, qui œuvrent depuis un certain temps dans la restauration.

René, l'homme de famille, est heureux de cette association. L'entreprise s'avère un véritable succès et, dès 1993, on compte déjà neuf restaurants en activité. Maman Dion, qui a déjà lancé ses fameux petits pâtés, gère le *Nickels* de Repentigny, Claudette dirige un autre restaurant de la chaîne et finalement toute la famille se porte bien. Dès le début, les restaurants *Nickels* sont identifiés à Céline Dion et René Angélil, et les fans de la chanteuse se regroupent dans l'un des restaurant de leur idole, croyant qu'elle en est la propriétaire à part entière.

En réalité, Céline et René ne détiennent jamais plus de vingt pour cent des parts de la chaîne de restaurants, qui profite de la popularité grandissante de Céline. *Nickels* est un restaurant propre, nostalgique mais joyeux, simple, cordial, à l'image de Céline. On ouvre finalement une cinquantaine de franchises au Québec, en Ontario, en Floride, et l'entreprise est florissante. En 1999, cependant, l'image est irrémédiablement ternie lorsque la chaîne de restaurants est sous enquête. En décembre, une douzaine de restaurants sont visités par les agents du ministère du Revenu du Québec. On soupçonne certains de ces restaurants de la région métropolitaine d'utiliser des zappers, le logiciel qui permet de camoufler certains revenus aux gens du fisc. Les journaux s'emparent de l'affaire et René Angélil fait savoir par communiqué de presse que lui et Céline ne sont plus actionnaires des *Nickels* depuis 1997. En mai 2000, la chaîne de restaurants *Nickels* plaide coupable à soixante-quatorze accusations d'infraction aux lois fiscales. La chaîne est condamnée à une amende de trois millions de dollars, tandis que les franchisés doivent payer les taxes cachées au fisc, une somme de près de trois millions et demi de dollars. L'entreprise dirigeante s'engage cependant à les rembourser. Affichant des pertes de plus de quatre millions, l'entreprise est contrainte de se placer sous la Loi de la protection de la faillite et de la solvabilité, en décembre 2000. Paul Sara, le cousin de René Angélil, est président et principal administrateur de la compagnie, et Lawrence Mammas agit à titre de secrétaire-trésorier de l'entreprise et de la compagnie à numéro 3415724 Canada Inc. Les contrats de franchise liant la compagnie et les différents propriétaires sont transférés à une autre compagnie. Curieusement, jamais René n'avait annoncé la fin de son association avec cette chaîne de restaurants. Et jamais il ne parlera des *Nickels* par la suite.

61

Spectacle *Unison* et René politique

L'année 1990 est éprouvante pour Céline Dion, qui tourne la minisérie télévisée *Des fleurs sur la neige*, apprend la langue anglaise et prépare son premier spectacle dans cette langue. L'offensive américaine est déclenchée et c'est à René de jouer. L'album *Unison* ne fracasse aucun record de ventes, mais qu'à cela ne tienne, il entreprend une longue marche et déploiera toute une stratégie pour parvenir à ses fins. On remarquera sa ténacité, son entêtement qui confine à l'obsession. Il n'est pas question de ménager Céline alors qu'elle se trouve dans le plus important virage de sa carrière. Sa carrière à elle et évidemment la sienne aussi. C'est durant cette année que la voix de Céline craque lorsqu'elle présente un spectacle à Sherbrooke et qu'elle doit s'astreindre au silence. N'oublions pas qu'elle a déjà perdu le contrôle de sa voiture après une journée de tournage. Mais la machine est en place et ne peut s'arrêter.

On choisit d'abord René-Richard Cyr, un jeune metteur en scène particulièrement talentueux, pour mettre sur pied un spectacle dynamique, rythmé, au goût du jour. Mégot revient à la direction de l'orchestre. N'ayant pas l'argent nécessaire pour financer le spectacle *Unison*, qui sera présenté dans tout le Canada, René fait appel à Jean-Claude L'Espérance, un producteur québécois qui a longtemps fait équipe avec Guy Latraverse. L'Espérance hésite et finit par admettre qu'il ne croit pas à la réussite du projet. Il ne croit pas que Céline puisse franchir cette barrière des langues qui divise le Canada.

René est outré. Au moment où Céline s'apprête à faire son envol et à conquérir le marché anglophone du Canada et ensuite des États-

251

Unis, un homme vient semer le doute. Sans hésiter, René se tourne du côté du producteur montréalais Donald Tarlton, qui gère les entreprises Donald K. Donald. Tarlton a produit la grande majorité des spectacles américains présentés à Montréal (dont Michael Jackson, les Rolling Stones, Paul McCartney et Madonna). Il ne doute pas et accepte de produire la nouvelle tournée de Céline. René ne pourra plus travailler avec Jean-Claude L'Espérance à l'avenir parce que celui-ci a commis le pire des péchés à l'égard de Céline : il n'a pas eu la foi.

Dans sa longue marche vers le sommet, la terre promise des artistes du monde entier, René exige d'abord la foi. Mégot a eu la foi, CBS a eu la foi, maman Dion a eu la foi, la famille Dion, Eddy Marnay, Michel Jasmin, Michel Drucker ont également eu la foi. Et il s'en souviendra. Il se souviendra également de Trans-Canada, de Jean-Claude L'Espérance et de tous ceux qui n'ont pas eu la foi.

La longue marche s'amorce difficilement parce que les gens du milieu artistique et des médias, tout comme Jean-Claude L'Espérance, n'ont pas tous la foi.

En octobre 1990, des journalistes assistent à des spectacles d'avant-première et à la première au Théâtre Saint-Denis. La critique n'est pas unanime. Quelque chose flotte dans l'air qui ressemble à un malaise. Comme si on n'acceptait pas le répertoire en anglais de Céline. Comme si on n'acceptait pas cette subite transformation de la Céline de Charlemagne en une Céline de New York ou de Toronto. On avait accepté la transformation de l'enfant sage en femme sexy, mais on n'accepte pas celle de la chanteuse francophone en *performer* anglophone. Je pense, avec le recul, qu'on avait peur de perdre Céline à tout jamais.

Elle avait participé au *Tonight Show* animé par Jay Leno en septembre et avait interprété *Where Does My Heart Beat Now*. À la fin de l'émission, Leno tenait dans ses mains l'album *Unison*. Des journalistes québécois avaient accompagné Céline dans les studios de la NBC à New York, une initiative de René. Céline avait été intense, à fleur de peau pendant son interprétation, mais elle chantait et vibrait dans un autre pays et parlait une autre langue.

Les choses se compliquent au gala de l'ADISQ, un événement annuel fort prestigieux qui récompense tous les artisans du disque et du spectacle de variétés au Québec.

C'est un véritable coup de théâtre lorsque Céline Dion refuse le félix remis à la meilleure interprète d'expression anglaise.

«Je ne suis pas une anglophone et le public, lui, a très bien compris que je reste québécoise et francophone même si je chante en anglais. On aurait dû décerner ce félix pour l'artiste qui s'est le plus distingué internationalement», déclare Céline, qui prend tout le monde par surprise.

Malaise, puis tonnerre d'applaudissements dans la salle.

On ne parle que de l'esclandre de Céline dans les journaux le lendemain et on oublie presque les gagnants de la soirée. La plupart des observateurs saluent le courage de Céline alors que d'autres lui reprochent son attitude dans les coulisses, dont la chanteuse Ginette Reno. On croit généralement que Céline s'est exprimée sous le coup de l'impulsion alors qu'en fait il n'en est rien.

«Pourquoi ne pas nous avoir avertis plus tôt? Pourquoi ne pas avoir retiré Céline de cette catégorie lorsqu'elle a été mise en nomination?» demandent les organisateurs du gala.

«À partir du moment où l'injure était publique, Céline se devait de répondre devant tout le monde, au gala même, répond Angélil, pressé de questions, après le gala. Ou bien les gens de l'ADISQ sont "nonos" et ne sont pas conscients du tort qu'ils font à Céline ou bien ils sont intelligents et ont agi avec malice. C'est un trophée empoisonné qu'ils ont remis à Céline.

«Elle chantera peut-être en espagnol, de poursuivre l'imprésario, et ça n'en fera pas une artiste espagnole pour autant. Pas plus que les New Kids on the Block, qui ont chanté en français et qui restent américains.»

René finira par avouer à mon collègue Bruno Dostie qu'il avait préparé la réplique de Céline trois semaines avant le gala et qu'il avait bien pesé les mots. Ceux qui se sont acharnés sur Céline ont eu bien tort de le faire, parce que en réalité c'était l'œuvre de René qu'elle récitait devant deux millions de personnes à la télé. Une œuvre magistrale, il faut bien l'admettre.

Le débat était lancé. Les médias ne parlent que de la déclaration de Céline. Même les politiciens s'en mêlent. Au Québec, dès qu'il est question de la langue française, les boucliers se lèvent, les blessures se ravivent et le combat est engagé.

René a réussi à alerter l'opinion publique. Sans que personne en prenne véritablement conscience, il a passé un message : «Céline est fière d'être québécoise et elle ne vous abandonnera jamais. Même si elle chante en anglais. Et surtout, ne nous rejetez pas du Québec. Nous y tenons ! »

J'ai lu quelque part que René aurait été un brillant politicien. Je souscris à cette affirmation sans réserve.

Fédéraliste convaincu et avoué, il n'a pourtant jamais pourfendu le nationalisme québécois. Maître dans son royaume, il s'est inventé un nationalisme bien à lui, où les cultures arabe, québécoise, canadienne et américaine vivent en harmonie dans son univers. Il parle anglais, français, un peu arabe, depuis sa naissance, et mélange les langues et les habitudes de vie sans aucun problème. Mieux encore, il veut s'allier toutes les cultures d'Amérique dans sa démarche pour conquérir le marché américain et, par le fait même, le marché international.

Je me souviens d'une courte conversation à Québec où je lui parlais de l'éloignement et de la longue absence de Diane Dufresne qui s'était installée à Paris.

« Jamais je ne ferai cette erreur », m'avait-il dit. Céline a beau courir le monde et espérer conquérir toute l'Amérique, elle revient toujours à la maison.

Jusqu'à Céline, tous les artistes québécois qui avaient tenté leur chance à l'extérieur semblaient abandonner le Québec. Comme s'ils s'exilaient. Alys Robi, Félix Leclerc, Riopelle, Borduas, Glen Ford, natif de Québec, Aglaé, Suzanne Avon, Geneviève Bujold, Leonard Cohen, Donald Sutherland, et combien d'autres.

Il est toujours équivoque de vivre en français en Amérique. Nous sommes un peuple tissé de contradictions et même René, d'origine arabe, préfère parler français. Il s'entoure d'amis québécois, rêve d'une carrière américaine, se passionne pour le hockey et embauche des musiciens du Québec pour entourer Céline aux États-Unis. Il mélange le fast-food et les mets arabes, la famille Dion de Charlemagne et sa famille de la banlieue ouest de la ville. Il aime les jeux de hasard, le golf, la Floride et les matches de hockey en hiver.

René n'est pas l'homme de l'affrontement, malgré ses colères avec ses semblables ou des plus petits que lui. C'est le diplomate manipulateur qui s'entoure des meilleurs éléments après les avoir habilement courtisés. Depuis le début de sa carrière d'artiste et de manager, il s'appuie sur quelqu'un d'autre. Cette fois-ci, c'est

Tommy Motolla qu'il a dans sa mire. Motolla, le grand patron de Sony, est particulièrement coriace et on le considère dans le milieu comme le plus grand requin du show-business. De lui dépend souvent une carrière à l'échelle internationale. René le sait.

Il invite d'abord les membres de la direction de Sony International à venir voir Céline en spectacle au Théâtre Saint-Denis et parvient à se créer des alliés qui le mèneront jusqu'à Motolla. René a si bien manœuvré qu'il entre en communication avec celui-ci. C'est déjà un exploit dans le milieu. Mieux encore : Motolla aime bien René.

M. Akio Morita, un Japonais né en 1921, fut l'un des fondateurs importants de Sony. Fils d'un homme riche, il s'intéresse à la musique américaine. En écoutant de la musique classique, il réalise qu'il y a de l'argent à faire dans le domaine de l'électronique. Morita fonde, avec M. Ibuka, une compagnie appelée Tokyo Telecommunications Engineering Company, dans la banlieue de Tokyo en janvier 1947.

L'entreprise commence ses activités en fabriquant des pièces de rechange pour les phonographes. Puis, peu à peu, elle conçoit aussi des magnétophones, des baladeurs, etc.

En février 1960, Sony s'établit officiellement aux États-Unis. Le commerce est excellent et la compagnie est devenue géante ! Le fondateur Morita se retire à l'âge de soixante-cinq ans, ce qui ouvre la porte à une nouvelle génération de directeurs ingénieux. Vers la fin des années quatre-vingt, Norio Ohga effectue l'une des plus impressionnantes transactions de l'histoire : il achète Columbia (Music) et Tri-Star Film Studios pour 3,4 milliards de dollars.

Mais, cinq ans plus tard, la compagnie accuse une immense perte de 3,2 milliards de dollars ! Tout le monde se remet donc à la tâche et, depuis 1994, Sony est devenu fort rentable. L'entreprise Sony Music Entertainment est maintenant divisée en quatre groupes de labels : Epic Records Group, Columbia Records Group, Relativity Entertainment Group et Sony Classical.

Sony possède actuellement des contrats avec les plus grandes stars planétaires de l'heure : Carlos Santana, Slayer, Bruce Springsteen, Shakira, Our Lady Peace, Billy Joel, Las Ketchup, Tori Amos, 3LW,

Leonard Cohen, Destiny's Child, et Céline Dion, un joyau remarquable parmi les dizaines d'artistes qui ont l'honneur de faire partie de cette mégacompagnie !

JEAN BEAUNOYER

62

Tournée au Canada

À l'hiver 1991, la tournée en anglais de Céline s'amorce à Vancouver et se poursuit dans les grandes villes du Canada. Au début, il n'y a pas foule car on ne connaît pas encore cette nouvelle chanteuse québécoise. Il faut même épeler son nom aux journalistes des provinces de l'Ouest. Mais Céline et René travaillent comme des forcenés. La conquête est ardue et ils y mettent toute leur énergie. À ce stade-ci, ils investissent surtout leur santé. Qu'importe, ils ne peuvent qu'atteindre leur but commun. Ils le savent et remarquent les signes de la réussite.

Le premier signe est on ne peut plus révélateur : la chanson *Where Does My Heart Beat Now* est inscrite au palmarès de *Billboard*, la bible du show-business aux États-Unis. Les passages au *Tonight Show* ont rapporté. René conserve une copie du numéro de *Billboard* et le fait voir à tout le monde comme s'il s'agissait d'un trophée. Lorsque Céline parvient au quatrième rang du prestigieux palmarès, on ne peut plus l'ignorer. Les Américains achètent du Céline Dion maintenant. Les ventes de l'album grimpent constamment et frôlent le million d'exemplaires. Le Canada anglais, toujours à la remorque des États-Unis, s'intéresse de plus en plus à la jeune chanteuse québécoise.

Et Céline n'oublie pas le Québec. Le 19 juin, elle fête ses dix ans de carrière au Forum de Montréal devant 16 000 fans délirants. Un spectacle plein d'émotion où elle se raconte et chante les grands succès de sa carrière.

Le Canada anglais lui est acquis et il ne lui reste plus qu'à franchir la dernière marche pour percer définitivement le marché américain.

63

C'est Céline qui a changé René

En poursuivant les étapes de l'ascension de Céline Dion, les proches de René Angélil, et tout particulièrement ceux qui le connaissent depuis longtemps, remarquent un étrange phénomène. L'homme a changé. Autant les échecs, les épreuves et l'incertitude de ses jeunes années l'avaient avili, autant les succès remportés et les défis relevés l'ennoblissent. Rendu à cette ultime étape de la conquête internationale, René n'est plus le même homme. Il a sans cesse évolué et déjà on remarque les traits d'un grand manager qui multiplie les bonnes décisions, les initiatives heureuses et les bons pressentiments.

Au fil de nos conversations, Jean Beaulne m'a dit qu'il en était venu à la conclusion que ce n'était pas René qui avait changé Céline mais plutôt l'inverse. Non pas qu'elle lui ait enseigné son métier ou appris quoi que ce soit qu'il ignorait, mais c'est par son attitude, sa détermination naturelle, son équilibre à toute épreuve et son talent qu'elle a transformé un homme qui n'aboutissait à rien avant de la rencontrer.

« René a imposé l'image d'un homme et d'un agent idéal à Céline quand ils ont commencé à travailler ensemble, m'explique Beaulne. C'est sur cette base qu'ils ont poursuivi leur relation professionnelle. René s'était pris en main et il ne cessait de proposer des défis à Céline et de lui faire subir énormément de pression. Beaucoup d'autres auraient craqué à sa place. Parfois, c'était presque inhumain. La grande surprise de René a été de constater qu'elle relevait toujours le défi et habituellement mieux qu'il ne l'aurait imaginé. Elle dépassait continuellement ses attentes.

«Dans ces conditions, pour maintenir son image d'imprésario idéal, il devait, de son côté, préparer un autre défi, un plus grand. Il était pris à son propre jeu. Il faut du temps avant que l'agent ne connaisse vraiment son artiste. Je suis certain que René ne savait pas, au début, jusqu'où Céline pouvait aller. Et il ne faut pas oublier que plusieurs artistes succombent ou se laissent griser rapidement par le succès et la gloire. La plupart des artistes que je connais n'auraient pas pu supporter une telle pression et résister à tant de pièges. Pour ne pas perdre Céline, René s'est surpassé et a voulu lui aussi être à la hauteur de l'image qu'il avait donnée à Céline. Bien sûr qu'il avait un rêve de gloire internationale mais il le partageait avec Céline. En réalité, c'est Céline qui le nourrissait.»

Il faut avoir suivi les traces de Céline comme je l'ai fait si longuement pour reconnaître sa résistance exceptionnelle et son équilibre à toute épreuve. Jamais elle n'a été associée à un scandale, à la drogue ou mêlée à quelque histoire sordide. Elle a conservé une image parfaite sans aucune difficulté. C'est pourquoi la compagnie Sony a choisi de miser sur elle plutôt que sur Whitney Houston et Mariah Carey même si celle-ci avait épousé le patron de la compagnie. Tous les biographes de Céline conviendront qu'elle demeure une femme sans histoire, désespérément sans histoire. Dans son cas, les «potineurs» doivent se contenter de ragots et de rumeurs. Ce sont les gens qui l'entourent et les événements où elle est impliquée qui font l'objet d'histoires.

Mais comment expliquer l'attitude aussi sereine, aussi saine de Céline dans ce monde pas toujours édifiant du show-business?

«C'est l'appui de sa famille, affirme Jean Beaulne. La force de Céline, c'est une grande famille qui l'entoure et qui lui permet de se ressourcer continuellement. Depuis qu'elle est toute petite, elle n'a jamais été livrée à elle-même. C'est dans sa famille qu'elle retrouve son équilibre, qu'elle remet les pieds sur terre et qu'elle peut discuter avec ses frères et sœurs ainsi que ses parents, qui peuvent lui parler franchement. Au sein d'une grande famille, il n'y a pas de stars et les relations sont normales.»

Quand Céline était enfant, elle vivait déjà dans une bulle. À l'école, elle n'avait pas beaucoup d'amis et on la considérait comme une marginale. On se moquait même d'elle à l'occasion et on ridiculisait ses aspirations quand elle racontait dans la cour de l'école qu'elle voulait devenir une grande chanteuse. Elle n'a jamais aimé l'école, surtout à cause de cet entourage. Elle se réfugiait dans sa famille, où on chantait et fêtait avec de la musique, toujours de la musique.

Aujourd'hui, c'est encore cette bulle qui la protège. Bien sûr que les frères et sœurs sont exigeants parfois, qu'ils lui refilent souvent les factures et les ennuis financiers, mais dans l'ensemble Céline a autant profité de sa famille que sa famille a profité d'elle.

Et René qui sauvegardait son image auprès de Céline devait aussi ne jamais décevoir sa famille. Il a fort bien réussi parce que, depuis le tout début, maman Dion l'a constamment soutenu.

René s'était toujours appuyé sur quelqu'un d'autre dans son cheminement de vie. Avec Céline, il a appris à ne compter que sur lui-même pendant de nombreuses années. Par sa docilité, sa foi en lui, Céline lui a donné confiance en ses propres moyens. Par son ignorance du milieu, par sa foi aveugle, la jeune fille l'a poussé à se révéler à lui-même, à atteindre ses limites. Jamais René n'avait eu autant de latitude. Jamais il n'avait eu l'occasion de manifester son plein potentiel. Ni avec les Baronets, ni avec Ginette Reno, ni avec Guy Cloutier, il n'avait eu les coudées franches et le plein contrôle de sa destinée et de celle de son artiste. Il avait toujours composé avec d'autres forces qui ne lui étaient pas nécessairement favorables. René Angélil avait besoin d'avoir le contrôle et Céline le lui a donné. Elle lui a rendu une belle image de lui. Une image neuve. Une image à succès. Comment ne pas aimer une femme qui vous redonne ainsi la vie ?

On a vendu plus d'un million d'albums d'*Unison* mais surtout au Canada et au Japon. Aux États-Unis, il fallait tenter le grand coup. Et le grand coup, c'est la chanson-thème d'un film produit par Steven Spielberg, *Fievel Goes West*, qu'on lui a proposée, *Dream to Dream*. René déborde de joie. Voilà la chance qu'il attendait.

Céline adore cette chanson et la chante en rêvant de tout ce qu'elle signifie pour elle. Malheur dans la demeure : la chanson ne sera pas enregistrée par Céline, en raison d'un conflit entre Sony et MCA record. On doit tourner *Fievel Goes West*, chez Universal Pictures, qui possède sa propre compagnie de disques, MCA. Un accord est toujours possible entre les deux compagnies mais Motolla de Sony refuse de « prêter » Céline à MCA. Les choses traînent en longueur, Motolla se ravise mais trop tard, et finalement c'est Linda Ronstadt qui enregistre *Dream to Dream*. Une terrible déception pour René. Comme si subitement tous ses rêves s'évanouissaient. Il est convaincu que c'était par le film que Céline allait faire son entrée aux États-Unis. Et puis un film avec Spielberg, c'est une chance qui passe une fois dans une vie. En fait, il est si atterré que c'est Céline qui le console.

Et pourtant c'était la meilleure chose qui pouvait se produire dans la carrière de Céline Dion.

64

Beauty and the Beast

Le couple Dion-Angélil voyage beaucoup en 1991. En plus de présenter des spectacles au Canada et quelques-uns aux États-Unis, il faut aussi faire la promotion de l'album *Unison* dans plusieurs pays, dont le Japon et l'Angleterre. C'est justement en Angleterre que René reçoit un appel des productions Disney, qui proposent à Céline d'enregistrer la chanson-thème d'un film d'animation intitulé *Beauty and the Beast*.

Cette fois-ci, on ne peut pas parler d'un grand enthousiasme manifesté par Céline et on comprendra sa méfiance. Elle a été blessée autant que René par une première expérience cinématographique avortée. Elle se rend néanmoins dans les studios de Disney et se laisse convaincre graduellement. La chanson est émouvante et le film est promis à un grand succès.

Et c'est ainsi que le destin s'impose comme un grand maître en déjouant ceux qui s'acharnent à le mater. Mieux encore, il défie les lois de la logique, glissant dans l'absurde pour arriver à ses fins. Le grand stratège Angélil n'y peut rien.

Le film tant espéré de Spielberg ne remportera jamais de succès, ni la chanson *Dream to Dream*. Pendant ce temps, la grande porte du paradis hollywoodien s'ouvre, la dernière marche est franchie. Après des années de tentatives, de travail acharné, d'investissements à tous les niveaux, voici que le rêve devient réalité. Le plus grand rêve que puisse rêver un artiste de ce continent : la musique et Hollywood.

Beauty and the Beast obtiendra un succès foudroyant et consacrera Céline Dion star de la chanson américaine. C'est ici que Céline fait son entrée aux États-Unis.

Les gens ne peuvent réaliser combien le stress de René Angélil était grand lors de la participation de Céline à la soirée des oscars au début des années quatre-vingt-dix. Lorsqu'on lui a demandé de remplacer Barbra Streisand à pied levé et d'apprendre une chanson en moins de vingt-quatre heures, la tension était énorme, d'autant plus qu'elle devait chanter pour plus d'un milliard de personnes et devant un public difficile, composé entre autres des plus grands cerveaux de Hollywood. Quant à René, il a dû se croiser les doigts en espérant que Céline n'aurait pas de trou de mémoire ou un trac inhabituel.

Fondée le 27 mai 1927 en Californie, l'Academy of Motion Picture Arts and Sciences comptait 36 membres et avait comme président Douglas Fairbanks. C'est en 1929 que fut présentée la première cérémonie de remise de trophées, alors que les films étaient devenus parlants. Le prix du billet pour y assister était de 10 $, alors qu'il est de 1 000 $ aujourd'hui. Les noms des gagnants étaient publiés la veille, mais à partir de 1941 ils furent révélés pendant le gala. Diffusé à la radio durant des années, c'est en 1953 que l'événement fut présenté pour la première fois à la télévision, par le réseau NBC. Il s'agissait alors du vingt-cinquième gala, animé par Bob Hope. Depuis 1976, c'est le réseau ABC qui le diffuse et son contrat est valable jusqu'en 2008. Après avoir changé de ville à plusieurs reprises, la cérémonie est désormais présentée à Los Angeles, depuis 1969.

Quant à l'oscar, la célèbre statuette remise en guise de prix, elle fut dessinée par Cedric Gibbons, le directeur artistique de la compagnie MGM. Elle représente un chevalier avec une roulette de film à

266

cinq barres. Ces barres rappellent que cet événement est dédié aux acteurs, auteurs, réalisateurs, producteurs et techniciens. En or de 24 carats, la statuette mesure 34 centimètres et pèse 3,8 kilos. On a remis 2 365 statuettes depuis 1927. En 1927, 13 catégories étaient honorées, alors qu'en 2002 il y en avait 25. Chaque année, 50 à 60 statuettes sont fabriquées par 12 personnes qui mettent environ 20 heures à les peaufiner. L'oscar a été refusé par trois gagnants seulement au cours des années. On peut en admirer une version de sept mètres de hauteur à Los Angeles.

Avant qu'on la baptise du nom d'oscar, la désormais célèbre statuette portait différents noms : statuette de l'Académie, trophée en or, statuette du mérite et « l'homme de fer ». L'histoire populaire veut que le nom d'oscar lui ait été donné par une des directrices exécutives de l'Académie, Margaret Herrick, qui trouvait qu'elle ressemblait à son oncle Oscar. Ce nom a été officiellement adopté en 1939. Dans les années trente, une statuette miniature était donnée aux gagnants de catégories moins importantes. On raconte aussi qu'un ventriloque a reçu une statuette avec une bouche mobile, tandis que le grand producteur Walt Disney, honoré pour son film *Blanche-Neige et les sept nains*, a reçu une statuette accompagnée de sept copies miniatures. Détail intéressant, la cérémonie télévisée la plus regardée fut celle de 1998, avec 55,2 millions de téléspectateurs, année de la victoire du film *Titanic*. Quant à la cérémonie la plus longue, celle de 2002 bat tous les records avec 4 heures et 16 minutes de diffusion.

JEAN BEAUNOYER

Dion chante Plamondon était certifié or
avant même d'arriver en magasin en 1991.
(Photo : *La Presse*.)

65

Encore Plamondon

On pourrait facilement croire que Céline est arrivée. On pourrait espérer qu'elle reprenne son souffle alors qu'elle n'a plus qu'à se laisser porter par son succès et à se consacrer à sa carrière américaine. Il n'en est rien. Elle prépare déjà un album de chansons de Luc Plamondon, intitulé *Dion chante Plamondon*. En compagnie du célèbre parolier, elle choisit huit chansons de son répertoire et en ajoute quatre nouvelles pour compléter l'album. René informe Plamondon qu'il faudra précipiter le lancement et la promotion du disque puisqu'on lancera un deuxième album de Céline en anglais chez Sony. On retrouvera sur cet album la chanson *Beauty and the Beast*, que Céline interprétera en duo avec Peabo Bryson.

« René est un impulsif qui ne s'arrête jamais, précise Jean Beaulne. C'est un perfectionniste, un excessif qui ne s'accorde aucun répit et qui n'accorde aucun répit aux autres. Il pousse la machine constamment. Et Céline pousse également de son côté. »

On lance l'album *Dion chante Plamondon* en novembre 1991, toujours à la discothèque *Metropolis*, et, déjà, plus de 50 000 copies ont été commandées. Un mois plus tard, les ventes de l'album dépassent les 100 000 copies au Québec. La France attendra. Cette fois-ci, les critiques sont confondues : la qualité du disque est remarquable. On découvre également toute la mesure du talent de Céline, qui s'est impliquée dans la production de cet album. Elle a repris plusieurs succès de Plamondon, auxquels elle a donné de nouvelles couleurs, de nouveaux rythmes et une interprétation particulièrement originale. Pour la première fois, René a laissé à Céline le soin de diriger une bonne partie de la production de ce disque à Paris.

L'année 1992 s'annonce magique lorsque la chanteuse québécoise apprend qu'elle interprétera en duo avec Peabo Bryson *Beauty and the Beast* à la soirée des American Music Awards en janvier et au gala des oscars le 30 mars, jour de son vingt-quatrième anniversaire de naissance. La chanson occupe la tête du palmarès américain en ce début d'année avec 500 000 copies vendues. Céline règne déjà sur les Hot 100.

À la soirée des oscars, au Dorothy Chandler Pavillon, René redevient un enfant ébloui dans une boutique de jouets inaccessibles. Il se transforme en groupie et remarque toutes les personnalités du monde artistique qui participent à cet événement qui attire annuellement plus d'un milliard de téléspectateurs. À l'insu de Céline, il a fait venir toute la famille Dion à Hollywood. Ils sont tous là, les Dion de Charlemagne, pour assister au couronnement de leur petite sœur. C'est tout le Québec qui assiste également à l'événement, à l'autre bout de l'Amérique, devant le téléviseur. C'est la toute première fois qu'une Québécoise participe à la soirée des oscars.

Le conte de fées est complet lorsque la chanson interprétée par Céline et Peabo Bryson remporte l'oscar de la chanson de l'année.

Profitant de la popularité de l'événement, la compagnie Sony lance l'album *Céline Dion*, enregistré dans les plus grands studios d'Amérique et regroupant des chansons des meilleurs compositeurs du métier. Le lendemain, Céline participe au *Tonight Show* et est reçue en grande star. En peu de temps, après avoir été vue par un milliard de personnes à la télé, elle est devenue un personnage connu de la musique américaine.

Sans perdre de temps, elle entreprend une harassante tournée aux États-Unis. Comme s'il fallait profiter de la situation au maximum et concentrer tous les bonheurs à la fois. Non seulement la popularité de Céline a grandi, mais celle de René également, ce qui a fait taire tous ses détracteurs. On parle maintenant de son génie créateur, de ses stratégies, de son sens inné du marketing. Cette période de la vie de Renée et de Céline est euphorique et l'amour grandit toujours entre eux. Céline admet devant certains journalistes qu'elle est amoureuse mais jamais elle ne dévoilera l'identité de son amoureux.

Celui-ci est pris dans un tourbillon et pousse ses forces jusqu'à la limite. Le 29 avril, son cœur flanche et son monde s'arrête.

66

Attaque cardiaque à Los Angeles

Le 29 avril 1992, Céline et René séjournent dans un hôtel de Los Angeles et profitent du soleil et de la piscine. Un court répit avant de repartir pour New York, pour vaquer à leurs affaires. René s'est empiffré au restaurant de l'hôtel, où la nourriture est excellente. Le couple tente de récupérer en cette belle journée, après avoir vécu de si fortes émotions durant les derniers jours. René retourne dans sa chambre, épuisé. Céline s'inquiète. Il respire difficilement et semble totalement confus. Elle redoute immédiatement le pire. Elle avait eu le pressentiment qu'un malheur allait se produire. Sans attendre, elle alerte les gens de l'hôtel et demande un fauteuil roulant. Vite! il faut se rendre à l'hôpital! Un taxi, une ambulance, peu importe. L'ambulance le conduit au Cedars Sinaï Medical Center de West Hollywood, situé à cinq minutes de l'hôtel. À l'hôpital, Céline utilise sa voix non pas pour chanter mais pour se faire entendre par tout le personnel. Il y a autant de chagrin que de rage dans cette voix. Elle réclame qu'on s'occupe de René immédiatement. Un jeune médecin examine rapidement le compagnon de Céline et n'hésite pas un instant à le confier au soins intensifs. Il n'a rien dit mais Céline a compris: René est en danger.

« S'il était arrivé cinq minutes plus tard à l'hôpital, René serait mort, estime Jean Beaulne. Je connais Los Angeles pour y avoir habité pendant de nombreuses années et je connais l'hôtel où ils logeaient et heureusement cet hôtel est situé tout près du Cedars Sinaï. Ils ont eu tout juste le temps de se rendre. En plus de subir l'énorme stress du succès de Céline, René se nourrissait très mal. Je me souviens, j'étais allé voir le spectacle de Céline au Théâtre Saint-

Denis et après le spectacle il avait commandé un repas au restaurant italien situé en face du théâtre. Il avait commandé l'un de ses mets préférés, un énorme fettucini avec de la sauce à la crème, qu'il avalait rapidement, tout en buvant un gros coca-cola. Par la suite, il a choisi un énorme gâteau au chocolat de trois étages, qu'il a dévoré rapidement. Je lui ai dit de faire attention, de manger plus lentement et de choisir de la bonne nourriture. Il n'a rien voulu savoir et m'a envoyé promener comme d'habitude. Alors je lui ai dit que s'il ne faisait pas attention, il allait mourir. Je ne disais pas ça méchamment. Je m'inquiétais pour lui. J'ai la réputation de toujours m'inquiéter de la santé des autres. J'avais donc de la peine de le voir ruiner la sienne avec de la nourriture aussi dommageable pour son organisme, une nourriture que je lui ai toujours connue, d'ailleurs. René n'a jamais vraiment fait attention à son alimentation, et il se met en colère dès que j'aborde ce sujet avec lui. J'essaie donc généralement de me retenir, mais parfois je ne peux m'empêcher de lui prodiguer certains conseils. »

Jean Beaulne boit de la tisane à tous les repas, même au déjeuner. C'est un maniaque de la bonne alimentation, qui va faire un détour pour aller chercher de l'eau de source à Sainte-Agathe, à cent kilomètres de Montréal, ou pour choisir un pain biologique dans une boulangerie spécialisée. À soixante ans, il parcourt encore des dizaines de kilomètres à vélo de façon régulière et n'a jamais été sérieusement malade.

À l'hôpital, on informe René qu'il devra rester confiné dans sa chambre pendant au moins une semaine. Il y restera plusieurs semaines. À la demande de René, Céline appelle la mère de celui-ci, qui la réclame. Il veut voir également ses enfants, Patrick, Jean-Pierre et Anne-Marie, la plus jeune qui est âgée de quatorze ans.

Le tourbillon du show-business s'est complètement arrêté dans la tête de René Angélil. Il redevient un homme fragile, qui craint la mort pour la première fois de sa vie. Il ne sait pas encore s'il survivra à cette attaque cardiaque. Il pleure et, dans un geste dramatique, il demande à faire son testament. Il pense même à sa succession et donne les noms des personnes qui s'occuperont de Céline, advenant sa disparition. Des noms qu'on ne saura jamais.

René doit passer une batterie de tests qui traînent en longueur, en raison d'émeutes dans la ville de Los Angeles. Il a tout le temps voulu pour revoir sa famille, ses amis de longue date et repenser sa vie. Que lui importent maintenant la gloire et la fortune. C'est sa vie qui le préoccupe et la qualité de cette vie. Il repense à son enfance, à sa carrière, à la course folle des dernières années, et éprouve le besoin de ralentir. Plus que jamais, il a conscience qu'il a eu cinquante ans en janvier. Jusque-là, il n'avait pas eu le temps d'y penser. Il n'avait pas eu le temps de s'arrêter. Un demi-siècle à courir après la fortune, à défier le hasard, à lutter pour devenir le meilleur dans son domaine. Il y était parvenu et voilà qu'il se retrouve écrasé dans un lit. Jean Beaulne avait sûrement raison de s'inquiéter de son rythme de vie et de ses mauvaises habitudes alimentaires.

Céline, qui multiplie les tâches auprès de René, traîne pendant tous ces jours une grande culpabilité. Elle s'estime responsable de la défaillance de son amoureux. Elle n'en parle pas ouvertement cependant. Plus tard, elle échappera devant une journaliste une réflexion lourde de sens : « S'il était mort, je me serais dit que j'avais tué cet homme. » Et elle aurait obéi à ses dernières volontés. Elle aurait continué à chanter. Pour lui.

René estime que son séjour à l'hôpital se prolonge indûment. Il s'inquiète pour la carrière de Céline qui doit remplir une foule d'engagements et qui demeure là, tout près de lui, comme s'il n'y avait personne d'autre au monde. Constatant que l'état de René s'améliore et qu'il se rétablit peu à peu, Céline décide de se rendre à New York et en Europe sans lui. L'homme a besoin de repos et de tranquillité, et, pour l'une des rares fois de sa vie, de solitude. Céline entreprend le voyage en compagnie de sa mère.

René n'insiste pas. Il n'a plus la force de suivre le tourbillon du show-business et il s'en remet complètement aux directives du médecin. L'homme des grandes premières et des spectaculaires lancements de disques regagne Montréal dans le plus grand silence, complètement incognito, le 18 mai, et s'isole dans sa demeure. Il se couche tôt, respecte la diète qu'on lui a imposée et se soumet à des exercices. Il est suivi de près par le Centre Épic de Montréal et s'y rend trois fois par semaine pour faire de la marche rapide ou de la bicyclette. Il est méconnaissable. Il a perdu du poids et mène une vie rangée.

Très peu de gens au Québec connaissent les détails de l'attaque cardio-vasculaire qui a failli l'emporter alors qu'il séjournait à Los

Angeles. René a tout fait pour filtrer les informations et pour camoufler son état de santé. C'est de la mauvaise publicité, estime-t-il, qui n'aide en rien à la carrière de Céline et qui pourrait affaiblir son pouvoir dans le milieu du show-business international. Il se confie cependant à un journaliste en qui il a confiance.

« J'ai été chanceux, raconte-t-il, et je remercie le bon Dieu. Grâce à l'intervention de Céline, qui a tout pris en main, qui avait le contrôle comme elle l'a sur la scène, on a pu m'hospitaliser tout de suite. C'est grâce à son sang-froid que je suis ici aujourd'hui. En entrant aux agences, elle a crié tellement fort que les médecins ont rapidement réagi. J'ai de bonnes intentions mais je sais que la mémoire est une faculté qui oublie. Mais quand je regarde Céline, et mes trois enfants, je sais que je n'oublierai pas. J'ai une grande responsabilité envers eux et je ne veux pas les quitter. »

Par la suite, René qualifiera le drame qu'il a vécu d'« accident de parcours ».

En réalité, il est fort conscient que sa vie est hypothéquée. Ses cheveux ont complètement blanchi depuis peu et, durant les dernières années, il a souvent senti ses forces l'abandonner. Il a tout le temps voulu pour réfléchir durant les premières semaines de juin et ses pensées sont souvent négatives. Réaction normale lorsqu'on récupère d'un tel traumatisme. Il pense aux années qui lui restent à vivre. Il pense à la jeune femme de vingt-quatre ans et pleine d'énergie qu'il aime. Se lassera-t-elle d'un homme plus âgé et malade comme il l'est actuellement ? De sombres pensées l'habitent pendant que l'été se réveille d'un long sommeil.

67

L'autonomie de Céline

Après l'accident de Los Angeles, l'homme a changé. Le rapport entre l'imprésario et l'artiste a changé également. On peut affirmer que Pygmalion a complété son œuvre et que c'est une nouvelle femme qui le regarde du haut du sommet où elle se trouve actuellement. Dans cette course folle, dans cette escalade des montages hollywoodiennes, il n'y avait que l'œuvre qui comptait. Il n'y avait que ce royaume de musique et d'images qui les habitait. Maintenant, les valeurs de l'être humain reprennent leur véritable mesure. Après avoir trop longtemps bafoué son corps et son cœur, René regarde le chemin parcouru et regarde la vie qui lui reste.

Après tout ce chemin parcouru, Céline regarde la vie qui s'annonce. Elle n'a pas beaucoup appris à l'école mais elle a tellement appris de la vie durant les dernières années. Le choc qu'elle vient de subir en voyant l'homme qu'elle aime lui a permis de prendre conscience de ses propres forces. Pour la première fois depuis qu'ils se connaissent, elle a pris le contrôle de la situation. Jamais elle n'a eu autant de pouvoir. Elle prend conscience qu'elle a le pouvoir de la jeunesse, de la santé, du talent et maintenant de la notoriété, pour ne pas dire de la célébrité. Elle n'abusera jamais de tous ses pouvoirs, parce qu'elle est liée, soudée, ancrée jusqu'aux racines de l'homme qui l'a définie comme artiste, comme femme et comme célébrité. Elle n'exercera qu'un seul de ses pouvoirs : celui de l'amour.

René après l'un de ses nombreux régimes d'amaigrissement
à la suite d'une attaque cardiaque, en 1992.
(Photo: *La Presse*.)

René Angélil au gala de l'ADISQ en 1995. Encore un trophée.
(Photo: *La Presse*.)

68

Séville

En juin 1992, elle se rend en Norvège, en Suède, en Hollande et à Paris alors que Vito Luprano, de la maison CBS, s'occupe de l'organisation de la tournée. Le 26 juin, René l'accompagne à Séville, en Espagne, alors qu'elle est invitée à participer à la fête du Canada dans le cadre de l'Exposition universelle de Séville.

Lors du spectacle, Céline interprète des chansons de son nouvel album, quelques chansons en français et évidemment un air d'opéra de *Carmen* pour plaire aux gens de l'endroit. Elle raconte également qu'elle a une ancêtre espagnole et qu'elle compte bien apprendre la langue du pays pour enfin chanter en espagnol.

Pierre Leroux, un journaliste que j'ai côtoyé pendant de nombreuses années, n'avait aucune envie d'entendre ces balivernes et attendait impatiemment la fin de la conférence de presse pour avoir une meilleure déclaration de Céline à se mettre sous la dent. Homme de grande culture s'exprimant avec un accent qu'on croyait de France, Leroux adorait dénoncer, fustiger et piéger les artistes trop populaires. Sachant que son article sera publié le jour de la fête du Canada, il isole Céline (surtout de René) pour l'entretenir tout bonnement de l'unité canadienne.

« Évidemment que je suis contre toute forme de séparation, je voyage beaucoup. Ce que je vois en Allemagne ou en Suisse, où il y a trois cultures qui vivent en harmonie tout en étant dans l'un des pays les plus riches du monde, me fait espérer que les gens vont s'entendre et me fait voir à quel point nous avons la chance d'avoir deux cultures au Canada.

« C'est sûr que je ne connais pas beaucoup la politique… La seule façon de garder un pays fort et en santé, c'est le respect. Les gens ont peur et ils espèrent que la séparation n'arrivera pas. L'idée de la séparation me paraît épouvantable. »

Pierre Leroux est satisfait, il a réussi à obtenir son scoop.

Le lendemain, on peut lire à la une du *Journal de Montréal* un titre qui aura l'effet d'une bombe : « La séparation serait épouvantable », avec la photo de Céline qui « se porte à la défense du Canada » selon le quotidien le plus lu du Québec.

Une déclaration qui arrive à un bien mauvais moment puisque les provinces du Canada n'avaient pas accepté, dans l'ensemble, les demandes du Québec lors d'une rencontre des Premiers ministres au lac Meech. Près de la moitié de la population du Québec a voté pour la souveraineté lors d'un référendum et l'échec de cette rencontre a provoqué une montée du nationalisme québécois. Un sondage indique maintenant que la majorité des Québécois favorise l'indépendance politique du Québec.

On manifeste de la colère à l'endroit de Céline dans les journaux et sur les lignes ouvertes pendant que le couple Dion-Angélil, ne se doutant de rien, achève son séjour en Espagne. Les nouvelles courent vite cependant et spécialement celle-là, qui choque bon nombre de Québécois.

Cette fois-ci, René intervient. En aucun temps, aucune circonstance, il n'accepte que l'image de Céline soit ternie et surtout pas dans son pays.

Le 11 juillet, *Le Journal de Montréal* publie un article exclusif intitulé « Céline s'explique ». C'est une femme secouée qui s'exprime. Une femme qui a été piégée, et qui est blessée par la réaction de certains compatriotes, qui veulent jeter ses disques.

« C'est la dernière fois de ma vie que je parle de politique. Jamais plus je ne m'aventurerai sur ce terrain. Ma mère m'a chicanée de l'avoir fait. C'est certain que je suis pour le Québec et pour un monde meilleur. Je suis une Québécoise et fière de l'être et je me suis toujours affichée comme telle... Je ne suis pas une porte-parole du Canada et nous avons même refusé de tourner un commercial pour le 125e anniversaire [du Canada]. Je suis québécoise et fière de l'être, que le Québec se sépare ou non... Je ne veux pas que les gens jettent mes disques. J'aime le monde et j'ai besoin qu'on me le rende. »

Pendant qu'on lit sa déclaration dans le journal, Céline amorce une tournée américaine qui comprend une vingtaine de villes, en première partie de la vedette américaine Michael Bolton. Une autre stratégie de René, qui voulait procéder par étapes avec le public américain. Mais Céline doit revenir au Québec. Elle a peur. René insiste. Si elle ne revient pas rapidement présenter des spectacles dans son pays, dans sa province surtout, sa déclaration de Séville sera fort mal interprétée.

«J'ai bien hâte de me produire au Québec, dit-elle diplomatiquement, mais avec tout ce qui s'est passé, j'ai l'impression d'avoir perdu tout mon public. J'ai peur des réactions des gens de chez nous.»

Elle revient au Québec le 14 août et entreprend une tournée qui la mènera jusqu'à Chandler et Gatineau au début de septembre. C'est l'enfant de la famille qui revient à la maison et on oublie sa «gaffe» de Séville. Si, à ce moment précis de sa carrière, elle avait négligé le Québec, sa déclaration de Séville aurait été interprétée comme un désaveu des siens. Et pendant tout le temps qu'aura duré cette controverse, René Angélil aura réussi à faire oublier son état de santé. Parler de sa santé, c'est mauvais pour son image et aussi pour les affaires.

69

Le Capitole

Céline profite de son passage au Québec pour participer à la réouverture du Théâtre Capitole, l'un des plus vieux théâtres de la capitale du Québec. René retrouve son vieil ami Guy Cloutier, qui a investi tout ce qu'il possédait, soit près de cinq millions de dollars, dans la rénovation de cet édifice presque centenaire. Le coût total de l'opération se chiffre à quatorze millions et l'entreprise a eu aussi d'autres sources de financement, dont les différents paliers de gouvernement. Cloutier a redonné à la ville de Québec l'un de ses plus beaux joyaux, mais il s'aperçoit dès le début des opérations de son théâtre que cette entreprise n'est pas rentable pour le moment. Il en fait part à son ami René et l'incite à investir à plusieurs reprises, mais René songe déjà à un club de golf. Une bien meilleure affaire, selon lui. Il refuse donc de s'associer à Cloutier dans l'exploitation du Capitole mais lui « prête » Céline Dion, à des conditions très avantageuses, pour une série de spectacles en novembre, décembre et janvier. Céline aura lancé le Capitole et, quelques années plus tard, c'est l'histoire d'Elvis Presley, l'idole de jeunesse de René et Guy, qui assurera la survie de ce théâtre.

Elvis Story, considéré comme le meilleur hommage au King présenté sur scène dans le monde entier, entreprend une tournée internationale après une carrière de dix ans à guichets fermés à Québec. Cloutier s'est retiré de cette entreprise en 2002. René avait probablement raison : la gestion d'un théâtre au Québec et en Amérique est une entreprise périlleuse, accaparante et difficilement rentable. Et ce, malgré le succès de ses spectacles.

Une photo qui illustre une belle histoire d'amour.
Ce n'est pas René qui a changé Céline mais Céline qui a changé René.
(Photo : *La Presse*.)

70

Lise Payette

Et les amours? La question est inévitable et les journalistes ne ratent pas une occasion de s'informer de la vie sentimentale de Céline lors des entrevues. Lorsqu'elle est trop pressée de questions sur ce sujet, Céline répond invariablement : « Oui, il y a quelqu'un dans ma vie. Oui, je suis amoureuse d'un homme comme toutes les femmes de mon âge, mais je ne peux pas le nommer. » Les questions se font de plus en plus fréquentes. On s'intéresse plus que jamais aux amours de Céline en 1992 et celle-ci montre déjà des signes de grande tension lorsqu'on aborde cet aspect pour le moins délicat de sa vie privée.

Depuis des années, Céline, une femme entière et passionnée, veut révéler au grand public son amour pour René Angélil. Il y a maintenant quatre ans que les deux amoureux vivent comme un couple et Céline est déchirée par le silence qu'elle doit maintenir. Cette situation provoque de nombreuses disputes au sein du couple. René s'acharne à bâillonner celle qu'il aime. Non, il ne s'impose pas, non, il n'abuse pas de son autorité naturelle : il a tout simplement peur des autres. Peur de son image d'époux trop âgé, peur des conséquences et surtout peur de vivre l'amour intime devant le grand public.

À l'automne, il accepte l'invitation de la recherchiste d'une nouvelle émission intitulée *Tête à tête*, animée par celle que les critiques considèrent comme la plus habile des animatrices de talk-show au Québec, Lise Payette. On pourrait facilement la comparer à Barbara Walters, une autre femme de la télévision qui ne s'en laisse pas imposer par son invité et son entourage. En plus d'avoir été pionnière des talk-shows au Québec, Mme Payette a été ministre du gouvernement souverainiste de René Lévesque avant d'effectuer un retour à la télévision.

Devant le respect et l'empathie de l'animatrice, Céline se livre comme jamais elle ne l'avait fait jusque-là.

«Dans le fond, je n'arriverai jamais à ce que je veux. Ma carrière, c'est super, mais il y a toujours des mais avec mon gérant, ma famille et mes fans, et toujours des conseils. Tout le temps. René me dit que j'ai trop braillé. Chaque fois que j'ai un téléphone de ma famille, c'est pour de l'argent. Entre cent et mille dollars et je ne sais pas dire non. Maintenant, il faut passer par le comptable.»

– Et l'amour? lui demande Mme Payette.

– Je suis amoureuse et j'ai le goût de le crier mais je ne peux pas vous dire son nom. Ça pourrait nuire à ma carrière.

Céline éclate en sanglots. Lise Payette lui tend un mouchoir.

«René assistait à l'enregistrement de l'émission, se souvient l'animatrice. Il était installé dans la régie et j'ai jeté un coup d'œil vers lui pendant que Céline s'épanchait. J'ai remarqué qu'il pleurait autant qu'elle. Il semblait tellement malheureux que j'ai éprouvé de la sympathie pour lui.»

René respecte Mme Payette et il n'est pas question qu'il contrôle le contenu de cette émission. Enregistrée en septembre 1992, *Tête à tête* sera diffusée en octobre de la même année sans que l'agent de Céline s'y oppose. Cependant, on ne reverra plus cette émission. On ne l'utilisera pour aucun des documentaires ni des émissions spéciales consacrées à Céline Dion.

Céline garde le secret mais les médias ne ratent pas l'occasion de se livrer à des commentaires ou à des spéculations sur sa vie amoureuse. On parle des amours de Céline dans les bureaux, dans les salons. On évoque aussi leur écart d'âge de vingt-six ans. «Tout le monde sait qu'elle est amoureuse de René», tranchent les gens «bien informés» du milieu artistique, mais personne n'ose l'affirmer publiquement. Tout se passe d'ailleurs dans la plus grande discrétion entre les deux amants. Ils ne s'embrassent jamais en public, ne se tiennent jamais par la main. À la discipline professionnelle s'ajoute donc celle du cœur, discipline pour laquelle ils s'imposeront de nombreux sacrifices.

La journaliste Agnès Gaudet décide finalement de nommer l'innommable, quitte à déplaire au principal intéressé.

« Soyons francs. On raconte que Céline est amoureuse de son gérant, René Angélil, depuis des années. Pourtant jamais on n'en a eu de preuves. Personne n'a osé parler, jamais on n'a réussi à les faire avouer. Leur différence d'âge pourrait être la clef du mystère. »

L'année 1992, que René a qualifiée de magique en dépit d'« un petit accident de parcours » (son malaise cardiaque), s'achève alors que Céline apprend qu'elle participera au gala d'investiture de Bill Clinton à la présidence des États-Unis. L'événement aura lieu le 19 janvier 1993 et les meilleurs musiciens et interprètes rock sont invités à la fête, dont Michael Jackson, Fleetwood Mac et même Barbra Streisand.

« *Céline is the future* », annonce-t-on chez CBS, qui deviendra Sony Music, et la jeunesse triomphe autour d'un président plus jeune que Mick Jagger. Un président qui joue du saxophone et qui aime le jazz et les vieux rockers comme Little Richard et Chuck Berry.

René informe les journalistes québécois que pas moins de cinquante millions de foyers américains ont pu voir et entendre la seule Canadienne invitée au gala de la jeunesse. Le manager de Céline attache beaucoup d'importance aux chiffres. Sa vie n'est qu'un tourbillon de chiffres qui tournent dans sa tête. Depuis qu'il a appris à jouer aux cartes, tout petit, il n'a jamais cessé d'exercer sa mémoire. Il connaît une centaine de numéros de téléphone par cœur, se souvient de toutes les dates d'anniversaire importantes et peut vous réciter des statistiques, des chiffres de ventes de disques, des cotes d'écoute de la télévision, des événements du passé avec une déconcertante précision. Il a souvent le dernier mot tout simplement parce qu'il sait et se souvient mieux que son interlocuteur.

Il sait par exemple que rien n'est plus prestigieux pour un artiste qui aspire à faire carrière aux États-Unis que de remporter un grammy. Justement, la soirée des grammys a lieu à Los Angeles le 24 février et Céline a été mise en nomination dans trois catégories. Finalement, elle reçoit le premier grammy remis à une artiste québécoise dans la catégorie « duo groupe pop vocal de l'année ».

C'est une consécration qui équivaut à un oscar pour le meilleur acteur ou la meilleure actrice.

« Céline ne sera plus jamais une inconnue aux États-Unis, affirme René. Elle aura gravé son nom sur un grammy tout comme les plus grands artistes de la musique aux États-Unis. »

Et le tourbillon reprend alors que le Canada tout entier rend hommage à « Sweet Celeen » lors du gala des junos, qu'elle anime en anglais. Elle remporte quatre junos, dont celui de l'interprète de l'année pour une troisième année consécutive. C'est beaucoup et même trop pour certains journalistes anglophones qui estiment que Céline est surexposée.

René en est presque flatté. Jamais il n'a craint la surexposition de Céline. Il a toujours prétendu qu'elle y gagnerait à se faire connaître partout et à être vue le plus souvent possible. Il n'a jamais craint le *backlash*, la saturation. Ni au Québec et surtout pas à l'extérieur.

« Un artiste qui veut faire carrière en dehors du Québec et de la France doit passer par les junos. En 1987, la carrière de Céline a pris une nouvelle tournure quand elle a chanté *Just Have a Heart* à la soirée des junos. C'est ce qui nous a permis de négocier gros avec Sony. »

71

Fiançailles

La rumeur à propos de la relation amoureuse entre Céline et René s'amplifie et la tension devient insoutenable. Céline a elle-même allumé la mèche en déclarant qu'elle était amoureuse. Tôt ou tard, cette histoire devait exploser. Et René avait bien l'intention de contrôler cette explosion. Pas question d'annoncer banalement au monde entier l'amour qui l'unissait à Céline. Il fallait faire *big* mais sans éclabousser sa compagne.

C'est elle qu'il veut d'abord privilégier en lui préparant une soirée romantique et mémorable dans la suite d'un grand hôtel de Montréal. Céline ignore ce que son amoureux a en tête lorsqu'il prépare cérémonieusement ce souper à la chandelle. Subitement, il lui présente une petite boîte. Elle l'ouvre et fixe longuement une bague de fiançailles. Céline a vingt-cinq ans et c'est le plus beau cadeau d'anniversaire qu'elle pouvait espérer. Cette bague, c'est le symbole de son triomphe et, en ce 30 mars 1993, il vaut mieux que l'oscar, le grammy, les junos, les félix et tous les trophées réunis.

« Je n'ai pas eu d'adolescence et j'ai laissé une bonne partie de ma vie dans les avions et les salles de réception ; il n'est pas question que je passe à côté de l'amour », confiait la chanteuse à l'une de ses amies. Cette bague signifie que son amour est finalement libéré du silence. René a pensé qu'à vingt-cinq ans sa compagne avait l'âge de choisir et d'aimer pour la vie.

Maintenant, il songe à la deuxième étape de la reconnaissance de son histoire d'amour. Évidemment que les fiançailles ont été tenues dans le plus grand secret. Mais le temps est venu de l'annoncer au monde et la discrétion ne sera plus de mise. Elle ne le sera d'ailleurs plus jamais.

Céline prépare un troisième album en anglais et le stratège Angélil n'a pas l'intention de « gaspiller » l'annonce publique de son amour pour Céline. Pour la première fois depuis le début de sa carrière d'imprésario, il va quitter les coulisses, son royaume jusque-là, pour se retrouver sous les projecteurs. Comme à l'époque où il était Baronet. Il a lui-même signé la mise en scène de sa prestation.

Il a d'abord choisi le titre de l'album, *The Colour of My Love*, la chanson qu'il préférait parmi toutes celles qu'on trouvait sur le disque. Il a choisi également l'emplacement, le *Metropolis*, et la scène où il va faire son entrée. Il s'agit de la toute dernière scène, celle du baiser, alors que Céline annoncera que c'est lui, René, *The Colour of My Love*. Après avoir chanté la moitié des quinze chansons de l'album, Céline va faire monter René sur scène et l'embrassera sur la bouche. Finie l'intimité : plus de deux mille personnes ont réussi à trouver une petite place au *Metropolis* et deux chaînes de télé retransmettent l'événement en direct, MusiquePlus et Télévision Quatre Saisons, et les grandes stations radiophoniques de Montréal. René a interdit la présence des caméras de TVA au *Metropolis*.

Fidèle dans ses amitiés mais rancunier avec tous ceux qui se dressent sur son chemin, Angélil n'avait toujours pas pardonné au directeur des programmes de TVA, Michel Chamberland, d'avoir exigé l'exclusivité de la présence de Céline à l'émission *Ad Lib*, animée par Jean-Pierre Coallier. L'événement avait eu lieu quelques années auparavant alors que Céline lançait l'album *Dion chante Plamondon*. On avait démarré la promotion de l'album à Radio-Canada pendant l'émission *Studio libre* et Michel Chamberland avait refusé de recevoir Céline, quelques jours après son passage à Radio-Canada. René avait juré que la chanteuse ne participerait à aucune émission de TVA tant que Chamberland serait en poste. Et, en cette soirée particulièrement émouvante du 8 novembre 1993, les caméras de TVA ne peuvent capter le premier baiser échangé publiquement par Céline Dion et René Angélil. L'amour ne lui a pas fait perdre ses vieilles rancunes.

72

Au Québec d'abord

Tout au long de la carrière de Céline Dion, René Angélil a privilégié le Québec. Ce fils d'émigré syrien, élevé à l'intérieur d'une culture différente de celle des Québécois, a pourtant associé le Québec et tout particulièrement Montréal à tous les événements majeurs qui ont entouré l'ascension de la superstar qu'est devenue Céline. Étrangement, sa démarche contraste avec celle d'un bon nombre d'artistes québécois qui ont pris de grandes distances avec le Québec dans l'espoir de faire carrière ailleurs. Son attachement au Québec pourrait faire rougir bon nombre de nationalistes québécois qui ont souvent oublié le Québec dans leur conquête du marché international. Diane Dufresne a «oublié» son public québécois pendant quelques années lorsqu'elle faisait surtout carrière en France. Geneviève Bujold s'est rarement manifestée au Québec depuis qu'elle a tourné *Anne of a Thousand Days* avec Richard Burton. Roch Voisine se faisait rare au Québec pendant qu'il triomphait en France. Daniel Pilon a séjourné longtemps à Hollywood et oubliait le Québec quand il tournait avec John Wayne. Jean Leclerc était très loin du Québec quand il jouait *Dracula* au théâtre ou participait régulièrement à des soaps américains. Très souvent ces artistes s'étaient à ce point investis dans leur nouvelle carrière internationale qu'ils ne pouvaient se manifester dans leur pays d'origine. Ce qui n'a jamais été le cas de Céline parce que René tenait à ce qu'elle retourne régulièrement à la maison. Dire que Céline Dion a été la plus grande ambassadrice du Québec au cours de la dernière décennie n'est pas exagéré, loin de là.

Tout ça à cause d'un Syrien qui ne pouvait vivre très longtemps hors du Québec. Mieux encore, il a imposé des musiciens québécois lors des tournées américaines de Céline. Il a également invité régulièrement des journalistes pour assister aux plus grands triomphes de sa protégée. Les lancements des disques anglophones ou francophones de Céline ont eu lieu à Montréal. Céline et René se sont épousés à Montréal et René a choisi Montréal pour présenter son dernier spectacle du millénaire. Lorsqu'on rassemble tous ces événements et bien d'autres, on remarque une préoccupation constante de la part de René d'intégrer le Québec à toutes ses entreprises. Il n'a pas créé l'illusion que Céline n'avait jamais quitté le Québec, parce que, effectivement, Céline n'a jamais quitté le Québec. De plus, qu'elle soit en présence de Larry King, à son émission de télévision, ou chez Oprah ou chez David Letterman, elle fait toujours mention du Québec d'une manière ou d'une autre. Elle a chanté en français à plusieurs occasions aux États-Unis, en plus d'avoir réussi à bien vendre l'album *D'eux* au pays de l'oncle Sam.

Le Québécois, habitué à se faire voler ses vedettes de hockey par les Américains et à voir ses plus grands cerveaux s'exiler à l'étranger sans espoir de retour, était surpris de l'attachement de Céline. Il croyait que Céline, parvenue au sommet de son art, reconnue maintenant par tous les pays du monde ou à tout le moins par ceux qui font tourner de la musique populaire, n'avait plus besoin du Québec.

René ne semble pas voir les choses ainsi.

J'ai demandé à Jean Beaulne, qui connaît autant le marché américain que le marché québécois, ce qu'il en pensait.

« La stratégie de René, c'est de rester ici. N'oublions pas que le Québec représente un marché d'acheteurs, de consommateurs. Per capita, on vend plus de disques ici que partout ailleurs. C'est un marché important pour lui. C'est une base sur laquelle il peut s'appuyer parce que le succès d'un disque au Québec influence les autres marchés. C'est facile de négocier à l'étranger quand tu dis que ton artiste est best-seller dans son pays.

« De plus, le marché américain n'a rien de comparable à celui du Québec. Ici, tu fais la première page du *Journal de Montréal* ou de *La Presse*, tu organises une promotion avec le poste de radio CKOI, puis une grosse émission à la télévision, et tu as tout le marché. Il suffit de trois ou quatre cibles pour rejoindre tout le monde, parce que les médias sont concentrés. Aux États-Unis, ce n'est pas si facile, loin de là. Il faut travailler très, très longtemps et voyager beaucoup pour vendre un produit. D'abord Los Angeles, puis New York, puis Chicago, et négocier avec beaucoup plus de médias que René connaît beaucoup moins. Le Québec, c'est sa vache à lait et il y fait ce qu'il veut. »

Sans perdre de temps, le couple d'amoureux entreprend une longue campagne de promotion qui les mène au Canada et aux États-Unis. Dans les talk-shows les plus populaires aux États-Unis, Céline parle du contenu de son nouvel album mais surtout de son histoire d'amour avec René Angélil. Après avoir découvert Céline, les Américains découvrent René. En fait, ils découvrent tout simplement l'amour. Céline chante l'amour six fois dans cet album et, en plus, elle le vit. Elle a bien raison puisque son album d'amour est triple platine au Canada et quintuple platine aux États-Unis deux semaines après sa sortie. Au début de l'année 1994, *The Colour of My Love* dépasse le million de ventes et on prépare chez Sony une distribution planétaire. C'est le marché mondial qui est maintenant dans la mire de René, après l'énorme succès remporté par l'album d'amour annoncé de Céline. Elle traverse à plusieurs reprises les États américains, triomphe partout au Canada, se rend en Europe et au Japon. À l'été 1994, on approche les cinq millions de ventes de l'album *The Colour of My Love*. René annonce que le mariage tant attendu sera célébré dans les prochains mois à l'église Notre-Dame de Montréal.

Le mariage royal de René et Céline
célébré à l'église Notre-Dame le 17 décembre 1994.
(Photo : collection privée Jean Beaulne.)

73

Le mariage

René Angélil prend pour épouse Céline Dion, à l'église Notre-Dame de Montréal, le 17 décembre 1994, par l'une de ces journées d'hiver où le froid vous mord la peau et vous glace sur place. En coulisses, c'est l'imprésario et non pas le futur époux de Céline Dion qui a préparé un mariage royal dans la démesure et la controverse, alors que l'événement prenait des dimensions théâtrales surréalistes.

René jouait les rois, en annulant son mariage comme l'avaient fait Caroline de Monaco, séparée de Philippe Junot, et les nobles de toutes les époques. Il s'était retiré avec Céline chez les carmélites pour prier comme on le faisait au Moyen Âge. Il avait invité le peuple à célébrer mais choisi personnellement un seul média, Trustar, pour partager l'intimité du mariage. Il avait ce pouvoir. Pendant toute la durée de l'événement, René ne cessera de se comporter comme le créateur de sa propre royauté. Il a donné à son mariage une dimension sans pareille dans un pays qui n'a pas connu les rois et les reines. Si le Québec n'a jamais obtenu sa souveraineté, il couronne en ce jour de décembre une souveraine et un souverain à sa mesure, dans un contexte moderne. Le Québec couronne la reine et le roi du show-business et bénit leur amour.

Les journaux s'indignent de la manipulation des médias. Les intellectuels dénoncent le faste et la commercialisation de l'entreprise, mais le bon peuple rêve, s'agglutine autour de l'église en dépit du froid et attend les princes du show-business. Il cherche les têtes de Michael Jackson, Madonna, Jack Nicholson, qu'on a déjà annoncés. Il ne reconnaîtra que les têtes familières, les amis du couple. Qu'importe, c'est l'événement qui l'emporte. Le rêve devient réalité, les portes s'ouvrent, les limousines se succèdent, Céline éblouit comme une madone en se rendant à l'église, René marche royalement, la cour suit. Montréal est fière. La télé américaine est venue capter pour le monde entier ce mariage somptueux.

Après la cérémonie, Céline et René animeront une conférence de presse pour satisfaire tous les médias du Québec et de l'étranger. Puis ils festoieront à l'hôtel Westin avec des amis et invités, triés sur le volet, jusqu'aux petites heures du matin. René a imaginé un casino avec de la fausse monnaie, et d'autres salles aux allures de conte de fées. C'est une journée hors du monde, surréaliste, démesurée, à l'image de l'homme.

Dans les jours qui suivent, on s'arrache littéralement les cahiers souvenirs du mariage de l'année comme s'il s'agissait des plus précieuses reliques. Dans un premier temps, la vente d'un numéro spécial du magazine *7 Jours*, édité par Trustar, avec photos exclusives du mariage et de la réception, dépasse les 400 000 copies. On imprime par la suite 200 000 exemplaires d'un cahier souvenir de luxe sur papier glacé avec 500 photos. S'il reste quelques exemplaires, on les envoie au Japon, qui les réclame à tout prix. Finalement, même les employés de Trustar ne peuvent réussir à mettre la main sur les derniers exemplaires disponibles.

Le conte de fées s'achève, les nouveaux mariés sont partis et on fait les comptes au lendemain du plus beau mariage de l'histoire du Québec. Il aura coûté 500 000 $ mais les cahiers souvenirs rapporteront plusieurs centaines de milliers de dollars à la base, plus un certain pourcentage des ventes ; de plus, de nombreux commanditaires annoncés pendant la réception auront payé les fourrures, les vêtements, les limousines, et même le trottoir de bois pour se rendre à l'église.

Jean Beaulne participe à la fête, au Westin, jusqu'aux petites heures du matin. Nouvellement divorcé et sans amie de cœur sérieuse, il est accompagné de sa fille Mélanie, âgée de vingt et un ans, qui avouera un peu plus tard qu'elle n'a jamais rien vu d'aussi exceptionnel que ce mariage. Jean Beaulne entendra, au cours de la soirée, le musicien David Foster déclarer aux invités, après une prestation au piano : «*René is the real godfather of Quebec.*»

74

Pour le moins compulsif

La période qui entoure le mariage de Céline et René est probablement la plus productive et la plus féconde de la carrière de la chanteuse. D'aucuns auraient savouré cet immense succès espéré par tout artiste populaire de la planète. Le rêve de percer le marché américain est devenu une réalité pour René et Céline mais ils ont réussi mieux encore. L'album *The Colour of My Love* occupe la première place du prestigieux *Billboard*. Les ventes dépassent les treize millions de copies et Céline se retrouve ainsi parmi le club sélect des interprètes les plus populaires du monde. Elle fraye maintenant avec les Michael Jackson, Barbra Streisand, Mariah Carey, Whitney Houston et quelques autres. Très peu d'autres.

En musique, l'Amérique rejoint une grande partie du monde. Les disques de Céline se font entendre dans les grandes capitales. On reconnaît sa voix et son nom, on cherche son image à Paris, Rome, Oslo, Dakar, Istanbul, Londres et même dans les villages les plus reculés de la planète. Il ne suffit plus maintenant que d'occuper le territoire conquis par les disques et les cassettes.

Que fait René ? Il procède au lancement de l'album *Céline Dion à l'Olympia* en novembre 1994 et à un autre album, *Les Premières Années*, à la même période. On peut facilement croire qu'il veut profiter de l'engouement suscité par Céline mais ça ne lui suffit pas. Il prépare déjà un album pour la francophonie. Il a déjà repéré un auteur-compositeur, Jean-Jacques Goldman, considéré comme l'un des meilleurs de la francophonie, et négocie l'enregistrement d'un prochain album en anglais qui sera le plus grand succès de la carrière de Céline.

Le joueur est compulsif, le manager l'est également.

« Il est comme une machine qui ne s'arrête jamais, dira Jean Beaulne. Il ne veut pas s'arrêter, il ne peut pas s'arrêter. À l'époque des Baronets, René jouait au Monopoly jusqu'à dix ou onze heures du matin. Ou bien il se rendait au *Bowling laurentien*, ouvert jour et nuit, après notre spectacle, à trois heures du matin, et y demeurait jusqu'à onze heures ou midi. Les gageures allaient, bien sûr, bon train lors de chaque partie. » Comme le joueur enivré par ses gains à la table de jeu, qui joue encore et encore, se croyant porté par la chance. Une bonne séquence, comme il l'a répété souvent. Les événements lui donnent souvent raison. Céline vogue de succès en succès, mais la machine est compulsive et l'être humain est écrasé. René a oublié ses problèmes cardiaques. Il a oublié les succès passés. Il pousse et pousse encore pour déplacer les montagnes. Et ces montagnes sont de plus en plus lourdes, immenses.

L'album *Dion chante Plamondon*, devenu *Des mots qui sonnent* en France, a remporté un immense succès et Luc Plamondon s'attend à participer au prochain album de Céline. Goldman exprime le désir de s'impliquer totalement dans cet enregistrement. Il veut donc travailler seul avec Céline et lui donner toutes ses couleurs. René, encore une fois, évince Plamondon. La machine ne s'arrête plus. Il ne veut plus seulement un produit *big*, il veut le meilleur.

L'une des qualités indiscutables de René est de savoir choisir les gens qui l'entourent et qui matérialiseront ce qu'il désire le plus ardemment. Il sait d'instinct que Goldman sera celui-là. Il sait que l'auteur-compositeur propulsera Céline au sommet de la chanson française. René veut maintenant la renommée, la qualité et de la grande chanson. Céline enregistrera sous l'égide de Jean-Jacques Goldman le meilleur album de sa carrière. *D'eux* deviendra l'album le plus populaire de l'histoire de la chanson française. Rien de moins.

C'est beaucoup demander à la jeune mariée, en 1994-1995, que de dominer à la fois le marché américain et le marché français. C'est peut-être le plus grand exploit de sa carrière sur le plan humain.

75

Goldman

Jean-Jacques Goldman était très peu connu au Québec avant de s'associer à Céline Dion en écrivant pour elle les paroles et la musique de deux albums, *D'Eux* et *S'il suffisait d'aimer*. C'est lui qui a pris l'initiative de se mettre en contact avec René Angélil, par le biais de la compagnie Sony. Goldman était fasciné par la voix de Céline depuis l'époque où elle chantait *D'amour et d'amitié*. Le musicien qu'il est avait remarqué une sonorité spéciale dans cette voix qu'il n'avait ensuite jamais oubliée. Il avait suivi les étapes de la carrière de Céline et avait même lu des reportages et des biographies qui lui étaient consacrées. Il savait donc l'importance qu'occupait René Angélil dans la vie de Céline Dion et il a invité celui-ci à le rencontrer à Paris, sa ville natale.

René ne connaissait pas Goldman et il a lu à son tour tout ce qui concernait cet auteur. Finalement, chacun des deux hommes savait un peu qui l'autre était, mais il s'agissait maintenant de savoir s'ils pouvaient travailler ensemble et si Céline pouvait bien communiquer avec lui.

À prime abord, Angélil et Goldman, n'ont à peu près rien en commun sinon d'admirer Céline Dion. Et cela peut suffire.

Fils d'immigrés juifs polonais qui ont fui la Pologne pour s'installer en France dans les années 1930, Jean-Jacques Goldman naît le 19 octobre 1951 dans le dix-neuvième arrondissement de Paris. De ses parents, militants communistes, il garde le goût du partage, de la solidarité et de l'égalité. C'est un idéaliste, un homme de gauche qui fuit les mondanités, le tourbillon de la ville pour se réfugier à la campagne. Il a étudié le violon, la guitare, l'orgue, avant de chanter dans la chorale de l'église de Montrouge. Il a obtenu son baccalauréat en 1969, a tenté d'étudier le commerce à l'EDHEC, mais il a balancé les études lorsqu'il a découvert Léo Ferré et le groupe Zoo. Une révélation qui l'amène à former son groupe, Taï Phong. C'est déjà un premier succès avec *Sister Jane, Windows* en 1977, *Last Fligh*t en 1970, et une carrière solo qui démarre après la séparation du groupe en 1980. Il écrit, compose et chante *Il suffira d'un signe, Comme toi, Envole-moi, Je te donne*, dans les années 1980. Par la suite, il écrit pour d'autres vedettes francophones, comme Johnny Halliday, Patricia Kaas, Marc Lavoine, et voilà que s'annonce Céline Dion.

C'est vêtu d'une veste de cuir, sa moto à la porte, qu'il retrouve Céline et René dans un bistro de Paris. Les rencontres se multiplient et une formidable complicité s'installe entre Céline et Jean-Jacques Goldman.

Celui-ci écrira des chansons qui rejoignent intimement Céline. C'est probablement l'auteur, le compositeur mais aussi le producteur qui aura le mieux saisi les possibilités et la véritable personnalité de Céline. Celui également qui l'aura le mieux respectée.

En travaillant intensément, jour après jour, dans les studios en compagnie de Céline, il ne cesse de découvrir les possibilités et la véritable nature de la chanteuse québécoise.

« Au début, j'ai voulu moderniser la voix de Céline, se souvient-il. Elle chantait comme les chanteuses traditionnelles de la francophonie. Comme Mireille Mathieu ou Ginette Reno. Il fallait contrôler sa puissance vocale, lui donner des nuances, et puis être à l'écoute de Céline. Laisser la chanteuse s'exprimer par elle-même. Et c'était encore mieux que ce que j'avais imaginé. »

L'album *D'eux* est lancé le 28 mars 1995.

Pour la première fois de sa carrière, cet album fait l'unanimité autour de Céline Dion. Indépendamment des chiffres de vente, qui ont fracassé tous les records, *D'eux* place la chanteuse québécoise parmi les grands interprètes de la chanson française. La machine à produire des disques s'est arrêtée lorsque Céline s'en est remise à Jean-Jacques Goldman. Il lui a permis comme nul autre de s'exprimer comme artiste. Ils ont travaillé ensemble par la suite pour la réalisation de l'album *S'il suffisait d'aimer* et ont développé une amitié solide. Quand Céline éprouve le besoin de se confier, c'est Jean-Jacques qu'elle appelle.

René a reconnu l'excellent travail et le mérite de Goldman. Lui aussi a convenu qu'il s'agissait du meilleur album de Céline.

76

Céline rejoint les idoles de René

Sony entend profiter de la popularité de Céline et la presse d'enregistrer un quatrième album en anglais. Les ventes du précédent, *The Colour of My Love*, qui dépassent les quinze millions d'exemplaires, permettent à René Angélil d'accroître son pouvoir auprès de la direction de Sony. Il est maintenant en position de force et impose artistes et producteurs Il songe d'abord à Phil Spector, un producteur qui a connu la gloire dans les années 1960 en révolutionnant la musique pop rock.

Spector était entré en communication avec lui après avoir entendu Céline chanter *River Is Deep, Mountain High* au *Late Show* de David Letterman.

Le célèbre producteur a de folles ambitions pour Céline. Il veut écrire avec elle une page d'histoire de la musique. Spector méprise souverainement les gens de Sony et la plupart des producteurs de disques de ce monde. L'homme qui a créé le fameux « *wall of sound* » dans les années soixante prétend que Céline doit se contenter des chansons rejetées par Whitney Houston et Mariah Carey et qu'elle n'a jamais été entourée d'auteurs et de producteurs qui pourraient lui permettre d'exprimer tout son talent. Dans les années soixante on le considérait comme un génie alors que cet excentrique personnage entassait dans son petit studio de New York deux batteurs, un pianiste, des guitaristes, une section de cuivres et des groupes vocaux. Les Chiffons, les Ronettes, les Righteous Brothers ainsi que Ike et Tina Turner défilaient dans son studio et s'en remettaient au génie du producteur, qui n'avait pas trente ans à l'époque. Spector a développé avec les années et les succès un ego insupportable. Peu d'artistes consentent à travailler avec lui.

On avait prévenu René des caprices du producteur, qui s'était retiré depuis le début des années quatre-vingt. Mais René ne voulait pas rater la chance de travailler avec l'une des idoles de son enfance. N'oublions pas que même les Baronets s'étaient inspirés du son de Spector.

La première déception de René est de se faire mettre carrément à la porte par Spector, qui ne peut supporter sa présence pendant qu'il travaille avec Céline. L'homme produit sous une grande tension et invective ses musiciens, leur fait reprendre inlassablement les passages qu'il n'apprécie pas, et il ne compte pas les heures. Céline et surtout René ne peuvent se permettre un tel luxe. Ils comptent les heures qui les séparent d'un prochain vidéooclip ou d'une performance sur scène. Lorsque Spector attaque la production d'une quatrième chanson, il les fait même attendre en studio pendant quatre, voire six heures, avant de les y rejoindre. Céline et René n'ont plus le temps.

L'aventure Phil Spector est terminée. Celui-ci est frustré et menace de lancer un disque pirate des quatre chansons enregistrées par Céline. René et Sony savent très bien que, légalement, c'est impossible.

Finalement, Céline enregistre *River Deep, Mountain High*, en souvenir de l'expérience vécue avec Phil Spector. Jamais plus elle ne le reverra ni ne travaillera avec lui. René a fort bien caché sa colère pendant cette mésaventure, mais retenons qu'il n'a jamais parlé de cette histoire aux médias. Comme s'il avait voulu évacuer jusqu'au nom de Phil Spector.

René maintient ses bonnes relations avec la compagnie Disney alors que Céline enregistre *Because You Loved Me*, composée par Diane Warren, la chanson-thème du film *Up Close and Personal*, qui tourne avant le lancement de l'album *Falling Into You*. Les chansons *All by Myself*, *Falling Into You*, *Seduces Me*, *(You Make Me Feel Like) a Natural Woman*, *I Love You* font également partie de l'album, attendu un peu partout dans le monde.

Le lancement a lieu le 11 mars 1996. Pas moins de trois millions d'exemplaires de *Falling Into You* s'envolent dans les semaines qui suivent.

DIANE WARREN

Diane Warren est considérée comme l'auteur de chansons le plus prolifique de notre époque. Elle mélange tellement bien les genres et les styles qu'il est difficile de croire que ses chansons viennent du même auteur.

Elle a grandi dans la vallée de San Fernando, en Californie. L'adolescente adore écouter la radio et les succès Top 40 de l'époque. Les disques de sa grande sœur, dont ceux de Buddy Holly, lui plaisent bien, mais elle est surtout attirée par les artistes qui écrivent leurs chansons, comme Carole King, Lieber and Stoller, et Burt Bacharach. Elle se met donc à composer des chansons.

Malgré l'avis partagé de ses parents sur son choix de carrière, elle persiste et, en 1983, elle fait ses débuts comme *staff writer* avec le producteur de Laura Branigan, Jack White. Celui-ci lui demande de faire une version anglaise d'une chanson française. Vingt-quatre heures plus tard, Diane revient avec la chanson *Solitaire*, qui devient rapidement le premier numéro un pour Laura. Trois ans plus tard, elle écrit *Rhythm of the Night* pour DeBarge, qui se maintient aussi au sommet. Aujourd'hui, elle a plus de 80 chansons qui ont atteint le Top 10.

Diane a écrit pour des légendes telles que Elton John, Tina Turner, Barbra Streisand, Aretha Franklin, Roberta Flack et Roy Orbison. Plus récemment, elle a créé des succès pour 'N Sinc, Gloria Estefan, Britney Spears, Christina Aguilera, Reba McEntire, Whitney Houston, Enrique Iglesias. Aerosmith, Ricky Martin, Faith Hill, LeAnn Rimes et Céline Dion !

La chanson *If You Asked Me To* a été enregistrée par Céline mais aussi par Patti Labelle, la diva du R & B. Sa chanson *Don't Turn Around* a été enregistrée par huit artistes différents ! La chanson *I Don't Wanna Miss a Thing*, interprétée par Aerosmith pour le film *Armageddon*, a reçu une nomination pour un oscar.

Les chansons de Diane figurent dans plus de soixante films. Elle a obtenu un succès international majeur avec la chanson *Can't Fight the Moonlight*, interprétée par LeAnn Rimes dans le film *Coyote Ugly*. Warren crée des chansons pratiquement sur commande. Que ce soit une ballade, un hymne rock ou une chanson up-tempo, rien ne lui fait peur. Au moment où ces lignes sont écrites, ses chansons ont été nominées pour trois golden globes, cinq oscars et huit grammys.

À la suite de son succès financier mirobolant, elle soutient de nombreuses causes charitables. Elle fait partie du Life at AIDS Project Los Angeles et est membre honoraire de PETA. Diane a fondé le David S. Warren Weekly Entertainement Series, en l'honneur de son père. Elle s'occupe aussi d'un projet qui distribue du matériel musical à plus de mille écoles à travers les États-Unis.

Diane a été nommé ASCAP's Songwriter of the Year à six reprises et Billboard's Songwriter of the Year à quatre reprises. Realsongs, sa compagnie de publication, est une des cinq premières de l'industrie et elle est la compagnie dirigée par une femme qui a le plus de succès dans l'industrie musicale. Warren a maintenant son étoile sur le Hollywood Walk of Fame.

JEAN BEAUNOYER

77

Le sommet

René Angélil change subitement d'attitude. Comme Céline, il est saisi d'un épouvantable vertige. L'homme qui annonçait depuis des années la gloire prochaine de sa protégée voit subitement dans un tourbillon tous ses rêves les plus fous se réaliser les uns après les autres. Il n'a plus à vendre Céline Dion, l'univers lui confirme qu'on l'a déjà achetée. René aime les chiffres et subitement ces chiffres deviennent étourdissants.

En juillet 1996, Céline interprète *The Power of a Dream*, une composition de David Foster, aux Jeux olympiques d'Atlanta devant... trois milliards cinq cents millions de téléspectateurs. Les ventes de l'album *Falling Into You* montent en flèche et la compagnie Sony en profite pour renouveler son contrat avec le manager de la chanteuse la plus populaire du monde. Le montant de l'entente est évalué à cent millions de dollars américains. René n'a plus besoin de préparer une quelconque promotion. Déjà, il projette une tournée de deux ans dans le monde entier et les spéculations vont bon train, parmi les journalistes américains, sur les revenus de l'entreprise. On parle d'une recette d'un milliard de dollars pour cette tournée. En moins d'une année, l'album *Falling Into You* dépasse les vingt millions et Céline rejoint le club très sélect des artistes qui ont vendu cinquante millions d'albums durant leur carrière. Elle n'a que vingt-huit ans et c'est le monde entier qui la découvre.

Cette réussite qui devrait le faire sauter de joie accable René. Bien sûr que l'euphorie emporte souvent le couple Dion-Angélil et que les larmes coulent à flot les soirs de triomphe, mais quel poids à supporter ! A-t-on seulement imaginé ce que cela signifie que d'avoir tout à perdre et plus rien à gagner ? Déjà une centaine de distinctions internationales et cinquante millions de disques achetés dans le monde. Il y a si peu de places pour les grands du show-business dans ce monde et c'est un emplacement si fragile. Il ne reste plus qu'à protéger, sauvegarder, maintenir.

René connaît l'histoire du monde du spectacle. Il sait qu'ils ont tous flanché, une fois parvenus au sommet. Frank Sinatra, Elvis Presley, les Beatles… Nommez-les tous. Son attitude change radicalement en 1996. L'imprésario se porte maintenant à la défensive. Il n'a plus rien à prouver ou si peu encore mais il éprouve subitement la peur de perdre. Une peur qui grandira avec les années. Cet être angoissé de nature devra vivre avec tout le poids de ses rêves réalisés. Mais René et Céline oublient tout dans le feu de l'action. La tournée, qui débute en Australie en mars 1996, leur permettra de visiter les grandes villes du monde. Il n'y a maintenant plus de limites.

78

Let's Talk About Love and Biographies

René estime que Céline a trouvé son créneau. L'amour. L'amour avec toute sa puissance mais enveloppé de romantisme et d'abandon. L'amour qui fait rêver et qui perpétue le conte de fées. La compagnie Sony appuie évidemment cette démarche puisque l'amour fait recette partout dans le monde. Céline fait rêver les amoureux et les banquiers. Elle se retrouve parmi les dix femmes les plus riches du show-business à la fin de 1996. Elle partage évidemment sa fortune avec René, qui songe à investir dans une nouvelle chaîne de restaurants italiens. Il possède déjà un club de golf, est associé à la chaîne de restaurants *Nickels* et il tente toujours de faire sauter la banque du casino. C'est au casino du *Caesar's Palace* qu'il s'installe de plus en plus confortablement. Curieusement, il n'investit pas autant qu'il le pourrait dans le monde des affaires. On l'imagine homme d'affaires alors que son parcours ressemble bien plus à celui d'un artiste.

Un artiste qui incite Céline Dion à parler d'amour au début de 1997 alors qu'elle commence l'enregistrement de l'album *Let's Talk About Love*. C'est René qui a eu l'idée d'entourer la chanteuse de nombreux artistes de sa génération pour la réalisation de cet enregistrement. Et c'est ainsi que Barbra Streisand, Carole King, les Bee Gees et même le plus grand ténor de son époque, Luciano Pavarotti, acceptent de chanter en duo avec la chanteuse la plus populaire de l'heure.

Pendant ce temps, René Angélil doit composer avec un phénomène nouveau : l'incursion des auteurs dans la vie privée de Céline et de la sienne. La chanteuse parvenue au sommet de son art, il était prévisible que sa vie et sa carrière fassent l'objet de biographies autorisées ou non. C'est le lot de toutes les personnalités de ce vaste monde qui fascinent et intriguent les lecteurs de tous les pays. Curieusement, Céline avait échappé jusque-là aux biographes. Un seul livre lui avait été consacré, en 1983, alors que Marc Chatel publiait aux éditions Quebecor *La Naissance d'une étoile*. Par la suite, René Angélil n'avait autorisé aucune autre biographie.

«Céline est encore trop jeune pour une bio. On verra plus tard», disait-il. En 1997, pas moins de six auteurs provenant de la France, de l'Italie, du Canada et des États-Unis annoncent qu'ils lanceront une biographie de Céline Dion durant l'année.

D'abord Ian Halperin, un journaliste anglophone, qui écorche le couple et semble se livrer à un véritable règlement de comptes avec Céline et René dans *Céline Dion : Behind the Fairy Tale*. Un livre qui ne sera édité qu'en anglais.

Françoise Dolbecq, journaliste française, collaboratrice du magazine *Elle*, écrit une biographie publiée en France et au Québec.

Barry Grills, qui a déjà écrit une biographie des chanteuses Anne Murray et Alanis Morissette, récidive avec *Falling Into You : The story of Céline Dion*.

Francesco Fabiano et Claudia Rossi publient des textes glanés un peu partout dans le monde et traduits en italien pour une biographie intitulée *Tuti i testi con traduzione*

Georges-Hébert Germain écrit la seule biographie autorisée et tout simplement intitulée *Céline*.

Finalement, une biographie non autorisée de Jean Beaunoyer, le coauteur de ce livre, *Céline Dion : une femme au destin exceptionnel*, publiée chez Québec Amérique en novembre 1997.

Avant même le lancement de ces ouvrages, Céline, flanquée de René, déclare lors d'un conférence de presse : «Écrire une biographie sans rencontrer la personne dont il est question dans l'ouvrage, c'est con !» Et René acquiesce, évidemment. Mais, à l'exemple d'Elvis Presley ou des membres du groupe des Beatles, qui disposent chacun de plus de vingt-cinq biographies non autorisées, René et Céline auraient pu s'attendre, maintenant qu'ils étaient des célébrités, à ce que l'on parle d'eux.

Avant que ne soient lancées sur le marché toutes ces biographies, les journaux font mention, fort discrètement, de la non-publication d'une biographie de Céline Dion écrite par Nathalie Jean. Cette jeune journaliste et écrivaine de vingt-quatre ans avait déjà publié *La Vraie Histoire d'Émilie Bordeleau* avant de s'attaquer à celle de Céline Dion. René Angélil avait estimé que cette biographie n'était pas «conforme à l'image de Céline» et, pour empêcher la publication de ce livre, il avait remis la somme ridicule de 10 000 $ à la jeune femme, qui avait écrit pendant une bonne année, en toute bonne foi et avec beaucoup de respect, une biographie de la chanteuse. Aucun de ses propos dans ce livre n'attaquait la réputation de Céline et René : bien au contraire, c'est une biographe admirative qui racontait les succès de Céline. Cette jeune femme fragile et vulnérable avait finalement accepté le chèque d'Angélil ainsi qu'une somme de 7 000 $ versée par les éditions Libre Expression. Impressionnée par le manager de Céline et découragée par les éditeurs, qui lui avait parlé de faibles demandes pour son livre, Nathalie Jean avait cédé, mais non sans le regretter par la suite. Elle a appris plus tard qu'un éditeur français avait déjà commandé son livre et que localement les ventes s'annonçaient meilleures que celles qu'on lui avait annoncées. Elle a raconté son histoire au magazine français *Voici* peu de temps après avoir accepté cette entente. De plus, elle était enceinte de jumeaux à cette époque et le traumatisme qu'elle a vécu a bien failli provoquer un fausse couche.

C'est l'histoire de Nathalie Jean qui a motivé le coauteur de cet ouvrage à écrire la biographie non autorisée de Céline Dion pour la maison d'édition Québec Amérique.

L'éditeur de cette maison, Jacques Fortin, avait reçu à son bureau Nathalie Jean, qui lui avait demandé conseil. Et c'est ainsi que j'ai pu obtenir toutes les informations relatives à cette affaire et communiquer avec la jeune femme, qui me semblait nettement dépressive.

Fort de toutes ces informations, j'ai alors entrepris l'écriture de la biographie de Céline Dion. Je prenais la relève de Nathalie Jean. Bien sûr qu'elle n'a pas écrit son livre dans l'espoir de remporter le prix Goncourt et elle le reconnaît elle-même. Mais elle était la première à avoir songé à écrire une biographie de Céline alors que celle-ci était parvenue au sommet, et puis elle avait le droit d'écrire.

Non seulement on lui avait retiré ce droit, moyennant bien peu d'argent, mais l'entente préparée par René Angélil stipulait qu'elle ne pouvait rien écrire sur Céline jusqu'à l'an 2000.

C'est au nom de la liberté d'expression que j'entreprenais l'écriture de la biographie de Céline Dion et il n'était pas question qu'elle soit autorisée. Surtout pas. Au Québec, cependant, personne, à ma connaissance, n'avait jusque-là rédigé la biographie d'un artiste sans son autorisation et sa collaboration. Dans l'esprit du grand public, les biographies non autorisées avaient mauvaise réputation. On les associait à des livres-chocs, croustillants de révélations sensationnelles, mais rarement crédibles. Il fallait changer tout cela et entreprendre un œuvre sérieuse basée sur des documents authentiques, des témoignages identifiés et des recherches historiques. De plus, j'ai demandé et obtenu l'aide de recherchistes en m'inspirant des méthodes de travail qu'on utilise à la télévision.

C'est dans l'enthousiasme le plus délirant que j'ai entrepris mon travail. J'avais carte blanche, je disposais d'un budget presque illimité et l'entreprise prenait l'allure d'une opération militaire. Stratégiquement, il ne fallait à aucun prix qu'on connaisse l'existence de cette biographie. Toutes les communications avec la maison d'édition portaient un nom de code afin que personne ne puisse connaître notre projet même à l'intérieur de la maison, sauf quelques personnes autorisées.

Il fallait également trouver des recherchistes, que nous recrutions parmi d'anciens ou de jeunes journalistes, de préférence sans emploi. J'avais également demandé la participation d'un ou d'une avocate.

Ne négligeant aucun détail, nous demandions à tout candidat au poste de recherchiste de signer un engagement de confidentialité, avant de lui révéler la nature exacte de son travail. On ne devait mentionner son nom sur aucun document.

Nous avons reçu de nombreux candidats fort bien qualifiés. Dans certains cas, trop bien qualifiés. L'entreprise s'annonçait exaltante. Nous avons cependant bien vite déchanté. À ma grande surprise, la plupart des candidats se désistaient lorsqu'on leur dévoilait la teneur du livre. Ils avaient peur de René Angélil. Ils avaient peur de représailles. Ils avaient peur d'être associés à une entreprise dangereuse, non autorisée.

Certains ont accepté, puis ont rapidement abandonné. Finalement, il ne restait plus qu'un jeune avocat qui avait abandonné le droit et un jeune étudiant qui avait pour mission d'observer la famille

Dion. L'opération était dangereuse parce que nous étions prêts à aller jusqu'au bout des recherches et à raconter la vérité, quelles qu'en soient les conséquences, sur le clan Dion-Angélil. À l'époque, des rumeurs circulaient sur la vie cachée de Céline et de René. À part les déclarations publiques, les promotions et quelques rares entrevues de fond, on connaissait très peu de choses de la véritable histoire de Céline et de René.

Nous avons fouillé toutes les publications, rencontré une foule de gens, vérifié les rumeurs même les plus farfelues. À l'origine, il ne s'agissait pas de préparer un livre à scandale mais de raconter la véritable histoire du couple Dion-Angélil, de rétablir les faits et de ne pas être séduits, manipulés par l'entourage de Céline.

Que de discussions avec la petite équipe de recherchistes et la direction de la maison d'édition. Nous avons refait le monde et celui de René et Céline pendant de nombreuses soirées. Graduellement, nous nous sommes attachés à ces personnages après avoir suivi si longuement leurs traces. Aucune des rumeurs n'était fondée. Céline m'apparaissait, malgré toute la célébrité qui l'entoure, une femme sans histoire. Non, elle n'est ni droguée, ni pervertie d'aucune manière. Son parcours est sans tache, droit, sans déviation, comme celui d'un athlète olympien. On ne donne pas vingt ans ou presque de spectacles et on ne vit pas constamment en décalage horaire sans être en pleine et saine possession de ses moyens. Elle a aimé un homme plus âgé qu'elle. Elle lui a donné sa vie et sa carrière. En méritait-il autant ? C'est la véritable question qu'il fallait poser.

Dans nos recherches, deux hommes me fascinaient. Dans un premier temps, Adhémar, le père de Céline, qui a toujours fui les médias, les extravagances, les voyages et tout ce qui est un peu trop glamour. C'est un homme droit, direct, sans détours, comme Céline. René, à l'encontre de Céline et Adhémar, est un personnage bourré de contradictions, évasif, calculateur, tordu mais émotif, fascinant, déroutant et avec une histoire. Toute une histoire qu'on s'acharne à raconter et qui n'est pas simple.

En suivant le parcours de sa vie, on découvre qu'il laisse peu de traces tout en faisant bien souvent planer le mystère. L'histoire de Céline, c'est un peu, beaucoup la sienne. Au départ, le personnage n'est pas particulièrement sympathique, et je ne crois pas qu'il tienne à l'être. J'ai entrepris mes recherches avec en arrière-pensée le traumatisme qu'il avait provoqué chez Nathalie Jean et, bien franchement, j'ai imaginé le pire. Était-il un tyran, un manipulateur dangereux, un véritable parrain qui fait trembler tout son entourage ? À l'époque, certaines interventions de sa part, les poursuites juridiques, les bagarres dont il semblait raffoler donnaient lieu de croire qu'il était un être qui ne reculait devant rien pour arriver à ses fins.

Un climat de paranoïa s'installait dans la maison d'édition alors que le travail se poursuivait dans le plus grand secret. Il fallait éviter que le clan Angélil apprenne l'existence de cette biographie non autorisée alors que lui-même préparait la publication d'une biographie officielle qui devait battre tous les record de ventes au Québec. La machine était déjà en marche. Dans un premier temps, il nous fallait éviter toute maladresse qui aurait pu être jugée diffamatoire, toute affirmation non fondée, non prouvée. Trois avocats relisaient constamment les textes afin de ne rien laisser échapper. Le pire eût été une injonction empêchant ou retardant la sortie du livre. Il fallait donc fonctionner avec la plus grande prudence.

Un des recherchistes a poussé le zèle jusqu'à séduire une personne de l'entourage du clan Dion-Angélil, afin d'obtenir des informations. J'avais l'impression de vivre dans un mauvais roman d'espionnage. En réalité, c'était plutôt une comédie loufoque qui n'a pas donné de grands résultats. Le recherchiste a rapidement disparu et a sûrement provoqué une peine d'amour.

Pour me rapprocher du monde de Céline, j'ai vécu pendant une dizaine de jours à Charlemagne, me nourrissant de poutine, de hamburgers avec rondelles d'oignon et fromage en grains. Tout ça pour me rapprocher de l'enfance de Céline et, ma foi, j'ai aimé l'expérience et j'ai écrit mes meilleures pages dans la tranquillité de ce petit village. Il fallait faire vite puisque la concurrence annonçait déjà un prochain lancement. Le jeune avocat habitait littéralement le Palais de Justice pour réunir le plus grand nombre de documents possible. Mariages, divorces, faillites, poursuites, tout y était. Du travail colossal et toujours anonyme.

De mon côté, je ne soufflais mot de mon projet à aucun de mes collègues du journal *La Presse* et je concentrais toutes mes activités sur le monde du théâtre, évitant ainsi d'être en contact avec l'entourage de Céline et de René.

La stratégie de mon éditeur était de surprendre. Et c'est ainsi qu'un lundi matin, le 10 novembre 1997, les journalistes étaient invités à assister au lancement d'une biographie non autorisée de Céline Dion, qui devait avoir lieu le jour même à 11 h. Mort de trac avant de me rendre à la conférence de presse, je perds le petit discours que j'avais préparé pour l'occasion. À ma grande surprise, tous les médias étaient sur place et finalement j'ai improvisé, devant une batterie de caméras, un petit laïus qui venait du cœur. Un ami m'avait dit ce jour-là : « Pense à rien, mets tes tripes sur la table. » Et c'est ce que j'ai fait.

J'ai appris que René avait lu mon livre à Los Angeles, le lendemain de sa parution. Il a très peu réagi, se contentant de dire que j'étais « un pauvre type » qui travaillait pourtant pour un grand quotidien de Montréal. Je pensais effectivement, avec un certain sourire, qu'un père de famille qui paye les études de ses trois filles à l'université est financièrement un pauvre type.

Par la suite, on m'a souvent demandé si René Angélil avait exercé des représailles, des menaces ou quelque pression. Absolument pas. L'homme est trop décent pour agir ainsi. Et en apprenant à le connaître à travers mes recherches, cela ne m'a pas surpris. L'homme a le sens des valeurs et il a su reconnaître que cette biographie était respectueuse et jamais mensongère ni diffamatoire. Céline en sortait grandie, d'autant plus que ce livre était écrit par un auteur libre, aucunement associé à son organisation. René aussi y était respecté, même si le journaliste que je suis s'inquiétait du contrôle qu'il continue à exercer sur le monde de l'information. En fait, en conférence de presse, j'ai surtout blâmé les journalistes, qui ne faisaient pas leur travail. Lorsque Céline nous a traités de cons (moi et d'autres) parce que nous écrivions sa vie sans la consulter, jamais on ne m'a interrogé sur ces propos. Jamais on ne m'a donné le droit de réplique, pratique fondamentale dans notre métier.

Pendant la tournée promotionnelle qui suit toujours la publication d'un livre, les recherchistes de l'émission *J.E.* m'invitent à raconter devant la caméra mon cheminement dans l'écriture de la biographie non autorisée. J'accepte sans savoir que Georges-Hébert Germain, l'auteur de la biographie officielle de Céline Dion, parue quelques jours après la mienne, est également invité à la même émission. On nous a carrément piégés. Nos éditeurs respectifs avaient tout intérêt à préparer une guerre et on s'attendait à une bataille de coqs entre les deux auteurs, en direct à la télévision. C'était également dans l'intérêt des animateurs de l'émission que de préparer un bon spectacle pour l'auditoire. Les éditeurs et les animateurs ont été sûrement déçus quand ils se sont aperçus que ni Germain ni moi n'avons été dupes de cette manœuvre. Nous sommes fondamentalement deux journalistes qui avions déjà travaillé pour le même journal, nous nous respections et nous n'avions aucune envie d'être manipulés par des marchands de livres. On a lancé ce jour-là la «bataille des Céline» avec des piles de livres de Georges-Hébert d'un côté et les miens de l'autre. C'était la biographie autorisée contre la biographie non autorisée. À la télévision, on interrogeait les gens de la rue. On leur demandait quelle biographie ils allaient choisir. Souvent, on répondait qu'on allait finalement acheter les deux. Et c'était le meilleur choix qu'ils pouvaient faire.

Georges-Hébert et moi avions convenu que l'un ne lirait pas la biographie de l'autre. Les lecteurs, par contre, affirmaient que nous avions des approches différentes, deux styles différents, et que nos biographies se complétaient. Georges-Hébert est un homme charmant qui ne recherche pas les affrontements. C'est aussi un auteur doué qui a écrit de nombreuses biographies à succès en racontant la vie du hockeyeur Guy Lafleur, de Christophe Colomb, de Monica la Mitraille et de Céline Dion, évidemment, à quelques reprises.

Étrangement, durant cette bataille des Céline qui impliquait également d'autres biographes, on s'en prenait davantage à Georges-Hébert, qui avait pourtant écrit la biographie autorisée. On l'accusait d'avoir écrit une biographie commandée et contrôlée par René Angélil, et surtout d'être le compagnon de l'attachée de presse de Céline, Francine Chaloult. Georges-Hébert s'est toujours défendu en affirmant qu'il avait pu écrire ce qu'il pensait et ce qu'il vivait en compagnie de Céline et que René lui avait accordé entière liberté.

Avec le temps, j'ai fini par lire son ouvrage et m'en inspirer pour écrire cette biographie de René. Je pense que Georges-Hébert dit vrai et que René n'avait aucun besoin d'intervenir puisque Georges-Hébert s'autocensurait en ne blessant pas les gens qu'il aime dans l'entourage de Céline. Il n'a jamais prétendu prendre ses distances avec le clan Dion-Angélil pour rédiger une œuvre critique.

Ce qui était ma mission. Pas de la diffamation, pas un règlement de comptes, mais une œuvre critique avec un recul. Et Dieu sait qu'on prend un grand recul quand toutes les portes sont fermées et qu'on n'a aucun accès au couple. J'ai souvent envié Georges-Hébert de frayer comme il l'a fait pendant une bonne année avec Céline, René le conteur et son entourage avant d'écrire un premier livre sur l'ascension de la plus grande chanteuse québécoise de notre histoire.

En considérant le peu d'accès que j'avais eu auprès de mon sujet, j'ai été souvent flatté que l'on compare ma biographie à la sienne et très ému que le magazine *Time* évalue ma biographie comme étant la meilleure à avoir été publiée jusque-là. C'était une belle victoire de David contre Goliath.

Par Goliath, j'entends évidemment la machine que René Angélil a mise en marche pour assurer une très large diffusion du livre, avec concours, association avec un quotidien, *Le Journal de Montréal*, et une spectaculaire campagne publicitaire.

En contrôlant la publication et la mise en marché du livre, René s'est attaqué à un marché qu'il ne connaissait pas. Très rapidement, il s'est aperçu que le monde de l'édition n'est pas celui du disque et du spectacle. C'est un monde étrange, dominé par des intellectuels et des hommes d'affaires qui tentent de faire bon ménage avec des intérêts souvent opposés. C'est un monde plus complexe que ne l'imaginait René, avec ses caprices, ses contrats, ses droits d'auteur qui diffèrent selon les pays. René a admis publiquement que l'édition n'était pas son domaine et a confié à l'éditeur français Robert Laffont la mise en œuvre d'un autre livre écrit par Georges-Hébert Germain, *Céline Dion, ma vie, mon rêve*, qui a obtenu beaucoup de succès en France.

79

Titanic

En 1997, Céline remporte, cette fois sans trop de surprise, deux grammys : celui de l'album pop de l'année et évidemment celui de l'album de l'année pour *Falling Into You*. C'est à cette époque que René réalise l'un de ses grands rêves : il devient propriétaire du club de golf Le Mirage.

René Angélil négocie sans cesse avec la chance. Réflexe de joueur aguerri, sûrement. Il a réuni de grandes vedettes autour de Céline pour l'enregistrement de *Let's Talk About Love*. L'album s'annonce prestigieux et les journaux parlent déjà de la complicité, voire de l'amitié qui lie Céline à Barbra Streisand. D'autres articles racontent les séances d'enregistrement avec les Bee Gees, un groupe qui a déjà connu ses meilleurs succès mais qui fait partie des légendes de la musique pop. On fait également état du grand maître du chant classique Luciano Pavarotti, qui joint sa voix à celle de Céline. Tous les ingrédients semblent en place pour l'enregistrement d'un album mémorable.

Et pourtant c'est l'histoire d'une chanson qui marquera ce disque. Une simple chanson que Céline interprétera seule. Et c'est ici qu'on verra l'importance du facteur chance dans la vie de René Angélil. C'est évidemment Céline Dion qui aura le talent, l'émotion voulue pour interpréter ce qui deviendra un classique de la chanson américaine, *My Heart Will Go on*.

Mais c'est avec la chance de René que l'événement s'est produit.

L'histoire remonte à 1991, alors que Céline devait interpréter la chanson-thème du film de Steven Spielberg *Fievel Goes West*. James Horner était le compositeur de la chanson et avait fortement suggéré à Spielberg d'en confier l'interprétation à Céline Dion. Spielberg avait préféré Linda Ronstadt. La chanteuse québécoise s'était rabattue sur la chanson principale du film *Beauty and The Beast* et, ironie du sort, avait remporté un oscar.

C'est cet oscar qui lui avait ouvert les portes de l'Amérique. Une chance inouïe. *Beauty and The Beast* a été un film à succès ainsi que sa chanson-thème. Le film de Spielberg a échoué. Mais on ne pouvait tout de même pas s'attendre à ce qu'une chance pareille se reproduise. Et pourtant...

Le même James Horner qui avait suggéré le nom de Céline à Spielberg rapplique en suggérant cette fois-ci une chanson qu'il avait composée pour le réalisateur James Cameron, qui est en train de tourner *Titanic*. Celui-ci lui fait savoir qu'il refuse d'intégrer une chanson pop à son film.

Horner ne lâche pas prise et se rend à Las Vegas pour rencontrer Céline et René afin de leur faire entendre *My Heart Will Go on*. Tous deux sont impressionnés par l'intensité, par l'émotion que véhicule la chanson de Horner. Celui-ci avoue bien franchement à René que le réalisateur Cameron est contre son projet.

René pense que Cameron ne changera jamais d'idée, à moins que... Céline enregistre la chanson et lui soumette le produit fini. Il décide donc de payer les frais de l'enregistrement, qui a lieu à New York, et d'appuyer Horner dans sa démarche. René produira ainsi un *demo*, ce qui renverse totalement Horner qui n'en demandait pas tant. Une star comme Céline qui accepte de faire un *demo*...

«Marlon Brando a bien passé une audition pour jouer dans *Le Parrain*», réplique Angélil.

Lors de l'enregistrement, Céline, contrairement à ses habitudes, avale deux tasses de café. Elle est tendue, fébrile, et interprète la chanson de Horner avec son âme, son cœur et une boule de nerfs. Une prise a suffi.

Un mois plus tard, James Cameron entend pour la première fois *My Heart Will Go on* et craque pour Céline. Il accepte d'intégrer la chanson à son film.

Mais ce n'est pas encore gagné. Le succès est loin d'être assuré car Cameron croule sous la lourdeur du tournage de *Titanic*. C'est le film le plus coûteux de l'histoire du cinéma et son lancement a déjà été retardé de six mois. Les journalistes parlent d'un film qui va couler comme le… *Titanic*. Les ondes sont négatives : on prévoit le pire. René et Céline avaient vu des rushes et avaient pleuré comme des enfants. Ils y croyaient, à cette entreprise gigantesque de Cameron.

René a forcé la chance encore une fois. Ce n'est pas une chance pure, facile, qui arrive par enchantement. C'était de croire envers et contre tous, alors que le film était pratiquement condamné par la presse.

On connaît la suite de cette histoire.

Titanic a remporté un succès historique au box-office, l'oscar du film de l'année, et Céline a remporté son oscar en solo cette fois-ci avec *My Heart Will Go on*. Le compositeur James Horner a été récompensé de sa ténacité en touchant plus de vingt millions de dollars pour les droits de cette chanson, la première année suivant sa sortie. *My Heart Will Go on* a établi un record d'auditoire aux États-Unis avec plus de cent cinq millions d'auditeurs qui ont entendu cette chanson à la radio.

Dernier hommage de René Angélil à sa mère, Alice Sara,
à l'église Saint-Sauveur, à Montréal, en 1997.
(Photo : *La Presse*.)

80

Décès d'Alice Sara

René Angélil perd sa plus grande complice le 25 mai 1997. Sa mère, Alice Angélil née Sara, rend l'âme à l'Institut de cardiologie de Montréal, à l'âge de quatre-vingt-deux ans. Cette femme enjouée, vive et intelligente était la lumière de la famille Angélil. C'est elle qui établissait la communication entre René et son père, qui étaient rarement sur la même longueur d'onde. C'est elle qui animait le foyer et qui couvait ses deux fils comme une mère poule. Elle a particulièrement couvert René, son aîné, pas très sérieux et souvent irresponsable pendant sa jeunesse. Elle l'a gâté même avec le peu de moyens financiers dont elle disposait. Elle a payé à quelques reprises les dettes de jeu de René à une époque où celui-ci touchait le fond du baril. Elle l'a sermonné, bien sûr, mais cette femme généreuse, optimiste, l'a toujours appuyé. Couturière à la maison, tout comme la mère de Céline Dion, Alice Sara a toujours compris et admis le cheminement de René même si elle avait espéré pendant un certain temps qu'il suive l'exemple de son frère André et se lance dans le domaine des affaires.

Alice était la confidente de René et elle était à Los Angeles, près de lui, pendant trois semaines, quand il a éprouvé un sérieux malaise cardiaque en 1992. René avait peur de ne jamais se remettre de cet infarctus et c'est sa mère qu'il appelait auprès de lui.

Cadette d'une famille de quatre enfants, Alice Sara, née le 4 mai 1915, était surnommée « Tété », ce qui signifie grand-maman en arabe. Céline ainsi que les familles Sara et Angélil entourent René lors des funérailles de sa mère, qui ont lieu à l'église Saint-Sauveur quelques jours après son décès. Cachant sa peine sous des verres fumés, le grand fils d'Alice Sara perd en ce jour de printemps la véritable femme de sa vie.

« Alice a couvert René toute sa vie comme une mère poule, soutient Jean Beaulne. Elle lui a accordé beaucoup plus d'attention qu'à son frère André, qui était beaucoup plus sage, plus rangé. André et René partageaient la même chambre pendant leur enfance. André est un homme effacé, discret, qui possède aujourd'hui un club vidéo à Laval.

« Mme Angélil était dotée d'une grande intelligence, et son appui était indiscutable pour les Baronets. Elle avait toujours un bon mot d'encouragement pour chacun d'entre nous, comprenait le défi que nous souhaitions relever, acceptait notre manque d'expérience, saluait notre enthousiasme et notre dynamisme. Elle ne laissait jamais paraître l'inquiétude qu'elle nourrissait pour l'avenir de René. C'était une femme que j'admirais beaucoup et dont je garde encore aujourd'hui un excellent souvenir. Le souvenir d'une femme courageuse dont la plus belle récompense, après tant d'années d'angoisse, fut de voir René réussir. Elle a heureusement eu la chance de vivre assez longtemps pour goûter au succès de celui qu'elle avait, à sa manière, contribué à bâtir. »

81

1998 : le sens de la fête

En 1998, on s'habitue aux succès de Céline Dion alors que les trophées, les honneurs pleuvent littéralement sur sa tête. Après la cérémonie des oscars, qui a couronné *Titanic* avec onze trophées et Céline pour son interprétation de *My Heart Will Go on*, René n'entend pas être en reste. Il désire profiter de l'anniversaire de Céline, qui aura trente ans le 30 mars, une année chanceuse, paraît-il, pour faire sensation avec un cadeau spectaculaire. Le compagnon de Céline adore faire sensation lors de ses anniversaires et, cette fois-ci, il se surpasse.

Dans le plus grand secret, il a ourdi un plan qui consistait à acheter, deux jours avant la vente aux encans, le fameux collier, le diamant bleu du *Titanic*. Il avait retenu les services d'un acheteur anonyme, qui s'est procuré le bijou pour la somme de 2 200 000 $. Un montant qui ne devrait pas ruiner René. Selon le magazine *Forbes*, la fortune de Céline est évaluée à 200 000 000 $ en 1997 et ses revenus annuels seraient de 85 000 000 $. Imaginons ce que cela peut représenter aujourd'hui.

« C'est une merveille, une œuvre d'art, on dirait Versailles », s'est exclamé Céline en recevant son plus beau cadeau d'anniversaire.

Céline enregistre *S'il suffisait d'aimer* durant cette année, et, encore une fois, la critique encense le travail de Goldman et de Céline. Tandis qu'on célèbre Céline un peu partout dans le monde, les célébrations se poursuivent au Québec. Les gouvernements du Québec et du Canada tiennent à faire partie de la fête et décident de décorer Céline de l'Ordre du Québec et de l'Ordre du Canada, à moins de vingt-quatre heures d'intervalle. Ne voulant provoquer aucun incident politique, la chanteuse québécoise accepte cet honneur avec autant de satisfaction à Québec qu'à Ottawa. Depuis l'incident de Séville, elle ne veut plus jamais être impliquée dans un débat politique. Est-il nécessaire de préciser que René veille au grain et ne laissera surtout pas Céline se faire piéger par les questions des journalistes ?

« On est dans un pays libre, déclare Céline devant le Premier ministre du Québec, qui lui a remis la décoration, et l'événement d'aujourd'hui n'a rien à voir avec la politique. Recevoir cet honneur, ça vient du public, et que ce soit du gouvernement du Québec, du Canada ou de la France, ça ne fait aucune différence. »

Céline a bien appris sa leçon… de René Angélil.

À la fin de l'été, Céline Dion entreprend la plus importante tournée de sa carrière. L'ultime tournée qui la portera jusqu'à l'an 2000. Pour les besoins de cette entreprise qui n'a rien à envier aux Rolling Stones, ni à U2 ni à Pink Floyd, Céline disposera d'un jet Golfstream que René a loué pour la tournée. Cet appareil entraînera avec Céline les cent cinq membres de son équipe. La tournée débute à guichets fermés à Boston et se poursuivra dans quatorze pays, en Amérique, en Europe, en Asie et en Australie.

De nombreux reportages sont publiés dans les journaux et magazines, racontant le conte de fées du couple Dion-Angélil, et immanquablement on publie les photos des maisons de rêve dont disposent Céline et René. L'une à Jupiter, en Floride, estimée à trente millions, et une autre près de Montréal, à l'île Gagnon, d'une valeur de quinze millions. Malheureusement, rançon de la célébrité, une compagnie d'hélicoptères a profité de leur installation pour organiser des survols touristiques. Si bien que l'on entend, du matin au soir, des bruits de pales au-dessus de leur résidence, ce qui, on peut facilement l'imaginer, est très désagréable.

Des images à faire rêver. Une vie qui semble tissée d'or et d'argent avec l'amour en prime et les enfants que Céline espère. À trente ans, Céline Dion se retrouve au sommet. À cinquante-sept ans, en ce début de l'année 1999, René Angélil a atteint lui aussi le sommet de son art et connaît assez bien le monde du show-business pour évaluer les dangers d'un tel succès. Comme si tout était trop beau, trop parfait, subitement.

Lorsque René a commencé à s'occuper de la carrière de Céline, il avait de grandes ambitions pour sa protégée, sans réellement croire qu'elle deviendrait une mégastar. En apprenant à mieux connaître la jeune fille, il fut cependant convaincu que cette chanteuse avait l'envergure d'une vedette internationale. La première étape de sa planification fut d'en faire une vedette au Québec, un choix incontournable !

Mais les événements se sont à ce point précipités qu'ils ont permis à René de lui planifier une carrière internationale. Il y a eu certes des désappointements en cours de route, mais ces revers sont devenus des éléments positifs pour la carrière de Céline. Lorsque le thème du film de Steven Speilberg leur a été refusé à cause d'une mésentente entre deux maisons de disques, Disney est arrivé presque au même moment pour leur proposer la chanson *When I Fall in Love* pour le film *Beauty and the Beast*.

L'extraordinaire performance de Céline lui vaut ensuite un autre prestigieux contrat, soit la chanson *Because You Loved Me*, pour le film *Up Close and Personal*. De plus, lorsqu'elle est choisie pour interpréter la chanson-thème du film *Titanic*, *My Heart Will Go on*, pour les Jeux olympiques d'Atlanta devant un milliard de téléspectateurs, c'est la consécration. Qui aurait pu prévoir que ce film deviendrait la plus grande production de l'histoire du cinéma, établissant des records de vente de tous les temps avec un budget de 200 $ millions ? Ce sont donc cette chanson et les événements précédents qui ont permis à Céline d'accéder au rang de mégastar. La chanson obtient le record mondial de la plus grande audience radiophonique, ayant été entendue par 105 577 700 auditeurs durant la semaine du 27 janvier. Le record précédent était détenu par Donna Lewis, interprète de *I Love You Always Forever*, avec 101 millions d'auditeurs en mai 1996. Deux semaines plus tard, *My Heart Will Go on* bat son propre record avec 117 millions d'auditeurs, ce qui la fait connaître à travers le monde et lui apporte des propositions de contrats partout sur la planète.

Mais comme il y a toujours un revers à la médaille, la vie de superstar n'est pas que rose. Prisonniers du système, René et Céline sont coincés à toute heure du jour ou de la nuit par les paparazzi, l'envahissement des médias, les gardes du corps, les risques de chantage, d'extorsion, de kidnapping, etc. Souvenons-nous d'Elvis Presley qui chantait avec une veste pare-balles parce qu'un déséquilibré l'accusait d'avoir séduit sa femme. Ce soir-là, plusieurs centaines de policiers était présents dans la salle car on l'avait avisé qu'il serait tué pendant son spectacle. Pas facile, la vie d'artiste !

JEAN BEAUNOYER

82

Un cancer

Alors qu'il accompagne Céline à Dallas dans le cadre de sa tournée mondiale, René découvre une bosse inquiétante dans son cou. Céline le masse doucement et remarque cette enflure anormale. Le lendemain, il se rend dans un hôpital de Dallas, où le docteur Robert Teckler diagnostique un cancer de la gorge : un carcinome à cellules squameuses métastatiques, au côté droit du cou. René s'était déjà évanoui dans un club de golf des États-Unis alors qu'il marchait sur un tapis roulant. Déjà les signes d'une grande fatigue. Cette fois-ci cependant, il ne peut plus ignorer ni cacher son état. C'est un véritable choc pour son entourage. Certains journalistes prévoient le pire et déjà on spécule sur l'avenir de Céline. Que deviendra-t-elle sans René, le maître d'œuvre de sa carrière ? Fidèle à son habitude, il fournit très peu d'informations lorsqu'il s'agit de son état de santé et de ses véritables intentions.

Il entreprend alors une série de trente-sept traitements de radiothérapie et de chimiothérapie dans le plus grand secret. Les médias annoncent la nouvelle mais ne peuvent obtenir plus de détails sur la nature exacte de sa maladie. On sait qu'il s'agit d'un cancer de la gorge, on cite parfois les noms des médecins qui le soignent, mais on ne peut communiquer avec aucun d'eux. Céline annule plusieurs spectacles prévus en Europe et en Amérique. C'est une femme aux abois qui se précipite à sa résidence de Jupiter, en Floride, pour prendre soin de son époux.

« René a choisi de se battre, pour moi, pour sa famille », annonce Céline.

« René est très fort physiquement, précise Jean Beaulne. Je l'ai vu tellement souvent rester debout pendant toute la nuit, jouer au golf le matin, manger n'importe quoi à des heures irrégulières. Personne d'autre n'aurait résisté. Je savais qu'il allait s'en sortir. Il a une résistance physique et un système immunitaire hors du commun, mais, à un moment donné, toute mécanique, aussi forte soit-elle, flanche. La mauvaise nourriture et le stress empoisonnent un organisme qui n'a plus le temps de se ressourcer. C'est alors qu'un cancer peut se développer très facilement. »

Les médias font largement état de la lutte de René pour sa survie. Une vague d'affection, de sympathie déferle sur René Angélil ainsi que sur Céline Dion. Celle-ci a annulé quantité de spectacles à l'été 1999 mais ne peut se permettre de renoncer à ce qui sera probablement le plus impressionnant spectacle de sa carrière. René doit demeurer en Floride pour subir ses traitements et il incite Céline à se rendre au Stade de France. Le destin est étrange, parfois cruel. René, qui a assisté pratiquement à tous les spectacles de Céline, rate le plus important. Un spectacle qui a battu un record d'assistance. Elle devient la première artiste à remplir le Stade de France, d'une capacité de 90 000 sièges, à deux reprises. L'idole des Français, Johnny Halliday, et les Rolling Stones ne s'y étaient produits qu'un seul soir. Pour communiquer avec Céline pendant le spectacle depuis Jupiter, René avait demandé qu'on installe un écouteur miniature dans l'oreille de la chanteuse. Ils pouvaient même se parler entre les chansons.

Un autre événement important a lieu durant cette année qui clôture le premier millénaire. Sony annonce que Céline Dion a vendu cent millions d'albums, rejoignant ainsi les grands de la musique contemporaine. La compagnie a organisé une fête pour souligner l'événement.

Après le plus grand spectacle de la carrière de Céline Dion, les cent millions d'albums vendus, René s'interroge dans sa chambre où il est confiné pendant un certain temps. Il lutte toujours contre ce mal vicieux qui s'est attaqué à lui et il vit des moments difficiles. Les traitements se multiplient et la route est longue vers la rémission. Il pense à l'avenir, à la famille et à l'enfant qu'il n'aura peut-être pas avec Céline. Il sait fort bien que la chimiothérapie affecte gravement la fertilité de l'homme.

Ce n'est que beaucoup plus tard, en novembre 1999, qu'on apprendra que René avait fait congeler son sperme après avoir appris qu'il avait le cancer, en mars. C'est à l'émission de Larry King sur le réseau CNN que Céline Dion annonce au monde entier cette nouvelle en précisant que «congeler son sperme n'est pas une mauvaise chose du tout» car «quand vous passez par la chimiothérapie et la radiothérapie, cela tue le mauvais mais aussi le bon». Particulièrement en confiance avec Larry King, Céline annonce dans un même souffle qu'elle renouvellera ses vœux de mariage avec son mari, à 17 h le 5 janvier de l'an 2000, au *Caesar's Palace*, à Las Vegas. Elle ajoute qu'elle invitera deux cent trente-huit membres de sa famille au Nevada pour célébrer cet événement spécial qui coïncide avec le cinquième anniversaire de leur mariage. On sent Céline particulièrement fébrile à cette occasion. Comme si elle voulait soulever des montagnes, croire que tout est possible et que René triomphera.

René-Charles Dion-Angélil, né le 25 janvier 2001, l'avenir du couple.
(Photo : *La Presse*.)

83

Les confidences de René

À la fin de l'année 1999, René accepte de se livrer comme jamais il ne l'a fait auparavant, devant les caméras de Radio-Canada, à l'émission *Le Point*. L'animateur Stéphan Bureau est allé interviewer Angélil à sa résidence de Jupiter, en Floride, afin de cerner le personnage, qui ne lui oppose aucune résistance. L'entretien est chaleureux et parfois même émouvant.

En cette fin de millénaire qui coïncide avec la retraite temporaire de Céline, René fait d'étranges révélations.

«Je sais que tout ça va s'arrêter un jour. Quelqu'un d'autre va venir et la popularité de Céline va descendre, c'est normal, mais je n'ai pas peur…

«Ma vision s'arrête à l'an 2000. Céline se retire de la scène et je ne sais pas pour combien de temps. Ça peut être pour cinq ans, dix ans. Peut-être qu'elle tournera dans un film, dans deux ans. Je n'ai pas de plan après l'an 2000. Ma famille me manque, mes enfants et mes amis. Quand le show-business t'a laissé, tout ce qui te reste, c'est ta famille. Ce qu'on vit, c'est de l'artificiel. On a souvent dit qu'on allait s'arrêter. Cette fois, c'est vrai. On doit arrêter.»

Et finalement : «Il y a un prix à payer pour arriver au sommet. Absolument ! »

C'est un homme fatigué, fragile, qui parle et qui achève l'entrevue avec des sanglots dans la voix. René pleure souvent. De joie, de peine, de fatigue.

Pleurait-il autant à l'époque des Baronets ?

«Non ! Absolument pas, précise Jean Beaulne. Il vit constamment sous pression. Comme le disent si bien les paroles d'une chanson que Luc Plamondon a composée pour l'opéra rock *Starmania*, le sens des affaires lui a fait perdre le sens de l'humour. Lorsque l'on a une vie aussi intense que la sienne, le cerveau travaille au maximum. Et l'humour cède alors sa place à une perpétuelle inquiétude. Il est difficile d'imaginer ce qu'il doit supporter. En plus de voir à l'organisation complète de la carrière de Céline, il doit prendre les bonnes décisions, plaire à un tas de gens, ne jamais paniquer quand tous les autres s'énervent. La responsabilité d'un manager est écrasante et parfois René laisse échapper la vapeur. »

En plus, René est un homme malade, handicapé par de nombreux malaises cardiaques et atteint d'un cancer. Curieusement, il cherche à faire oublier son état de santé. Il en parle très rarement, comme s'il craignait qu'on s'apitoie sur lui, qu'on insiste un peu trop sur son âge qui avance ou que cela nuise finalement à l'image de Céline et du couple.

Céline déclare, à la même époque : « On travaille tellement fort qu'on s'est oubliés, René et moi. Je connais le producteur, le manager, mais je ne connais pas l'homme, parce qu'on n'a pas eu le temps. Et je veux le connaître, parce qu'il ne sera pas là éternellement. Il me manque. »

Non seulement René Angélil contrôle-t-il le monde de l'information, surtout au Québec, mais il a étendu cette pratique au niveau des arts de la scène et du disque. Fabricant d'images sans pareil, conteur fascinant, artiste du marketing et créateur d'événements à forte teneur promotionnelle, René Angélil a toujours su déjouer les véritables informateurs. Avec le temps, il a réussi à déjouer et même à museler les informateurs à qui on ne racontait pas d'histoires.

Séduisant avec les uns, menaçant avec les autres, Angélil a exercé ce contrôle tout au long de sa carrière, sans qu'on lui fasse trop d'obstacles dans le monde de l'information. Loin de s'atténuer, ce contrôle a pris de l'ampleur avec les années et surtout à la suite des succès répétés de sa protégée, Céline Dion. D'aucuns diront qu'il a magistralement accompli son travail. D'autres s'inquiéteront d'une certaine pratique journalistique au Québec.

Si l'on s'en tient à des cas isolés, le comportement de René Angélil, tout discutable qu'il soit, paraît sans conséquences vraiment significatives. C'est l'ensemble des interventions du manager auprès des médias qui pose problème et permet de mieux saisir la véritable stature du personnage Angélil.

Il parvient à déjouer habilement les gens de la presse en 1966, alors qu'il épouse Denyse Duquette dans le plus grand secret, le 11 décembre 1966. Et pourtant il est membre du groupe des Baronets, qui est au sommet de sa popularité à cette époque. Afin de ne pas ébruiter la nouvelle, il évite soigneusement d'informer les deux autres membres du groupe de la célébration de son mariage. Quelque temps plus tard, Jean Beaulne convole à son tour et fait la une du journal *Échos-Vedettes*.

En 1974, alors qu'il entreprend une carrière d'imprésario, René Angélil prépare ce qui s'avérera l'un de ses meilleurs coups publicitaires, en déclarant à des journalistes que René Simard, le Joselito québécois, vend au Québec plus de disques que les Beatles et Elvis Presley réunis. Même le *Wall Street Journal* de New York mord à l'hameçon et l'annonce bien en évidence. Cela n'est pas tout à fait faux puisque le protégé d'Angélil vend pendant quelques semaines des milliers d'enregistrements. Mais, en réalité, dans l'ensemble, René Simard ne fait pas le poids avec ces deux géants de musique rock.

Après qu'il eut prétendu avoir découvert Céline Dion, il élimine totalement la présence, le nom, l'ombre même de Paul Lévesque, le premier imprésario de Céline. Son nom n'est jamais mentionné dans une première biographie de celle-ci (*La Naissance d'une étoile*, parue en 1983 chez Quebecor), dans les articles de journaux ou dans les entrevues à la radio et à la télévision. Et pourtant Lévesque et Angélil se sont disputé le contrat de Céline pendant cinq ans, et cela, jusqu'en cour. C'était de bonne guerre de la part d'Angélil, dit-on, mais qui a osé fouiller l'information ? Qui a osé l'imprimer ? Et pourquoi ce silence ?

Par la suite, le conte de fées s'amorce. Angélil raconte qu'il a hypothéqué sa maison pour lancer la carrière internationale de la jeune Céline. Or, les documents officiels et différents témoignages confirment que René Angélil était insolvable à cette époque et que sa maison était déjà lourdement hypothéquée. Pourtant, la presse a maintenu cette légende.

Pendant plusieurs années, Céline et René ont formé un couple manifestement amoureux, ce qui n'a pas échappé à bon nombre de journalistes qui couvraient les activités artistiques. Céline était majeure, et pourtant aucun journaliste n'a fait mention de cette histoire d'amour qui aurait pu faire la une des journaux.

En 1991, l'émission *Bleu poudre* fait des ravages au petit écran. Cette émission humoristique, qui amuse la jeunesse du Québec par l'absurdité des personnages qu'elle présente et par ses propos irrévérencieux, tourne souvent en ridicule les plus grandes personnalités de l'heure. Céline Dion n'a pas été épargnée. Le personnage de Raymond Beaudoin, incarné par Pierre Brassard, profitait d'une conférence de presse pour demander à Céline: « *You english with America, you english with Johnny Carson... Do you french with René Angélil?* » René, imperturbable, se dirigeait calmement vers la caméra et disait, avec du feu dans les yeux: « Ça, les gars, vous passez pas ça! » De fait, la scène n'a jamais été présentée à la télévision! Peu de temps après, l'émission ridiculisait le politicien Pierre Elliott Trudeau, qui s'en était pris physiquement au personnage de Raymond Beaudoin. Mais, dans ce cas-ci, même un ex-Premier ministre n'a pas réussi à empêcher la diffusion d'une algarade.

En 1992, le contrôle qu'Angélil exerçait sur les médias lui a échappé lorsque Céline déclarait, un 1er juillet, fête du Canada, que la séparation du Québec du reste du Canada serait « épouvantable ». Il a réparé cette gaffe monumentale avec une explication de la chanteuse lors d'une entrevue accordée en exclusivité non pas au journaliste qui avait piégé Céline à Séville, mais à Suzanne Gauthier, une journaliste plus proche de la chanteuse et plus *human*, comme on dit dans le métier.

En 1993, René a rejeté toutes les demandes du réseau de télévision TVA, qui tentait de couvrir le lancement de l'album *The Color of My Love* à la discothèque *Metropolis*. Depuis deux ans, il avait boycotté cette station de télévision québécoise qui avait exigé une entrevue exclusive avec Céline. Ce qui n'était pas dans les plans de René.

En 1994, René Angélil a poursuivi le journal *Photo-Police*, pour une somme record, au Canada, de vingt millions de dollars. Un article de ce journal avait insinué qu'il aurait eu des relations intimes avec Céline alors qu'elle n'était âgée que de quinze ans. La poursuite était justifiée, mais pourquoi ne s'en prendre qu'à ce journal alors que l'article s'inspirait de révélations du *Globe*, une publication américaine?

En décembre 1995, René poursuit dans la veine du conte de fées en prenant en charge une bonne dame de soixante-seize ans qui s'était perdue à l'aéroport La Guardia, à New York. Une tempête de neige avait retenu tous les avions au sol. Céline et René ont été les anges gardiens de la dame en lui offrant la limousine, la suite à l'hôtel et des repas en leur compagnie. Mme Jeanette Caron a fait la manchette de tous les quotidiens de Montréal le lendemain. Les journalistes avaient été convoqués à l'aéroport de Dorval.

«Un conte de fées pour nous et pour elle, a déclaré Céline. Nous sommes devenus des amies. J'espère qu'on se reverra.» Et qui avait convoqué les journalistes depuis New York? Qui, pensez-vous?

René s'est surpassé, quelques jours avant la célébration de son mariage à Montréal avec Céline, en négociant la couverture médiatique de l'événement avec le plus offrant. La compagnie Trustar a obtenu l'exclusivité des images qui seraient prises à l'église et à la réception, pour un montant de 200 000 $ et sûrement un pourcentage des ventes, lequel n'a pas été divulgué. Certains propriétaires de journaux, et particulièrement la grande entreprise Quebecor, de Montréal, ont réagi en demandant une injonction. Finalement cette demande fut rejetée et Trustar a multiplié les publications de la cérémonie sous différents formats et à différents prix pour amasser d'énormes profits.

Très souvent, le manager de Céline Dion communique personnellement avec la direction de journaux spécialisés ou même de quotidiens pour veiller à ce qu'on présente la meilleure image possible de sa protégée. Il peut même discuter du titre d'un article, s'informer de l'emplacement de la photo et du texte. Il n'a pas hésité à se plaindre d'une photo publiée à la une d'un quotidien montréalais, *La Presse*, qui nous faisait voir une Céline sans artifices, explosant de joie après un bon coup pendant une partie de golf.

En 1996, il va plus loin en exerçant de fortes pressions sur Nathalie Jean, une jeune écrivaine de vingt-quatre ans, afin qu'elle renonce à publier une biographie de Céline Dion. Il lui a remis un chèque de 10 000 $ et la maison d'édition Libre Expression a ajouté un montant de 7 000 $. En contrepartie, la jeune femme intimidée devait s'engager à ne rien écrire, traduire ou publier sur la vie ou la carrière de Céline Dion jusqu'au 31 juillet 2000. Marquée par cette histoire, elle s'est retirée du monde de l'édition.

Après un long boycottage du réseau TVA, René Angélil va plus loin que la simple réconciliation. Il s'implique en production et devient le partenaire de Julie Snyder, qui produit son propre talk-show à

TVA. C'est ainsi que Julie obtient des reportages exclusifs sur le cheminement de la carrière de Céline, en plus de présenter des émissions spéciales de la chanteuse. En tant que coproducteur de Point J inc., René peut agir légitimement à titre de conseiller pour les émissions de Julie et on peut présumer qu'il a un droit de regard sur le choix des invités. Il s'agit du contrôle total et subtil d'un média. Est-ce que Michael Jackson ou son manager pourraient coproduire le *Tonight Show* à NBC ?

En novembre 1998, l'hebdomadaire français Voici subit les foudres de René pour avoir fait paraître un article évoquant le « désir d'enfant non abouti » de Céline Dion. La réclamation est de 27 000 $. En février 2000, le *National Inquirer* annonce en manchette que Céline Dion est enceinte de jumeaux. Poursuite de vingt millions de dollars américains. L'avocat du couple dans cette cause est Marty Singer, que l'on retrouve en 2002 dans la poursuite pour agression sexuelle contre René Angélil. Finalement, celui-ci a obtenu des excuses formelles du tabloïd.

L'annonce de la naissance de René-Charles, fils de Céline et René, fait le tour du monde. Les médias attendaient la venue de cet enfant depuis longtemps et préparaient une couverture à la hauteur de l'événement. Au Canada, cette naissance fait la une de tous les journaux et magazines, et on en parle aussi aux États-Unis, en France et dans de nombreux pays européens. Au Québec, le magazine *7 Jours* devait publier en première page, en référence au fait que l'enfant avait été conçu in vitro : « Mon fils a déjà un jumeau. » René prend connaissance de ce titre, appelle la directrice de la publication et exige que le titre soit changé. On obtempère en retirant les 200 000 copies déjà imprimées et on procède à l'impression d'une nouvelle couverture intitulée

« Céline à cœur ouvert ». Une opération qui coûtera 100 000 $. Dans les jours qui ont suivi, il y eut de vives discussions sur le contrôle de l'information exercé par René Angélil ! Les éditeurs de magazines se rencontrent, s'affrontent, *7 Jours* se défend et la liberté de la presse spécialisée est sérieusement écorchée. Qu'importe, René a eu le dernier mot.

En 2000, René poursuit le journal *Allô-Vedettes* et le journaliste Michel Girouard pour cinq millions de dollars. Raison invoquée : atteinte à sa réputation. Le chroniqueur avait repris un potin publié dans le journal américain *Star*, qui affirmait que le couple avait déboursé 5 000 $ par jour pour avoir l'exclusivité de la piscine d'un hôtel afin de se baigner nu. Girouard refuse de faire marche arrière. Angélil retire sa poursuite après les événements du 11 septembre 2001 survenus à New York. Secoué par cet acte de terrorisme qui a coûté la vie à des milliers de personnes, il veut faire la paix. Il ne faut pas oublier que tous les peuples du Moyen-Orient subissent les retombées de l'attentat du 11 septembre et que bien des Américains crient vengeance. Heureusement, Céline va chanter à New York, sur les lieux de l'attentat, tout près du drapeau américain.

En 2002, nullement impressionné par les discussions sur la liberté de l'information et par les réactions suscitées par son intervention auprès du magazine *7 Jours*, Angélil s'en prend à CKMF, une station radiophonique de Montréal qui parodie un succès de Céline, *I'm Alive*. Il fait parvenir une mise en demeure au directeur de l'information, Luc Tremblay, lui intimant de retirer la parodie des ondes dans un premier temps et de ne plus permettre à l'un des animateurs de la station de l'imiter.

Arguant que la Loi sur les droits d'auteur n'est pas claire, le directeur de la station retire la parodie.

De plus, il ne veut pas payer des frais d'avocat considérables en défiant Angélil. On continuera cependant à imiter Angélil. Aucune loi ne l'interdit. Angélil profite de l'occasion pour demander que ce poste ne diffuse plus les chansons de Céline, sous prétexte qu'il ne veut pas être associé à ce qu'il considère comme une programmation de mauvais goût.

JEAN BEAUNOYER

84

Las Vegas

Pas étonnant que René Angélil ait été attiré, dès son jeune âge, par Las Vegas. Cette ville du Nevada lui ressemble par sa démesure, ses ambitions, sa vie nocturne et ses activités sans interruption. Comme Las Vegas, René voudrait ne jamais s'arrêter, défier le temps et franchir les limites de l'homme. Las Vegas réinvente le monde à sa manière, tout comme René. La ville a surgi d'une terre aride pour y installer des châteaux, tout comme René a surgi de l'hiver pour installer sa princesse Céline et ses maisons fastueuses. Las Vegas est *big*, pense *big*, vit *big*. Tout le portrait de René.

Avec ses trente-trois millions de visiteurs annuels, la capitale mondiale du divertissement connaît une croissance spectaculaire. Sa population a doublé durant les dix dernières années et se chiffre maintenant à plus d'un million d'habitants. Mais ce sont les visiteurs qui importent : ils ont apporté huit milliards de dollars de revenus à l'État du Nevada en 1998. Cette année-là, un joueur de soixante-six ans a remporté le gros lot progressif Megabuck de vingt-sept millions au *Palace Station Hotel Casino*. Tout est possible à Las Vegas. La fortune, les mariages célébrés dans un drive-in, sans sortir de sa voiture, un divorce en quarante-cinq minutes et toutes les vedettes du show-business au coin de la rue.

Las Vegas a beaucoup évolué au fil des années.

C'est en 1931 que l'État du Nevada légalise les jeux d'argent pendant que l'Amérique puritaine vit encore la prohibition. Les lois étaient déjà plutôt souples en matière de jeu, de prostitution ou de divorce. De là sa réputation de « ville du péché ».

En 1946, c'est le début du Las Vegas moderne alors que le gangster américain Benjamin «Bugsy» Siegel construit l'hôtel Flamingo. Contrôlée par la pègre et immortalisée par Hollywood, la ville devient le symbole du glamour américain. Siegel, qui avait de la classe et de l'ambition, s'était ruiné dans cette entreprise et fut tué six mois après l'ouverture du Flamingo. À l'écran, c'est Warren Beatty qui interprétera le personnage de Siegel avec beaucoup de vérité dans une production fidèle à l'atmosphère du Las Vegas pompeux et flamboyant des années 1940 et 1950.

Dans les années 1960, soucieuse de redorer son blason, la Ville déclare la guerre à la mafia. Lors d'une affaire commentée par tous les journaux d'Amérique, le département du contrôle des jeux empêche Frank Sinatra, soupçonné d'entretenir des liens avec le milieu interlope, de devenir propriétaire d'un casino. La chaîne hôtelière Hilton et l'excentrique millionnaire Howard Hughes s'installent au Nevada à la même époque et imposent de nouvelles règles de morale.

En 1970, le quasi-monopole dont jouissait Las Vegas dans le domaine du jeu est fortement ébranlé lorsqu'on accorde l'autorisation des jeux d'argent à Atlantic City, dans l'État du New Jersey. Quelques années plus tard, une loi fédérale permet aux réserves amérindiennes d'établir des casinos. Las Vegas décide alors de diversifier ses sources de revenus.

C'est en 1984 que la ville réussit à convaincre la Citibank, premier établissement financier du pays, d'y installer l'un de ses premiers centres de traitement informatique. On a modifié la législation afin de permettre à des banques domiciliées dans d'autres États américains d'y établir des filiales. Las Vegas prend un virage technologique et les grandes entreprises s'installent dans cette ville fort lucrative. La main-d'œuvre est abondante, les employés travaillent selon des horaires souples puisque la ville ne dort pas, et il n'y a pas d'impôts à payer.

Et, dans les années quatre-vingt, c'est toute la philosophie du jeu qui change. Le gambling devient le *gaming*.

En 1989, à l'ouverture de l'hôtel Mirage, qui compte 3000 chambres, le promoteur de ce gigantesque établissement, Steve Wynn, exprime la nouvelle philosophie du jeu : «Las Vegas doit offrir des distractions en tout genre, non plus seulement aux adultes, mais aux familles. Les hôtels doivent maintenant offrir des distractions, des services, y compris des chapelles de mariage, afin d'inciter leurs clients à y passer le plus de temps possible. »

Durant la décennie qui suit, on ouvre des hôtels comptant 3 000 ou 4 000 chambres. Les plus beaux sites du monde sont reproduits dans les grands centres de Las Vegas. La tour Eiffel de cent soixante-quatorze mètres au *Paris-Las Vegas*, les deux tiers de l'Arc de triomphe, l'hôtel de ville de Paris, tout y est... On a l'illusion de voyager sur place avec des monuments de Rome, de New York et d'autres capitales. En moins de dix ans, on a construit 50 000 chambres d'hôtel à Las Vegas et réinventé tout un monde.

Le *Caesar's Palace*, la deuxième résidence de René Angélil, a été inauguré en août 1966 et c'est Jay Sarno qui en était le propriétaire. C'est une luxueuse réplique de la Rome antique. Pas moins de 1 508 chambres et le plus beau casino, dit-on. « J'ai construit cet hôtel dans le but de traiter chaque client comme s'il était un César », aimait à dire Sarno. Et René n'a jamais contredit cette affirmation.

Las Vegas a été nettoyée, les apparences sont rassurantes. La prostitution est discrète. On opère dans les sous-sols maintenant, hors de la vue des enfants... ou encore dans de somptueux palaces, aux limites de la ville. La misère des citoyens défavorisés a été cachée, hors de la vue des visiteurs. L'illusion de la richesse, actuelle ou à venir, est présente partout. Les prix sont souvent abordables, les rabais dans les hôtels se font nombreux et attrayants, mais le but demeure toujours le même : faire dépenser le client. Si on offre le gîte, la nourriture et l'alcool, ce n'est pas sans raison. Le joueur s'installe, mange et boit ce qui est offert par la maison, on le retient sur place et on atténue son jugement.

Une attention toute spéciale est accordée aux *high rollers* ou aux flambeurs, si l'on préfère. Ils reçoivent des cadeaux à la mesure des sommes qu'ils sont susceptibles de perdre. Alcool, évidemment, suites royales et limousines sont à leur disposition. Le traitement VIP, réservé à l'élite des joueurs, n'a pas de limites.

René Angélil bénéficie largement de ce traitement. Une suite lui est offerte en permanence au *Caesar's Palace*, sans compter bien d'autres avantages. En fait, tous les avantages qu'on puisse imaginer, jusqu'à l'hélicoptère.

Les grands casinos emploient des *junkets reps*, des rabatteurs de luxe qui constituent un rouage essentiel du circuit des gros joueurs. Leur mission est de repérer les gros joueurs et de les fidéliser. Ils sont payés à la commission, touchant un pourcentage des montants pariés. En somme, leur tâche est de faire la cour et de gâter les *high rollers*.

Connaissant la passion de René pour le jeu, le Casino de Montréal a conclu une entente avec le Mirage, un club de golf dont il est propriétaire. Les gros joueurs invités au Casino de Montréal obtiendront des heures de départ en priorité au Mirage. Gracieuseté du Casino, évidemment.

«Angélil a le statut de *high roller*», indique un expert de l'industrie du jeu, Deke Castleman, qui s'apprête à publier un livre aux États-Unis sur le phénomène des joueurs à hautes mises et des «hôtes» qui prennent soin d'eux.

Castleman est aussi éditeur de la revue *Las Vegas Adviser*.

«Selon mes contacts, dit-il, René Angélil joue entre 50 000 $ et 100 000 $. C'est donc un gros joueur et son casino préféré, le *Caesar's Palace*, fait une bonne affaire avec lui. Céline, comme tous les artistes qui se produisent au *Caesar's Palace*, y reçoit des dizaines de milliers de dollars en jetons gratuits. Que son mari mise cela sur la table de jeu plutôt que de les encaisser, c'est un bonus rare pour le casino.»

Des «bons soins» à la manipulation psychologique, il n'y a qu'un pas et les casinos, qui possèdent d'énormes moyens financiers, n'hésitent pas à embaucher des diplômés de Harvard ou d'autres grandes universités pour influencer leur clientèle d'élite. Des psychologues, psychiatres et autres spécialistes du comportement humain sont engagés spécialement pour créer des offensives psychologiques qui incitent au jeu des gens fortunés et, surtout, qui les fidélisent. Des fortunes ont été perdues ainsi. Qu'importe, viva Las Vegas !

85

Les idoles de René

Durant son adolescence, René s'est identifié aux chanteurs à la mode. D'abord Frank Sinatra, puis Elvis Presley, Buddy Holly, Little Richard à la naissance du rock and roll. Plus tard, à l'époque des Baronets, il s'intéresse davantage à ceux qui dirigent les carrières des vedettes de la musique pop. Quand les Baronets ont rencontré les Beatles alors que ces derniers étaient venus présenter leur spectacle à Montréal en 1963, René s'intéressait surtout à Brian Epstein. Après avoir serré la main des quatre Beatles, il voulait connaître leur imprésario, celui qui était responsable de leur succès. Je ne crois pas que, dans la tumulte de l'événement Beatles à Montréal, René ait pu rencontrer Epstein et discuter avec lui, mais cet homme l'a toujours fasciné.

Il s'est intéressé également aux activités du fameux colonel Tom Parker, qui a dirigé la carrière d'Elvis Presley. Toujours désireux d'atteindre le sommet en toutes choses, Angélil s'est inspiré des deux managers les plus célèbres de l'histoire de la musique populaire, Parker et Epstein, qui ont façonné les deux plus grands phénomènes musicaux de notre époque, Elvis Presley et les Beatles.

René a déjà mentionné, lors d'une conférence de presse, que le colonel Parker n'était pas précisément son idole en tant qu'homme, mais qu'il aimait ses stratégies de marketing. Il préférait néanmoins celles de Brian Epstein, et on le comprend. Il a rencontré Parker à deux reprises et je crois bien qu'il a été déçu du comportement d'un homme vieillissant. Lors d'une première rencontre, celui-ci lui avait dit de ne jamais comparer Céline Dion à Barbra Streisand et qu'elle devait demeurer elle-même, s'imposer par elle-même. À leur deuxième rencontre dans la résidence du colonel, celui-ci avait confié que Céline avait autant de talent que Barbra Streisand. L'homme qui dépassait quatre-vingts ans avait dû oublier.

Si René ne se réclame pas de l'école de Parker, il faut bien admettre, après avoir obtenu des informations peu édifiantes sur la véritable nature du personnage, qu'il lui ressemble sur plusieurs points. D'abord, le colonel fut un gambler impénitent comme lui. C'est un manager qui s'est consacré à un seul artiste, comme lui. Il avait aussi une forte stature, s'imposait dans son entourage et était passé maître dans l'art du marketing. Il était particulièrement gourmand lorsqu'il s'agissait de négocier sa part du gâteau avec les producteurs. Mais les comparaisons ne tiennent pas longtemps lorsqu'on regarde le cheminement fort discutable du colonel Parker.

Né le 26 juin 1909, en Hollande, de son vrai nom Andreas Cornelis Van Kuijk, le jeune homme émigre aux États-Unis dans des circonstances mystérieuses. On prétend qu'il est arrivé en Amérique clandestinement, sans passeport. Il s'intéresse d'abord au monde du cirque, qu'il adore, puis à la musique country alors qu'il devient le manager d'Eddy Arnold, un chanteur country fort populaire dans les années cinquante. Celui-ci le congédie, pour des raisons toujours mystérieuses, et voilà que Parker touche le gros lot en rencontrant Elvis lors de l'un de ses premiers spectacles, dans la région de Memphis.

Dans le contrat qu'il fait signer à la jeune vedette, il touche 25 % de ses cachets, puis, en 1967, il exigera 50 %. Craignant de sortir du pays alors que les grandes capitales du monde réclamaient Elvis, Parker a isolé celui-ci dans son fameux Graceland pendant les plus belles années de sa vie. Parker n'admettra jamais que c'est lui qui ne pouvait franchir les frontières, à cause de cette fameuse histoire de passeport et d'un passé passablement nébuleux. Certains prétendent qu'il a su prolonger la carrière d'Elvis, le faire durer pendant vingt ans, mais à quel prix ? Il a bousillé sa carrière d'acteur en lui faisant tourner une trentaine de navets alors qu'on lui proposait des rôles intéressants. Il n'a pas su lui trouver des chansons originales après ses premiers succès. Pourquoi ? Tout simplement parce qu'il exigeait un partage des droits des auteurs qui écrivaient pour Elvis. Peu à peu, les auteurs et compositeurs sont allés voir ailleurs.

Bien sûr que le colonel savait organiser un véritable carnaval autour des spectacles du King à Las Vegas, mais, encore là, il n'a jamais obtenu le salaire qu'Elvis méritait. Le gambler qu'était Parker avait des ententes spéciales avec certaines maisons de jeu et bénéficiait d'avantages personnels.

Mais la pire gaffe de la carrière de Parker a été de céder le catalogue complet d'Elvis pour la somme de 5 000 000 $ à la fin de sa carrière. Le colonel est décédé en 1997, fort discrètement.

On comprend pourquoi René ne revendique en aucun cas l'héritage… culturel de Tom Parker.

Par contre, le cheminement de la carrière de Brian Epstein est plus intéressant.

Né le 19 septembre 1934 à Liverpool, le jeune Brian est un piètre élève qui se fait mettre à la porte du Liverpool College à seize ans et qui décide de travailler dans le commerce de son père. Ses parents sont soulagés, le jeune a le sens des affaires. Il s'intéresse aux meubles, au théâtre et finalement à la musique. On vend des disques dans le commerce de ses parents et, parmi les disques qu'on fait tourner le plus souvent, Brian remarque tout particulièrement *My Bonnie* par un certain groupe nommé Beatles. Connais pas ! Il se rend au *Cavern Club* rencontrer les quatre jeunes membres du groupe et leur propose de diriger leur carrière.

Il demande 25 % des cachets des Beatles. C'est plus que la part habituelle, mais il promet, en échange, de se dépenser sans compter. Dans un premier temps, il a frappé à la porte de nombreuses compagnie de disques, qui ont refusé d'enregistrer la musique des Beatles. Il a persévéré et finalement la compagnie EMI, dont le directeur artistique était George Martin, a accepté la proposition d'Epstein.

Par la suite, celui-ci a eu le flair d'évincer Pete Best, le batteur du groupe, et de le remplacer par Ringo Starr. Avec son allure à la James Dean et son style flamboyant, Best prenait beaucoup trop de place et déplaisait à John, à Paul et à George. Brian pensait que la chimie serait meilleure avec Ringo.

Avant d'aller plus loin avec les nouveaux Beatles, Epstein posa ses conditions et ses protégés devaient se soumettre à certaines règles. Les sandwiches et la bière devaient disparaître. Les blousons de cuir devaient être remplacés par des costumes propres et attrayants. Ils devaient éviter les blasphèmes et les mots orduriers. Ils devaient éviter de chanter des chansons de taverne du genre *She'll Be Coming 'Round the Mountain*.

Dès le début, Epstein a soigné l'image des Beatles et il a réussi à transformer quatre gaillards de la classe ouvrière en gentlemen bien habillés. Liverpool regorgeait de groupes à cette époque, mais aucun n'avait la classe des Beatles et, dans un premier temps, c'est ce qui a fait la différence. Epstein savait qu'une bande de voyous qui chantait avec des vestes de cuir n'allait jamais passer à la télé. Il a réussi à faire accepter, avec les Beatles, des changements considérables pour cette époque.

Epstein a fait encore mieux. Il a été le garde-fou émotionnel d'un groupe de personnalités intenses. Il a sans cesse travaillé à maintenir les liens entre les quatre musiciens. Par le biais de son entreprise, NEMS, il a dirigé non seulement la carrière professionnelle des Beatles, mais leur vie personnelle. Cette compagnie réglait tous les aspects domestiques et matériels du fameux quatuor. Epstein ne laissait rien au hasard et maintenait son groupe uni et relativement satisfait. Il avait même acheté personnellement 10 000 copies de *Love Me Do*, afin que les Beatles puissent s'inscrire au palmarès.

Quand Epstein est décédé, en août 1967, d'une overdose, John Lennon n'a pu s'empêcher de dire : « Là, je crois que les Beatles, c'est fini. »

86

L'avenir

Comment se dessine l'avenir pour Céline Dion et René Angélil ? S'installeront-ils définitivement à Las Vegas ? Céline tentera-t-elle l'expérience du cinéma ?

On peut facilement présumer que les producteurs de son spectacle *A New Day Has Come* tenteront de renouveler son contrat après un premier engagement de trois ans. On lui prévoit déjà un immense succès et une qualité de spectacle exceptionnelle. René sera sûrement tenté de demeurer à Las Vegas, mais comment Céline s'adaptera-t-elle à sa nouvelle vie ?

Jean Beaulne connaît bien l'endroit pour y avoir demeuré pendant de nombreuses années à titre de producteur cinématographique associé à Gailey Vollmer, de Trans International Production.

« Las Vegas, c'est fabuleux pour les touristes, mais c'est une autre histoire pour les gens qui y demeurent. C'est un endroit formidable pour les jeux, les spectacles et les restaurants, mais vivre sur place de manière permanente peut apporter de la monotonie à ceux qui ne fréquentent pas régulièrement les casinos. On n'y trouve pas non plus la chaleur humaine et la végétation du Québec. Entre Las Vegas et Los Angeles, c'est en grande partie le désert. Moi, j'ai besoin de voir des arbres, de la végétation, des champs de blé, du vrai gazon. C'est une question de tempérament. René aime ce milieu. Le son des machines à sous le rend heureux, mais Céline sera loin de sa famille et demeurera dans une maison d'un quartier archisécurisé. Et puis il y a le danger que René s'attarde un peu trop dans les maisons de jeu. Mais j'ai confiance, il a toujours su garder son équilibre jusqu'à présent. »

Selon Beaulne, René n'est pas particulièrement intéressé par des projets de cinéma pour Céline, du moins pour l'instant.

« René m'a déjà dit qu'il n'était pas particulièrement intéressé par le cinéma et qu'il estimait que Céline n'était pas encore prête pour se lancer dans cette aventure même si les propositions affluent d'un peu partout. Il a ajouté que plus tard, peut-être, il y penserait. Le rythme de travail est différent au cinéma. On procède avec une lenteur incroyable qui ne convient sûrement pas au tempérament de René. »

Et puis comment oublier la scène, les acclamations, la musique et la voix qui emportent toute une salle lors d'une soirée magique ? René n'a vécu que pour le show-business pendant toute sa vie professionnelle. Qui peut prétendre ce que lui réserve l'avenir ? Personne. Mais on sait cependant qu'avec les années le monde du show-business ne peut plus quitter ceux qui en font partie.

Voilà ce qui rassemble encore René Angélil et Jean Beaulne, les deux frères du showbiz. Des frères qui se disputent comme dans les meilleures familles et qui se retrouvent comme une fatalité.

« J'ai appris bien des choses sur moi-même en participant à la rédaction de ce livre, m'a confié Jean Beaulne. J'étais aussi passionné des Baronets que René l'a été de Céline par la suite. Au fond... »

Au fond, René et Jean se ressemblent plus qu'ils ne veulent l'admettre.

Table

Et Angélil créa Céline
composé en caractères Times corps 12
a été achevé d'imprimer
sur les presses de Marc Veilleux imprimeur
à Boucherville
le onze novembre deux mille deux
pour le compte des ÉDITIONS TRAIT D'UNION.

Imprimé au Québec